一笑
古龍自署

盛期之風貌

與

臥龍生作品　帶動武俠風潮

《飛燕驚龍》開一代武俠新風

《飛燕驚龍》(1958)爲臥龍生成名作，共48回，約120萬言。此書承《風塵俠隱》之餘烈，首倡「武林九大門派」及「江湖大一統」之說，更早於香港武俠巨匠金庸撰《笑傲江湖》(1967)所稱「千秋萬世，一統」達九年以上。流風所及，臺、港武俠作家無不效尤；而所謂「武林盟主」、「江湖霸業」等新提法，竟成爲社會大眾耳熟能詳的流行術語了。

《飛燕》一書可讀性高，格局甚大。主要是寫江湖群雄爲覬覦傳說中的武林奇書《歸元秘笈》而引起一連串的明爭暗鬥；再以一部假秘笈和萬年火龜爲餌，交插敘述武林九大門派（代表正派）彼此之間的爾虞我詐，以及天龍幫（代表反方）網羅天下奇人異士而與九大門派的對立衝突。其中崑崙派弟子楊夢寰偕師妹沈霞琳行道江湖，卻如夢似幻地成爲巾幗奇人朱若蘭、趙小蝶之絕世武功技驚天龍幫，而海天一叟李滄瀾復接連敗於沈霞琳、楊夢寰之手；致令其爭霸江湖之雄心盡泯，始化解了一場武林浩劫云。

在故事佈局上，本書以「懷璧其罪」（與真、假《歸元秘笈》有關）的楊夢寰屢遭險難，卻每獲武林紅妝垂青爲書膽(明)，又以金環二郎陶玉之嫉才害能，專與楊夢寰作對(暗)爲反派人物總代表。由是一明一暗交織成章，一波未平，一波又起，極盡波譎雲詭之能事。最後天龍幫冰消瓦解，陶玉帶著偷搶來的《歸元秘笈》跳下萬丈懸崖，生死不明，卻予人留下無窮想像空間。三年後，作者再續寫《風雨燕歸來》以交代陶玉重出江湖，爲惡世間，則力不從心，當屬狗尾續貂之作。

在人物塑造方面，臥龍生寫男主角楊夢寰中看不中用，固然乏善可陳，徹底失敗；但寫其他三名女主角如「天使的化身」沈霞琳聖潔無瑕，至情至性，處處惹人憐愛；「正義的女神」朱若蘭氣質高華，冷若冰霜，凜然不可犯；「無影女」李瑤紅則刁蠻任性，甘爲情死等等，均各擅勝場。乃至寫次要人物如「賓中之主」海天一叟李滄瀾之雄才大略，豪邁氣派；玉簫仙子之放蕩不羈，爲愛痴狂；以及八臂神翁聞公泰之老奸巨猾，天龍幫軍師王寒湘之冷傲自負等，亦多有可觀。

摘自 葉洪生、林保淳著
《台灣武俠小說發展史》

台港武俠文學

流行天王

臥龍

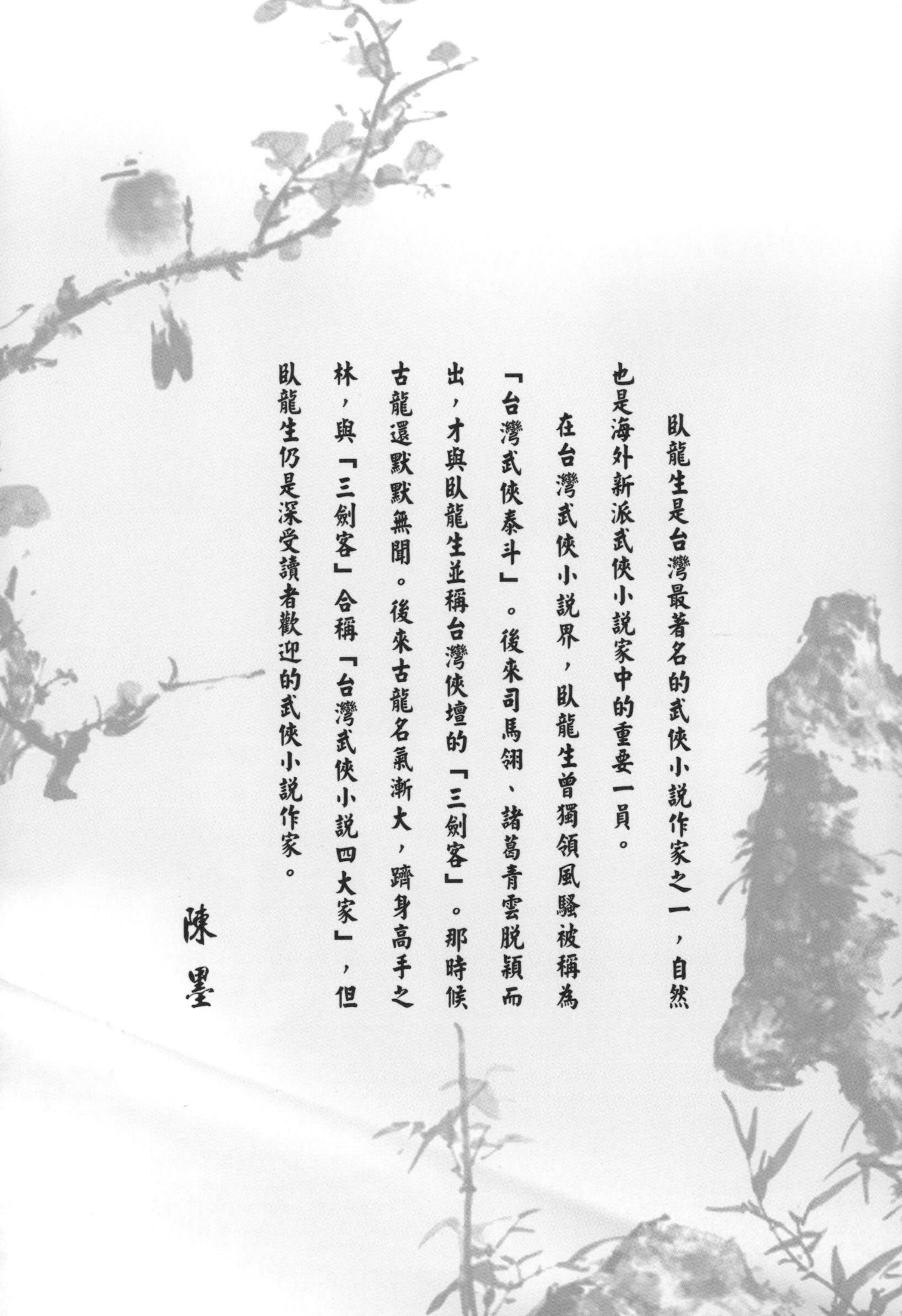

臥龍生是台灣最著名的武俠小說作家之一，自然也是海外新派武俠小說家中的重要一員。

在台灣武俠小說界，臥龍生曾獨領風騷被稱為「台灣武俠泰斗」。後來司馬翎、諸葛青雲脫穎而出，才與臥龍生並稱台灣俠壇的「三劍客」。那時候古龍還默默無聞。後來古龍名氣漸大，躋身高手之林，與「三劍客」合稱「台灣武俠小說四大家」，但臥龍生仍是深受讀者歡迎的武俠小說作家。

陳墨

臥龍生
金劍雕翎
（三）
臥龍生
武俠經典珍藏版
23

臥龍生精品集㉓

金劍雕翎(三)

目錄

廿九　故人留書

蕭翎望著三人消失的背影，長長歎息一聲，道：「目下我有兩個心願了。」

玉蘭道：「救出了老爺、夫人，你再去會會那位岳姑娘。」

蕭翎道：「不錯。」

金蘭道：「怎麼？難道相公真的認識一個岳姑娘嗎？」

蕭翎道：「正因如此，才使我滿腹懷疑，無以自解。」

忽聽步履聲響，那大漢捧著食用之物，走了過來，恭恭敬敬地向玉蘭說道：「粗茶淡飯，只怕難合姑娘口味。」

玉蘭輕輕歎息一聲，道：「你這座茅舍，暫時借給我們用用如何？」

那大漢道：「在下這條性命，都是姑娘所救，姑娘叫小的死，小的亦是萬萬不敢推辭，何惜這一所茅舍。」

玉蘭道：「我們已給你帶來了麻煩，快去收拾細軟之物，早些去吧！」

那大漢愕然說道：「這是怎麼回事？」

玉蘭道：「我已脫離了百花山莊，但他們卻苦苦緊追不捨，我既到了此地，他們很可能隨

後就到，你既無能助我，還不如早些逃命去吧！」

那人似是對百花山莊有著無比的畏懼，當下說道：「恭敬不如從命。」匆匆奔入臥室，片刻之後，提著一個小包裹，對玉蘭長揖一拜，急急而去。

金蘭道：「這人很怕死。」

玉蘭道：「不能怪他，他親眼看到二莊主連續處決他六個夥伴，心中如何不害怕，他這一生一世，只要聽到百花山莊四字，都將嚇得魂魄離體！」

目光一掠桌上食物，說道：「金蘭姊姊請陪相公留在此處，我去約那小要飯的，要他到此地來相見。」

蕭翎道：「方圓十里，盡都是百花山莊中的暗樁，你一人行動，豈不是太過危險？」

玉蘭道：「不妨事，妾婢易容改裝而行，他們就不會注意了！」起身而去。

片刻之後，只見一個滿臉污灰、破履襤衫之人緩緩走了過來，笑道：「相公，您看看我可像那小要飯的？」

蕭翎啞然一笑，道：「扮裝得很像，但你還是要多加小心，不要露出破綻。」

玉蘭抱拳一禮，轉身急奔而去，躍出竹籬，消失不見。

金蘭目注玉蘭去向，良久之後，才回頭對蕭翎道：「相公請靜坐調息片刻，妾婢入廚，為你做些點心食用。」

蕭翎道：「不用了，昔年我在那三聖谷中學藝時，常以瓜果果腹，這已經是很好了，此

刻，這歸州境內，到處都是武林高人，舉炊難免要引起他們注意。」

金蘭道：「妾婢從命，相公委屈了！」

蕭翎匆匆吃過，金蘭剛剛收拾好碗筷，突聞呼的一聲，籬門被人踢開。

金蘭暗中探頭一望，只見四個身著彩衣之人，魚貫走了進來。

這四人在蕭翎腦際，都留著深刻的印象，正是昔年在武當山上聽禪閣中，曾經見過的江南四公子。

五年不見，四人仍是那等自命風流的裝束，一個個彩衣鮮艷、花枝招展。

蕭翎略一打量四人，低聲對金蘭說道：「咱們快避開去。」雙雙閃入內室。

江南四公子大模大樣地登堂入室，直進客廳，那當先而行之人，高聲說道：「有人在嗎？咱們兄弟腹中飢渴，快拿出一些食物和飲用的茶水。」

第二個不聞有人回答，立時怒聲喝道：「這房中打掃甚是乾淨，不似無人居住模樣，如是躲著不想出來，惹得咱們兄弟動了氣，一把火燒你個寸草不留。」

躲在室中的金蘭，微微一皺眉頭，壓低話聲說道：「別讓他真的燒了房子，妾婢還是先去應付他們一下。」

蕭翎略一沉吟，道：「你要多加小心。」

金蘭點頭說道：「妾婢自會小心。」緩步走了出來。

江南四公子，正待動手搜查，瞥見金蘭緩步而出，不禁眼睛一亮。

那當先一人一抱拳，道：「兄弟一陣風張萍。」

第二個接道：「在下五毒花王劍。」

第三個接道：「兄弟六月雪李波。」

最後一個躬身長揖，道：「在下寒江月趙光。」

金蘭不知這些人是故意裝作，還是當真溫文多禮，當下還了一禮，道：「四位請坐。」

五毒花王劍哈哈一笑，道：「這荒涼所在，只住姑娘一人，難道你不害怕？」

金蘭道：「妾身和家兄同住於此。」

六月雪李波接道：「令兄可在嗎？」

金蘭道：「家兄趕集去了！」

寒江月趙光道：「這麼說來，家中只有姑娘一人了？」

金蘭已聽出四人是有意在口齒上輕薄取笑，不禁心生怒意，冷冷說道：「四位請在廳中稍坐，妾身去替諸位燒壺茶來。」轉身向室外行去。

五毒花王劍突然一伸手臂，攔住金蘭的去路，道：「咱們兄弟想喝一點酒，不知有沒有？」

金蘭略一沉吟，道：「讓我去找找看。」

王劍手臂一縮，手指卻順勢摸向金蘭的粉臉，哈哈一笑，道：「這般標緻的姑娘，這一身細皮白肉，我不信你是在這茅舍中長大的。」

六月雪李波道：「不錯，牧人村夫，縱然是有錢，也不會替她裁製綾羅衣褲。」

寒江月趙光突然一晃雙肩，欺身而上，探手一把，抓向金蘭後背。

金蘭頭也未回，一挫柳腰，凌空而起，飛出室外。

趙光笑道：「好快的身法，這叫不打自招。」

飛身出去，一招「金龍探爪」，抓向金蘭右腕。

在這等形勢下，金蘭縱然再想隱藏武功，亦是有所不能，右手「攔江截斗」，反擊過去。

趙光笑道：「瞧不出你還有這般矯健的身手。」雙手連環攻出。

金蘭揮手還擊，展開了一場惡戰。

寒江月趙光施展擒拿手法連攻了十幾招，竟然全為金蘭封架開去，這才知是遇上了勁敵。

六月雪李波飛身一躍，搶出室外，道：「為兄助你一臂。」側身遞出一掌。

金蘭封拒那趙光一人掌勢，尚可應付，但加上了一個李波，形勢頓然改變，大有應接不暇之勢。

蕭翎隱身內室，眼看金蘭已難再支持下去，再不出面，金蘭縱不受傷，亦將被人生擒。

正待飛身而出，突聽茅舍外傳來一聲冷笑，說道：「兩個堂堂的男子漢，欺侮一個女孩子，也不怕人笑話。」隨著喝聲，飛入一個個子瘦高，氈帽壓頂，藍色長衫的人。

那人身法奇快，話落口，人已飛身到金蘭的身側，疾攻一掌，擋開了趙光。

李波、趙光齊齊停下手來，回目一顧來人，冷冷說道：「我道是誰，原來是中州二賈！商

八、杜九一向是焦不離孟，秤不離錘，你來了，那商八想必就在左近了。」

這來人，正是中州二賈中的冷面鐵筆杜九，只聽他冷冰冰地說道：「對付你江南四公子，杜老二一個人已經夠了。」

五毒花注目四顧，不見商八同來，沉聲對張萍說道：「老大，他既是有意找咱們麻煩而來，正好一試咱們兄弟年來苦練的合搏劍陣。」

張萍還未及答話，杜九已搶先說道：「好極，好極，在下能首先領教江南四公子新練絕技，當真是榮莫大焉，四位就請出手。」

江南四公子，五年前受挫於武當山後，使四人狂傲之性大為消滅，自覺武功和當世第一流高手比將起來，實是不如人，因此四人居然發狠練起武功，研創出一種合搏強敵的劍陣，匆匆五年，劍陣已有大成，這才重出江湖。

只是，江南四公子之首的一陣風張萍，在四人之中，也是較為持重的一個，他心中懷疑，這中州雙賈一向同行同出，杜九所到之處，必有商八，此刻雖只有杜九一人，卻終是放心不下，是以遲遲不肯出手。

忽聽冷面鐵筆杜九哈哈一笑，道：「四位怎麼不肯出手，難道還要杜某人一一奉請不成？」

五毒花王劍怒道：「好狂的口氣。」右手一翻，長劍出鞘，刷的一劍，刺了過去。

但見冷面鐵筆杜九身子倏然一轉，避開王劍攻來的一招，雙手中已多了兩件兵刃，左手銀

圈，右手鐵筆。

六月雪李波眼看形成非戰不可之局，緊隨著刺出一劍，口中說道：「諸位兄弟，他既然指名要一試咱們合搏的劍陣，何不就讓他見識一番。」

張萍眼看已有兩人出手，這個仇已然結定了，也就不如合力出手，假若能把這杜九先傷劍下，商八縱然趕來，亦可少去一個麻煩。

心念電閃，緊隨發動，長劍一領，帶動劍陣。

四公子分由四個方向，攻向杜九。

杜九左手銀圈，右手鐵筆，一齊揮動，分阻四公子四路劍勢。

江南四公子劍陣發動，愈來愈快，轉眼間，四人已各攻二十餘劍，刹那間，寒光閃轉，劍氣漫天。

杜九自恃武功高強，原本不把四公子放在心上，但鬥了一陣之後，才知遇上了勁敵，今日的江南四公子，已非昔日的吳下阿蒙，當下改取守勢，不求有功，但求無過，鐵筆、銀圈，幻起了一片護身光幕，封架遮攔，力拒四劍。

江南四公子，合力各攻三十餘招，仍然找不出一點可乘之機，心中暗暗驚佩，忖道：中州雙賈，果非浪得虛名，如是我們單獨和他過招，只怕都難戰過二十回合。

一陣風張萍眼看杜九門戶緊嚴，這般打下去，再有百招，也是難以收功，那商八總有趕來之時，那時中州雙賈合力，勝算更是微小，當下劍法一變，劍陣隨著變動。

這一陣風張萍乃四公子劍陣中的軸心，劍陣變化，全由他來帶動。

但見四公子劍勢突急，刷刷刷各刺三劍。

這三四一十二劍，快速至極，出手雖有先後，但卻連連出擊，一氣呵成，有如同時攻出一般。

杜九料不到四公子的合搏劍勢，竟是如此厲害，但覺銀芒電旋，由四面八方攻到，登時有著應接不暇之感。

蕭翎隱在暗處，眼看杜九漸臨危境，大有應接不暇之勢，心中一動，暗道：四公子合力出手，我暗中助他一臂，也不算有失光彩的舉動，也正好一試柳仙子傳授我那「豆粒打穴」之技，有了幾成火候。

心念轉動，目光滿室搜索，瞥見一座瓦缸中，裝了一缸綠豆，伸手抓了一把，暗中運集功力，觀準對手，彈出了一粒。

這時，一陣風張萍正揮劍刺向杜九前胸，右臂高高舉起，突覺臑會穴側一疼，劍勢微微一緩。

原來蕭翎初試此技，認穴不準，未能擊中張萍的「臑會」穴，但他彈出的力道強猛，雖未能擊中穴道，但張萍出手劍勢，已然大受影響。

需知高手過招，不得有毫釐之差，張萍劍勢一緩，杜九已乘機破圍，鐵筆封住了張萍劍勢，左手銀圈掄動。

一招「風起雲湧」，一陣叮叮噹噹亂響，擋開了王劍、李波、趙光三人的劍勢，脫出了劍陣，鐵筆一起，點向張萍。

張萍反手一招「孔雀開屏」，灑出了一片劍花，擋開杜九鐵筆，李波、趙光，立時分由兩側繞了上來。

杜九吃過四人劍勢合圍之苦，哪裏還容四人布成劍勢，鐵筆一振，反手點向李波，右手銀圈擋住了趙光的劍勢，一提真氣，躍出八尺。

一陣風張萍哈哈一笑，道：「怎麼樣？咱們兄弟合搏劍勢的滋味如何？」

杜九道：「算不得什麼厲害的陣勢，如若那劍勢果真厲害，在下豈能如此來去自如？」

張萍苦笑一下，道：「那你就再試一次如何？」

他心中有苦難言，如非右臂突然一疼，擊出的劍勢緩了一緩，這杜九豈能輕易破陣而出。

突聽一陣哈哈大笑，傳了過來，一人朗聲接道：「好啊！貴兄弟四人，咱們兄弟兩個，這票買賣對本對利，咱們兄弟接下了。」

杜九不用回頭看，只聽那笑聲，已知是商八趕到。

江南四公子，齊齊轉目一望，只見一張圓臉，福字履，身著青綢長衫，外罩黑緞團花大馬褂，大腹便便，又胖又矮之人，緩步行了過來。

只見金算盤微微一笑，道：「兄弟在另談一票買賣，遲到一步，有勞諸位久候。」

張萍冷冷說道：「隱在暗處，出手傷人，豈是大丈夫的行徑。」

商八微微一怔，繼而哈哈大笑，道：「兵不厭詐，兄弟就是早來了，也不會給你說明白啊！」

張萍道：「中州雙賈如秤伴錘，我早該知道你隱在暗處才對！」

杜九冷冷接道：「江南四公子，狗不改吃屎，見了女子，就如蠅逐臭，老大，亮傢伙動手，除了江南四公子，也好替世間保留下幾位好姑娘。」

這時，金蘭已退到蕭翎停身內室的窗外，低聲說道：「相公，那不是中州二賈嗎？相公終日裏想尋找他們，此刻對面而處，怎不招呼他們一聲。」

蕭翎道：「不用慌，我要瞧瞧兩人的品性如何。」

金蘭心中暗道：口氣如此托大，倒似是那中州雙賈很聽你的一般。

只聽商八說道：「咱們兄弟雖然愛財，但決不傷格，從沒有強取豪奪的事。」

杜九鐵筆一振，點向張萍，口中喝道：「老大，不用和他們多費口舌了。」

張萍閃身避開，讓開一招，長劍一揮，江南四公子立時合在了一起。

適才四人聯手合鬥那冷面鐵筆杜九一人，未能傷得了他，此刻，再加上一個金算盤商八，自是更難對付。

四人心中明白，如若不以劍陣合力對付兩人，難以撐過百招。

商八哈哈一笑，道：「五年來，四位想必已練有絕學。」喝聲中，右手向懷裏一探，取出金算盤，舉手一抖。

嘩嘩亂響聲，泛起一片珠光。

張萍長劍領動劍訣，四公子一齊出劍，斜橫身側，布成了拒敵的劍陣。

杜九搶了右面方位，說道：「這四個龜兒子，練成了合搏劍陣，咱們從兩側攻去，讓他們首尾不能相顧。」

張萍吃了一驚，暗道：這中州二賈，不但武功高強，料敵察事的經驗，也非常人能及，如是兩人當真從兩側攻上，合搏劍陣的威力，自是大減許多。

商八微微一笑，移向左面方位，抖動著手中金算盤，說道：「此刻，咱們還可以講講價錢，如是動上手，那就是敲定了生意，賠賺都得認命了。」

一陣風張萍舉起手中長劍，搖了兩搖，四公子方位忽變，成了一座方陣，口中應道：「什麼價錢，你開出來吧！」

商八哈哈笑道：「便宜，便宜，如是四位肯答應兄弟我一個條件……」話未說完，突聞一陣急促的狗叫之聲傳了過來。

杜九素知商八智計過人，戲罵言笑中，常寓奇謀，本待舉筆攻出，聞言停了下來。

張萍一皺眉，道：「什麼條件？」

商八目光一掠那依窗而立的金蘭，笑道：「四位可聽過那神風幫嗎？」

張萍道：「自然聽過。」

商八道：「那你可知道，那神風幫主乃是一位風貌絕世的年輕少女。」

張萍略一沉吟，道：「這個和咱們兄弟何干？」

商八道：「自然有關係了，四位貪色，我們兄弟愛財，那神風幫正是一票財、色兼具的買賣，如是貴兄弟願和咱們合作，豈不是各取所需……」

張萍道：「是啦！你要咱們兄弟和你們合作，對付那神風幫。」

金算盤商八望了江南四公子一眼，隨即撥動手中的算盤珠子，口中唸唸有詞地說道：「二一添作五，二五合一十，三下五去二…」

江南四公子瞧著商八撥動珠子的舉動，果然一副做生意的老闆模樣，心中暗暗好笑，但冷面鐵筆杜九，卻是心中明白，他心中是有了猶疑不決的爲難之事。

三十　金蛇之鬥

商八撥了一陣算盤珠子，臉上泛起一種奇異的神色，回顧了那依窗而立的金蘭一眼，突然一抖金算盤，口中發出一聲低嘯。

只聽兩聲汪汪大叫，破空而來，兩隻捲毛大黑犬躍過竹籬，奔向商八身側。

這兩隻大黑犬，高可及人，雖然狗形，隱隱中卻如虎象，站在商八身後，四隻巨目炯炯發光，不停地掃視四周。

一陣風張萍一直在等待著商八的答覆，究竟是要如何一個合作之法，哪知商八好像忘了適才之言，凝神而立，似是在等待什麼？

只聽砰的一聲，兩扇關閉的籬門，被人一腳踢開。

一群裝束詭異的人物，緩步走了進來。

當先兩個身軀瘦高，全身黑衣的大漢，目光一掠中州二賈，冷冷說道：「果然又是你們，當真是冤家路窄。」

那商八看了兩個大漢一眼，亦認出了兩人身分，哈哈一笑，道：「原來是左兄、方兄，開道二鬼既然駕到，想來貴幫主亦就要到了吧！」

這兩人正是那神風幫主壇前開道二鬼，鐵判左飛和冤魂方橫。

在兩人身後，緊隨著一個身著黑色道袍，胸前繡了一隻金色小蛇，頭挽道髻，枯瘦黑臉的怪人。

那怪人雖然瘦小，但雙目炯炯，兩道眼神，灼灼逼人。

那胸繡金蛇的道人身後，又隨四個黑衣大漢，每人背上都揹一把鬼頭刀。

只聽鐵判左飛冷笑一聲，道：「敝幫主是何等身分，豈是輕易可以見到的嗎？」

那胸繡金蛇的黑袍道人冷冷接道：「本座乃神風幫主壇下金蛇令主，有話只管對我說，本令主自會酌情決定，或轉告本幫主，或逕行決定。」

商八笑道：「聽你的口氣，好像在神風幫中身分不低？」

金蛇令主冷冷笑道：「五年之前，你雖和本幫中有過一次衝突，那時本令主適有要事，未隨幫主駕前，那次樑子，想你尚未忘去吧？」

商八呵呵一笑，道：「咱們生意人向來是只講利害，從不記恩仇，別說五年前了，就是三個月前的事，在下也是一樣記不起來。」

金蛇令主冷笑一聲，道：「但本幫主卻是念念不忘，你們中州二賈那次搗亂之事，今日既叫本座碰上，自是不會再輕易放過兩位。」

杜九冷哼一聲，道：「不放又待怎樣？」

金蛇令主道：「有勞兩位隨同本座一行。」

目光一轉，望了身後四個黑衣人一眼，道：「給我拿下。」

四個黑衣人應了一聲，刷的一聲，抽出了背上的鬼頭刀，分由四個方向包圍上來。

冷面鐵筆杜九雙肩一晃，迅快無比地搶了一個方位，和商八保持了九尺距離，鐵筆護胸，冷冷地說道：「兵刃無眼，動起手來，不死必傷，四位如果不怕死，儘管上來。」

這是一個恰當無比的距離，使四個黑衣大漢，無法組成合圍之勢，但中州雙賈，卻能收前後合攻之效。

只見那四個黑衣大漢突然一分，兩人一組，分向中州二賈圍攻過去。

一陣風張萍長劍一領，收了劍陣準備退下觀戰，卻不料他那舉劍一揮，卻引起了金蛇令主的懷疑，冷笑一聲，喝道：「不要讓他們四劍合璧。」

原來這金蛇令主，見識廣博，一眼間，已瞧出江南四公子，會一種合搏劍陣，凡是合搏之術，必然大具威力，金蛇令主眼看一陣風張萍揮動長劍，只道他要改變劍勢，傳諭先發制人。

開道二鬼鐵判左飛、冤魂方橫，應聲而出，分向四人攻去。

一陣風張萍原想帶領三位兄弟，袖手旁觀，坐收漁利，卻不料那金蛇令主，自作聰明地傳下令諭，要先發制人，阻止他們四劍合璧。

這一來自是惹惱了江南四公子，張萍長劍斜裏刺出，一擋左飛，王劍、李波、趙光，也立時迴繞而上。

剎那間，寒芒流轉，劍氣漫天，把二人困入了一片劍光之中。

江南四公子急快的劍勢，有如狂風驟雨，迫得開道二鬼無法騰手取出兵刃。

金蛇令主瞧得一皺眉頭，他萬沒料到，開道二鬼一出手就被對方劍陣所困，險象環生。

四個手執鬼頭刀的大漢，也和中州二賈動上了手，劍光筆影，激戰甚烈。

金蛇令主一掠目下形勢，已知今日之戰，於己大是不利，那中州雙賈雖是以二對四，但卻攻多守少，搶去了先機。

衡度形勢，開道二鬼的處境更是險惡，生死只不過懸於頃刻之間，金蛇令主不得不先解兩人之危，當下一探腰間，取出金蛇鞭，大喝一聲，蛇鞭一抖，直向四公子劍陣衝去。

一陣風張萍長劍斜裏挑劍，一撩金鞭，人卻疾向旁側讓開兩步。

江南四公子費了數年之功，創出這合搏劍陣，四人早已習練了千百遍，適才和杜九惡鬥一陣之後，劍陣變化已然更見靈活，張萍向後一退，王劍、李波、趙光已然瞭解到他的用心，三人齊向後退了一步，劍陣擴展，立時連金蛇令主，也圈入了劍勢之中。

但這一緩的工夫，左飛、方橫卻藉機取出了兵刃。

左飛是兩支短小的狼牙棒，方橫卻是一對喪門杖。

金蛇令主冷笑一聲，道：「本座倒是要見識一下，你們這合搏劍陣，有什麼出奇之處。」

口中說話，手中金蛇鞭，卻連出四招，分攻江南四公子每人一招。

他這金蛇鞭，打製得十分精巧，看上去有如一條活蛇一般，手握蛇尾，而以蛇頭攻敵，蛇口開合之間，紅信伸縮，瞧上去十分恐怖。

江南四公子怕他金蛇口中，藏有暗器，不敢揮劍封架，齊齊向後退避。

這一來，劍陣在無形之中散去。

金蛇令主哈哈一笑，道：「四位的合搏劍陣，不過如此而已。」

張萍冷笑一聲，手中長劍忽然一緊。

這劍陣既然以他為主，其餘三人自然都要和他配合，張萍劍勢一快，三人隨之轉動迅急，劍陣也逐漸縮小。

金蛇令主見四周劍光山湧迫了過來，心中吃了一驚，金蛇鞭疾轉如輪，分擋四人的劍勢。左飛、方橫狼牙棒、喪門杖，齊齊攻出，配合著金蛇鞭，把江南四公子逐漸縮小的劍陣擋住。

江南四公子表面上佔了優勢，但心中卻是震駭不已，只覺那金蛇令主手中蛇鞭的招術，詭奇難測，常常把握剎那時機，由劍陣空隙中攻入一招，迫使劍陣變化受阻。

這是一場雙方都感到吃力異常的惡戰，誰也不敢稍存大意之心。

激戰之中，突然聽得一聲慘叫，圍攻冷面鐵筆杜九的兩個黑衣大漢，一個受了重傷，吃杜九鐵筆扎傷右肩，鮮血迸流，兵刃脫手。

單餘下一人和杜九纏鬥，立時被杜九的銀圈、鐵筆，迫得手忙腳亂，險象環生。

金蛇令主料不到，對手武功竟是如此高強，眼看屬下受傷，無能救援，心中大是焦急。

只聽商八哈哈大笑三聲，傳了過來，道：「躺下去。」

那兩個圍攻他的黑衣大漢，當真是聽話得很，丟了手中兵刃，翻身栽倒。

原來商八和兩人纏鬥一陣之後，心中已握勝算，絕招連出，笑喝中點了兩人穴道。

杜九冷冷喝道：「你也躺下去吧！」銀圈封開鬼頭刀，飛起一腳，踢中了那大漢左膝，砰聲大震中，倒飛出七、八尺，摔了一個大馬爬，伏地不動。

商八一搖手中金算盤，閃起了一片寶光，笑道：「四位，可要兄弟相助？」

張萍冷笑一聲，道：「不敢有勞。」劍勢一緊，攻勢更見凌厲。

他眼看中州二賈連傷四人，自己四兄弟，卻連三人也未能勝得，心中大感羞急，劍勢一緊，冒險進招，刷的一劍，刺向金蛇令主。

金蛇令主心有旁鶩，想著那四個受傷屬下，卻不料張萍冒險攻來一劍，待生警覺，劍勢已然刺到，匆忙之間，疾向分側一閃。

張萍好不容易找到這個機會，哪肯讓他躲過，右腕一沉，劍鋒劃破了金蛇令主右臂，衣袖破裂，鮮血汩汩而出。

金蛇令主冷哼一聲，右腕微挫，蛇鞭收回，重又攻了出去，點向張萍。

張萍心下得意，哈哈笑道：「有道是擒賊先擒王，先把這金蛇令主傷了，二位也不用和那四個大漢惡戰了。」

言下之意，無疑是說，你們中州二賈，雖然傷了四人，但都是無關緊要的無名小卒，自然是輕而易舉，這金蛇令主才是幾人中武功最強的高手。

商八急聲說道：「快封蛇鞭。」

張萍道：「不勞費心。」揮劍一封，向上架去。

劍鋒一和那金鞭相觸，那金鞭突然一折，點向張萍的頂門。

這一著大出意外，張萍驚駭之下，急急向左一偏。

金蛇鞭頭已點中了張萍的右臂。

王劍、李波雙劍倒攻而至，急襲金蛇令主的兩肋。

左飛、方橫兵刃齊出，擋開了兩人劍勢。

江南四公子，眼看張萍受傷，心中大急，搶救心切，自亂了劍陣章法。

金蛇令主突然向前一伏身子，避開了趙光由身側削來的劍勢，金蛇鞭反腕抖出，點向趙光小腹。

趙光長劍向下一壓，橫向蛇鞭封去。

哪知金蛇鞭一和趙光的長劍接觸，立時折轉擊去，趙光欲待閃避，已自不及，左胯間吃蛇頭點中。

王劍、李波雙劍急出，分由兩側攻來。

寒江月趙光大聲叫道：「兩位兄長小心，他手中的兵刃會轉彎！」

金蛇令主冷笑一聲，忽然向後退了三步，避開兩側合擊的劍勢。

王劍、李波雙劍一收，蓄勢待敵，不再向前追襲。

原來那金蛇令主後退三步，正對著一陣風張萍，在四人之中，張萍武功最好，只要他揮劍一擊，金蛇令主必然回身禦敵，那時兩人再攻他後背，使他首尾不能兼顧，如若他向後退去，兩人亦正好分由兩側夾擊。

只見張萍舉起手中長劍，還未劈出，突然一鬆右手，長劍脫手而落。

金蛇令主冷笑一聲，左手一探，抓向張萍左腕。

張萍大聲叫道：「小心他鞭上有毒……」眼看金蛇令主伸手抓了過來，卻是無力讓避。

突然間寶光一閃，挾風而至，擊向金蛇令主左手。

金蛇令主左腕一挫，收回蛇鞭，但又迅快地點了出來。

杜九鐵筆、銀圈一齊揮動，和開道二鬼打在一起。

王劍奔向張萍，急急問道：「傷得很重嗎？」

張萍道：「傷勢雖然不重，但毒性卻很劇烈，我一條右臂已然完全麻木，無法舉動了。」

李波扶住了趙光，說道：「四弟快些運氣閉住穴道，別讓毒氣侵入了內腑。」

商八一面和那金蛇令主動手，一面留神張萍傷勢，看他右臂軟軟垂下，似是毒性很重，不禁心下震駭，暗道：他這金蛇鞭上，淬有劇毒，我和他纏鬥下去，只怕是難免吃虧，神風幫中之人，也不是什麼好東西，倒不如先下手爲強了！

心念一轉，突然一震手中金算盤，登時寶光流動，耀眼生花，漫天珠光，疾飛而出，齊向金蛇令主飛撞過去。

原來商八手中金算盤中，那珠寶穿成的算子，可兼作暗器施用。

那金蛇令主雖然武功高強，但在這等近距離內，也是無法閃避。

但覺寶光耀目，身上數處要穴被商八那珠寶穿成的算子擊中，一仰身子，倒栽下去。

那開道二鬼眼看同來之人，非傷即死，不禁氣餒，心中驚慌，手裏兵刃一緩，被杜九看出空隙，銀圈封開狼牙棒，鐵筆乘勢一招，點向左飛肩頭。

左飛一縮肩，避開了一筆，卻不料杜九乘勢飛出一腳，踢中了左飛膝蓋。

鐵判左飛悶哼一聲，一跤跌摔出六、七尺外。

商八肩頭一晃，快如閃電般擊出一掌，打在冤魂方橫的後背。

只見方橫打了兩個踉蹌，一跤跌倒。

商八伏身撿起地上的珠寶算子，他這算子個個光芒耀目，極易看到，竟連一顆也未遺失。

這時，張萍、趙光的毒性已然發作，傷口處血色一片紫黑。

王劍仗劍一躍，飛落到金蛇令主身側，劍鋒直逼金蛇令主咽喉之上，冷冷說道：「解藥何在，快些說出！」

金蛇令主雖然被商八算子打中了數處穴道，但他神智仍很清醒，冷笑一聲，道：「在下那金蛇鞭上淬毒，乃是數種劇毒調合而成的絕毒，被我蛇鞭擊中，將會全身肌肉收縮而死！」

王劍怒道：「但他們在毒性未發之前，卻要先看你死在亂劍之下。」

金蛇令主道：「在下既遭生擒，生死之事，早已不放在心上了！」

李波縱身躍來，抓起金蛇鞭，道：「這鞭上既有劇毒，咱們就用他的金蛇鞭來傷他。」

金蛇令主吃了一驚，道：「住手！」

李波已舉起了金蛇鞭，要待出手，聽得金蛇令主之言，冷笑一聲，道：「咱們江南四公子，一向是言出必踐，你如若交出解藥，咱們兄弟可保你一身無事！」

啇八哈哈一笑，道：「貴兄弟講話，不覺太過分嗎？人是兄弟所擒，各位有目共睹，兩位就是要殺要放，也該先給兄弟打個招呼才是！」

李波道：「現在啇兄已經知道了，乾脆說明白，要咱……」

話未說完，啇八突然一晃身，搶到金蛇令主身前，一把提起了金蛇令主，躍出五尺。

王劍、李波驟不及防，急待阻止，已來不及。

只見啇八放下金蛇令主，問道：「解藥放在何處？」

金蛇令主道：「解藥在敝幫主處收存，閣下想討解藥，只有去見敝幫主一途。」

啇八笑道：「我不信你的話。」

杜九冷冷接道：「他如不說，咱們自以彼之道，加彼之身，用金蛇鞭傷他了！」

啇八目注金蛇令主，笑道：「你是不吃敬酒吃罰酒，可不能怪我手段毒辣了。」抓過金蛇鞭，點中了金蛇令主的左腕。

金蛇令主心中大急，說道：「如若過了二個時辰，縱然取得解藥，你那兩位朋友，也是沒有救了！」

杜九道：「至低限度，有你陪他們死！」

金蛇令主欲言又止，緩緩閉上雙目。

王劍、李波回目望去，只見張萍、趙光都正在默運內力，和毒性相抗，由兩人神情間顯出的痛苦來看，似是那毒性來勢十分強烈，兩人都在各出全力，和那毒性抗拒。

王劍突然一側身子，疾快地一躍，掠過杜九，直衝向金蛇令主仰臥之處，長劍一抖，直刺下去。

商八陡然飛起一腳，踢了過去，同時推出手中金算盤，後發先至，嘩嘩一響，架開了長劍，踢出的左腳，隨勢而到，逼得王劍倒退五尺，冷笑一聲，道：「他正想求得速死，你一劍把他刺死，正好如他的心意。」

王劍道：「那解藥既不在他身上，留他何用？我要把他亂劍分屍，也好稍洩心中之恨。」

商八道：「一個兵刃上淬有劇毒的人，解藥不在身旁，這些話只有你信。」

王劍輕輕咳了一聲，忍下去將要出口之言。

商八道：「如若貴友身受之毒，確如金蛇令主所言，那金蛇令主決不會先讓自己毒發，不信你等著瞧吧！」

王劍道：「萬一在下兩位兄弟，毒性先發了呢？」

商八道：「我用金蛇鞭上的蛇信，點傷他身上的主脈，如若毒素是隨著行血散佈，他的毒性發作，自然是快過你兩位兄弟。」

只見金蛇令主突然一睜雙目，凝注在商八臉上，道：「我如告訴你解藥存放何處，請問你要如何處置我們？」

商八一撥算盤，道：「我們有兩人受傷，你們是七個人一死六傷，死的不算，我們也只能放你們兩個回去。」

金蛇令主道：「哪兩個人？」

商八道：「除你之外，還有五個人任你挑選兩個。」

金蛇令主道：「何以不包括本座在內？」

商八道：「閣下身分高，價錢大，咱們要留著和那神風幫主講講價錢了。」

金蛇令主道：「那是你不知敝幫主的性格……」

王劍大聲接道：「先拿解藥出來，你們再談如何？」

金蛇令主冷冷說道：「你急什麼！」

王劍心頭火起，長劍一揮，喝道：「老子宰了你！」

金蛇令主笑道：「諒你也沒有殺我的膽子。」

商八冷冷說道：「江南四公子都是久年在江湖上闖蕩的人物，他們不會上你的當，你如打算激怒地，讓他一刀殺了你，那是妄想。」

他這出言一點，那王劍就算真有殺他之心，也會不再殺他了。

金蛇令主似是自知已無法激怒對方，讓他們出手把自己殺死，只好改變了態度，轉向商八

道：「我如告訴你解藥何在，必得答應我一個條件。」

商八道：「什麼條件？你先說來聽聽。」

金蛇令主道：「那些解藥足夠救五人之用，除了他們兩個受傷之人，各用一份外，在下亦要服用一份。」

商八心中暗道：此人連死都不怕，但卻怕他金蛇鞭淬煉的劇毒發作之苦，想來此毒定是厲害得很。

當下說道：「那是自然，咱們兄弟還要留下你的性命，好和那神風幫主談判，你就不說，咱們也不能眼看著你毒發而死！」

金蛇令主輕輕歎息一聲，道：「那解藥藏在我頭髮之中。」

商八伸手打開金蛇令主頭上盤髮，果然發現了一個很小的黑色木盒，打開木盒，裏面果放有五粒淡紅色的藥丸。

王劍一伸手，道：「在下兩位兄弟毒性已發，不能久待，商兄請先給兄弟兩粒如何？」

商八道：「防人之心不可無，急也不在這片刻時光。」

目光一轉，望著金蛇令主道：「這藥丸不會錯嗎？不如，你就先吃下一粒試試？」

金蛇令主昂然不懼，啓口等待。

商八取出一粒紅色藥丸，將要投入金蛇令主口中時，突然又改變了主意，低聲對杜九說道：「找個活人送來。」

金蛇令主臉色忽然大變，趕忙轉過頭去。

杜九就四個揹著鬼頭刀的大漢中，選來了一個傷勢較輕之人，提了過來。

商八目注金蛇令主，哈哈一笑，道：「我有五粒解藥，只浪費一粒，那也是足足夠用了。」揮手把一粒紅色丹丸，投入那黑衣大漢口中。

金蛇令主長歎一聲，暗道：完了！

只見那輕傷大漢，雙手伸動一陣，閉目而逝。

五毒花王劍面泛愧色，說道：「商兄見識廣博，兄弟難及。」

商八目注金蛇令主，笑道：「聽我相勸，還是打消了求死之心，在兄弟眼睛中，你別想揉下一顆沙子。」

金蛇令主道：「劃開我左腳皮靴。」

杜九一伸手，鐵筆疾挑，劃破了金蛇令主左靴，應聲跳出來一個玉瓶。

商八撿起玉瓶一數，裏面也是五粒丹丸，只不過是淡黑的顏色。

王劍道：「這藥丸不會錯了吧！」

商八道：「不會錯了。」倒出兩粒，遞給王劍。

蕭翎隱身窗外，眼看著這般江湖人物的狡詐、鬥智手段，不禁暗暗咋舌，怔道：看來這些江湖上的詭謀狡詐，我蕭翎確實棋差一著，難望項背。

五毒花王劍接著兩粒藥丸，托在掌心上瞧了一陣，道：「商兄，如若這兩粒丸藥也是奇毒

之物，咱們豈不要落下終身大恨。」

商八道：「我商老大走了大半輩子江湖，素來是不曾走眼，幾位如果是信得過我商某的信用，儘管服用，如是不肯相信，那也是沒有法子的事。」

一陣風張萍道：「中州雙賈，聲譽卓著，二弟快拿藥物過來，為兄的先吃！」

王劍略一猶豫，緩步行近張萍身側，遞過藥物。

張萍取過一粒，瞧也不瞧地一口吞下。

趙光也把那餘下的一粒藥丸，送入口中服下。

王劍道：「咱們江南四公子，生死同命，如是大哥、四弟有了三長兩短，老三和我，那也不用活了。」

蕭翎只瞧得暗暗讚道：這江南四公子雖是不做好事，但對這情義二字，倒還是看得很重。

商八眼看張萍、趙光服下了解藥之後，又從瓶中倒出了一粒，讓金蛇令主服下，隨手點了他幾處穴道，笑道：「有勞閣下好好休息幾日，咱們用你作本，和那神風幫主談談價錢。」

金蛇令主長長歎息一聲，道：「敝幫主決不會以在下的生死為念。」

商八笑道：「咱們做生意的人，講究的是一分價錢一分貨，那神風幫主雖然不會為你生死擔憂，但他卻丟不起人，只要我開價不大，料那神風幫主不會拒我於千里之外。」

目光一掠杜九，接道：「把這堂堂令主，和開道二鬼送去藏起。」

杜九應了一聲，扛起金蛇令主，提起開道二鬼，急奔而去。

王劍回目一顧，只見張萍、趙光，都在運氣調息，傷勢大見好轉，登時放下了心中一塊重鉛，目光掃掠倒臥在地上兩個黑衣大漢一眼，道：「這些人該如何處置？」

商八道：「如是傷勢太重，點了他的死穴，可免他多受活罪，如是傷勢輕微，那就廢了他的武功，放他去吧！」

王劍道：「這個兄弟效勞，不用商兄費心。」扶起兩個黑衣大漢，奔了出去。

一陣風張萍和寒江月趙光，經過一陣調息之後，傷勢已大見好轉，齊齊站了起來。

張萍對商八一拱手，道：「多承相救，兄弟感激不盡。」

商八哈哈一笑，道：「張兄不用感激，兄弟一向是不做虧本生意。」

張萍微微一笑，道：「咱們兄弟，償還商兄的本錢就是。」

目光一轉投注到金蘭身上，接道：「這丫頭本有足夠的機會逃走，但她卻戀戀不去，想必有所謀，三弟，把那丫頭捉來。」

李波應了一聲，奔向金蘭，他已是見過了金蘭輕功，早已不敢存輕敵之心，刷的一聲，抽出長劍，道：「你是要動手呢？還是要束手就縛？」

金蘭道：「你口氣不小啊！」

李波長劍一振，當胸刺去，口中冷冷說道：「薄舌利口的丫頭，哪個和你說笑不成。」

金蘭閃身一讓，避開一劍，揮手一掌，反向李波右腕之上拍去。

李波怒聲喝道：「鬼丫頭還不亮出兵刃動手，可是要尋死不成！」

他口中雖在喝叫，手中的劍勢，卻是愈來愈快，登時把金蘭圈入了一片劍光之中。

這金蘭武功，也不過和李波在伯仲之間，她雖得蕭翎指點了兩招，但卻尚未熟練，常有著施用不出之感，此刻李波手中有劍，金蘭赤手空拳，雙方勢不均，力不敵，三五回合後，金蘭已被逼得險象環生。

李波劍勢縱橫，攻勢正猛，突覺右臂之上一痛，「天泉」穴上一麻，手中長劍頓然一緩。

金蘭早已料到自己陷入險境之後，蕭翎必會出手相助，是以臨危不亂，一直等待還手的機會，李波手中劍勢一緩之下，金蘭立時借勢攻出，右手一招「手揮五弦」，逼住了李波左手，左手一招「暮鼓晨鐘」，緊隨著右手拍了過去，正擊在李波右腕之上。

只聽嗆的一聲，李波右手長劍應聲落地。

金蘭疾飛一腳，踢了過去。

那李波連連受傷，身體運轉大不靈活，被金蘭一腳踢在右膝之上，再也站立不穩，一連向後退出六、七步。

金蘭正待乘勢追襲，王劍卻疾奔而至，斜出一劍，攔住了金蘭。

商八輕輕咳了一聲，道：「這妞兒武功有點怪道，看她掌指攻勢，不該是李兄之敵，但她卻輕取李兄，勝來有如行雲流水一般，倒得仔細瞧瞧才是。」舉步向前行去。

這時，金蘭已和王劍打在一起，金蘭仍是赤手空拳，被王劍圈入一片劍光之中。

就形勢上觀察，金蘭如無奇招反擊，難以再撐過十個回合。

蕭翎隱身窗內，手中扣著一粒綠豆，蓄勢待發，但見商八、張萍四道目光，一直注視著窗子的前面，如若發出暗器，定難逃得過兩人的目光，但金蘭形勢危迫，已然難以再支撐下去，心中正自焦急，突聞一聲淒厲的長嘯，商八、張萍齊齊回目望去。

就在兩人心神一分之間，蕭翎借勢彈出手中扣的一粒綠豆。

王劍勝算在握，未免大意，長劍大開大合，攻多守少，卻不料右肩「劍門」穴上一麻。

蕭翎這次彈出的綠豆，不但力量較大，而且打的又是人身主穴，王劍受此一擊，人已難再支持，手中長劍，自動脫身落地。

金蘭迎面一拳，打在王劍右頰之上，只打得王劍右頰紅腫，鮮血瞬時流了出來。

張萍一提氣，疾躍而上，扶住了王劍身子，飛起一腳，擋開了金蘭的追襲之勢。

商八重重咳了一聲，道：「哪位高人，隱在暗中，兄弟這裏見禮了。」

說著話，當先抱拳一揖。

金蘭緩緩退到窗口，冷冷說道：「你們不用疑神疑鬼，這茅屋只我一人，如若不信的話，何妨出手一試？」

商八道：「我要出手，也不會和姑娘你打。」一面說話，一面緩步向前逼來。

金蘭一提真氣迎了上去，道：「站住！」呼的一拳，直搗過去。

商八左手推出，封開了金蘭拳勢，道：「好男不跟女鬥，我商八豈肯和你一個女孩子一般見識。」

金蘭怕被啇八看出蕭翎在暗中相助，雙拳連揮，剎那間連攻了十四、五招，但都被啇八封架開去，仍是不肯還手。

只聽身後傳來了杜九的聲音，道：「這女娃兒不知好歹，老大你不給她一點教訓，只怕難以使她心服。」

啇八右臂揮動，又擋開金蘭兩招，道：「那位金蛇令主和開道二鬼，藏得很安全嗎？」

杜九道：「安全得很。」

啇八道：「那很好。」

拳勢忽然一緊，展開反擊，金蘭登時應接不暇，被迫得連連後退。

金蘭雖處險境，但她有恃無恐，仍然奮起餘勇反擊。

啇八哈哈一笑，道：「小丫頭當真是強悍得很。」

左手暗發內力，逼開金蘭掌勢，右手突然疾出一招，「捕風捉影」，扣住了金蘭右腕脈穴。

金蘭原想蕭翎必會暗中相助，卻不料蕭翎竟未出手，右腕脈穴被扣，登時覺著半身麻木，難再有還手之力。

啇八微微一笑，道：「那位高人再不現身，可別怪我啇某欺侮女娃兒了。」

只見人影一閃，蕭翎陡然穿窗而出，緩緩說道：「放開她。」

啇八定睛一看，駭然放手，急急抱拳一揖，道：「見過大哥。」

冷面鐵筆杜九也急急抱拳作禮，神態間一片恭謹。

張萍打量來人一眼，只不過是一個十七、八歲的少年，不知中州雙賈何以對他如此恭敬，心中大是奇怪。

只聞蕭翎緩緩說道：「兩位兄弟不用多禮。」

張萍低聲道：「杜兄，這位是何許人物？」

杜九還未及答覆，蕭翎已搶先說道：「兄弟蕭翎。」

張萍一抱拳，道：「久聞大名，今日有幸一會。」

蕭翎知他又把自己誤認作另外一位蕭翎，當下微微一笑，道：「在下久聞你們江南四公子的大名了！」

張萍道：「好說，好說。」

商八回顧了江南四公子一眼，道：「咱們兄弟多日不見，有很多重大之事要談，四位如若有事，那就請了。」

張萍道：「今日相救之情，咱們四兄弟日後必有一報，就此別過。」一轉身向外行去。

杜九道：「我等遇上了一件意外之事，以致那日未能赴約，事後尋找大哥，兩度涉險進入了百花山莊，均被莊中埋伏的高手迫退，想不到在此遇上了大哥。」

蕭翎長長歎息一聲，道：「我正在徘徊無主之時，遇得兩位兄弟，或可幫我出些主意。」

商八道：「大哥有何苦憂？」

蕭翎道：「兩位請入房中坐吧。」

中州二賈道：「恭敬不如從命。」大步行入房中坐下。

金蘭奉上香茗，笑道：「兩位喝茶。」

商八道：「適才可曾傷到姑娘？」

金蘭道：「不要緊，兩位腹中想已飢餓，我到廳下去為兩位做碗麵吃。」

她生得眉目清秀，十分嬌艷，中州二賈，一時之間，也無法瞧出她和蕭翎的關係，齊齊站起身來，說道：「這叫我等如何敢當。」

金蘭嫣然一笑，轉身而去。

杜九輕輕咳了一聲，道：「兄弟有一句話，不知當不當問？」

蕭翎道：「只管請說。」

杜九道：「這位姑娘是大哥的什麼人？」

蕭翎笑道：「她該是我的侍婢，但此刻，我已把她當作朋友看待了……」當下，把經過之情，詳細地說了一遍。

商八只聽得皺起了眉頭，道：「目下最為緊要的一件事，該是設法救出伯父母大人……」

蕭翎接道：「那沈木風為人剛愎自用，家父母被幽禁之處，防守又極嚴密，實在叫人想不出下手之策。」

商八沉吟了一陣，道：「目下大哥還得隱秘行蹤，不能讓那沈木風偵知你的舉動。」

蕭翎道：「三月限期，轉眼即屆，那沈木風陰狠毒辣，他說得出，必然能做得到，屆時，家父母的性命……」

商八接道：「不錯，所以在限屆未滿之前，咱們一定要把兩位老人家救出百花山莊。」

蕭翎道：「既不能明目張膽的挑戰那沈木風，只有暗中下手救人一途，但那百花山莊中戒備森嚴，暗中下手一事，只怕亦難如願。」

商八道：「大哥不用憂苦，好在限期尚長，容兄弟慢慢籌思良策。」

餘音甫落，突聞汪汪兩聲狗叫，傳了過來。

商八霍然而起，道：「有人來了，大哥不宜多在此地露面，還請暫時迴避。」

蕭翎應聲起身，隱入內室。

商八低聲對杜九說道：「不論來人是誰，咱們給他個漠然不理。」

杜九道：「好！我招呼兩條虎獒，放人進來。」仰臉一聲低嘯。

果然，那嘯聲傳出之後，就不再聞犬吠之聲。

這時，金蘭已捧著煮好的麵點送了進來。

商八微微一笑，道：「有勞姑娘了！」

杜九道：「又有武林中人到來，姑娘也請迴避一下。」

金蘭道：「我有位玉蘭妹妹，去約那丐幫中人來此，兩位不要和她起了誤會。」

商八道：「這個姑娘儘管放心。」

談話之間，突然砰的一聲，籬門已被人踢開。

金蘭嬌軀一閃，隱入室中。

杜九回目望去，只見一個身材瘦小，褸衣草履的小叫化子，疾如閃電一般，直衝入內廳而來。

金算盤商八終年在江湖行走，一看來人，立時認出是丐幫中高手，一陣風彭雲。

只見彭雲一躍入室，倚在木門上，雙目圓睜，望著中州二賈，卻是一語不發。

杜九一皺眉頭，道：「小叫化，你發的什麼毛病？」右手一伸，抓了過去。

商八沉聲喝道：「不要動他，他受了內傷！」

杜九駭然縮回右手，商八卻大步衝了過去，右手揮動，連點了彭雲兩處穴道，助他平復下沸動的氣血，說道：「快些閉目調息一下，再說不遲。」

一陣風彭雲緩緩閉上了雙目，道：「蕭翎……」張嘴吐出一口血來，身子一搖，向地上栽去。

商八右手一伸，扶住了彭雲的身子，道：「蕭翎怎麼樣了？」

彭雲斷斷續續地說道：「蕭翎可在這裏嗎？」

蕭翎聽得彭雲呼叫自己的姓名時，人已自內室中閃了出來，接道：「兄弟在此，彭兄有何見教，兄弟這裏洗耳恭聽。」

彭雲道：「快去救玉蘭姑娘……」他勉勉強強說完了一句話，人已暈了過去。

金蘭亦從室中竄了出來，道：「我那玉蘭妹妹怎麼了？快說啊！」

商八輕輕歎息一聲，道：「姑娘不用催他了，他已經盡了最大的心力，他本已受傷很重，說了這句話，又使他最後一口護守心脈的元氣散去。」

蕭翎望了那彭雲一眼，道：「兩位兄弟請悉心施救，我去援助玉蘭。」話音落口，人已到了籬門前面。

商八急聲說道：「天地如此遼闊，大哥要到哪裏去找？」

蕭翎呆了一呆，停下腳步，忖道：不錯啊！這小叫化子連個方向也未說出，我要到哪裏去找玉蘭。

只聽商八道：「事已如此，急不在片刻，大哥還請稍安勿躁，我們從長計議才是！」

杜九道：「如是那玉蘭遇上武功較她甚高之人，此刻不是被殺，就是被人生擒，急有何用，如是那人武功不高，她自會脫險歸來，那也就不用急了。」

這幾句話說得雖然難聽，但如仔細一想，倒是句句真實。

商八接道：「眼下之策，只有設法救醒這小叫化子，問明他事情經過，再行設法，急切從事，徒亂章法，大哥請三思兄弟之言。」

蕭翎緩步走回室中，黯然說道：「不錯，目前也只有此法了。」

玉蘭和蕭翎患難相共了數月時光，彼此之間不知不覺，生出了很深重的情意。

商八回目望著金蘭，說道：「姑娘可否迴避一下，咱們脫去他身上衣服，查看他傷在何

處，是何物所傷？才可對症下藥，早些救醒於他。」

金蘭嬌軀一轉，奔入內室。

杜九脫去彭雲上衣，果見前胸之上，印著一塊紫色的掌痕。

商八蹲下身子，仔細瞧了一陣，道：「似是被金沙掌或竹葉手的掌力所傷，唉！傷中要害，只怕是沒有希望了！」

杜九歎息一聲，道：「這小叫化子，素有俠名，十幾歲就出道江湖，乃丐幫晚一輩中傑出之才，想不到小小年紀，竟然罹此凶禍。」

蕭翎劍眉一聳，道：「如若是金沙掌力所傷，我或可代爲療治，但如傷在竹葉手下，那就很難有救治的希望了！」說著話，蹲下身去，雙手互搓一陣，按在彭雲傷痕之上。

過了一刻，蕭翎取開掌勢，只見那彭雲前胸的紅腫，竟然減退了甚多。

杜九道：「這麼看來，大哥能救活他了。」

蕭翎心中暗暗忖道：這杜九說話一向冷冰冰的，從未見他關心別人，今日倒是有些奇怪。

商八道：「看樣子，不像竹葉手所傷了。」

蕭翎道：「是金沙掌。」雙手又自搓了一陣，伸出一手按在彭雲傷處。

這次時間甚久，足足有半個時辰，蕭翎才收回按在傷處的右手。

這時，那彭雲傷處，只留下了一條淡淡的紫色疤痕。

但彭雲仍似睡熟一般，不見醒來。

大約又過了一刻，彭雲才緩緩睜開眼睛。

只見彭雲微弱地說道：「你們不用……管我，快去救那……玉蘭姑娘。」

蕭翎道：「她現在何處？」

彭雲道：「西南方，五里左右……有一座道觀，他們就在那……道觀之中！」

金蘭人在內室之中，問道：「我那玉蘭妹妹沒有事嗎？」

彭雲道：「她被生擒，我為掌傷……要救她愈快愈好！」

啇八道：「同行只有你們兩個人嗎？」

彭雲道：「只有我們兩個……我原已約那個豫、鄂、湘、贛四省……總瓢把子馬文飛，但他卻未……按時間而來……」

啇八接道：「好！你現在可以閉上雙目調息一陣，不用再說話，只要能使你真氣運行於經脈之間，那就不難復元了！」

蕭翎霍然站起身來，道：「我去瞧瞧！」

啇八站了起來，道：「咱們幾時動身？」

蕭翎道：「立刻就走！」

啇八道：「好！兄弟開道。」放腿向外奔去。

蕭翎低聲對金蘭說道：「不論什麼事，都要聽這位杜兄弟的吩咐。」

也不待金蘭答話，翻身兩個飛躍，人已追到啇八的身後。

卅一　忠義為先

兩人依照那彭雲說的方向、地點，一陣急走，果然發覺了一座道觀。

這道觀並不很大，一目瞭然，除了前面一個小小院落之外，只有一座大殿，和兩側幾間廂房。大門緊緊地閉著，不聞聲息。

商八低聲對蕭翎道：「咱們越牆而入。」

蕭翎微微點頭，一提氣，當先躍上門頂瓦面。

蕭翎躍下屋面，向院中奔去。

商八緊隨在蕭翎身後。

只見迎面一座大殿。

殿裏面傳出來一個冷冷的聲音，道：「什麼人？」

商八道：「金算盤商八。」

那冰冷的聲音接道：「請進殿來。」

商八暗中提氣戒備，低聲說道：「大哥小心。」當先舉步而入。

只見一座形貌猙獰的高大神像，立在神案前面。

商八抬頭打量那神像一眼，還未開口，突然由那神像口中，傳出了冷漠的聲音，道：「見了本座，怎不下拜？」

那神像高大、猙獰，一望之下，即知是鑄塑而成，但卻能由口中傳出話來。

商八重重咳了一聲，道：「閣下定然是神風幫主了！」

那神像口中又傳出冷漠的聲音，道：「正是本座。」

商八道：「五年之前，在下已見過一次，想不到五年之後，又在這荒涼的道觀相遇……哈哈，當真是人生何處不相逢了！」

那神像冷漠地說道：「本座素不喜多言之人。」

商八回顧了蕭翎一眼，暗施傳音之術，說道：「大哥小心，這大殿之中，早有埋伏。」

蕭翎星目轉動，一掠四下形勢，低聲對商八說道：「問他可曾擒得玉蘭。」

商八目光凝注那猙獰神像的臉上，說道：「幫主不喜客遊，才以這等奇形的僞裝，和武林中同道相見，在下早已有所耳聞了。」

那猙獰神像接道：「你這人不覺得話說的太多了？」

商八應聲說道：「無事不登三寶殿，今日來見幫主，想奉商一件事情。」

神風幫主道：「什麼事？」

商八道：「咱們兩位朋友，適才由此經過，一位男的，被貴幫打傷，女的被生擒……」

語音微微一頓，又道：「咱們做生意，向來是主張公平交易，幫主放了生擒在下的朋友，在下亦不讓幫主吃虧，願以貴幫中金蛇令主交換，不知幫主意下如何？」

大約過了有一盞熱茶工夫，才聽那神風幫主冰冷的聲音，傳了過來，道：「金蛇令主現在何處？」

商八哈哈一笑，道：「兄弟已把他藏在一處隱秘所在，那地方沒有名字，很難說得出來。」

神風幫主道：「好！你去帶他來吧！」

商八知神風幫主狡猾得很，當即說道：「在下必得先瞧瞧幫主生擒之人，是不是在下朋友，才能決定。」

只聽神風幫主說道：「好！就先給你瞧瞧。」

商八身軀一閃，直向神風幫主神像後面轉去。

只聽那神像中傳出憤怒的聲音，道：「站住，未得我允准之前，最好是站著別動。」

商八道：「在下相信幫主之言。」一面向後退去。

神風幫主冷笑一聲，道：「本幫主神目如電，如若想在本幫主面前混水摸魚，那是自尋死路！」

商八哈哈一笑，道：「在下一生之中聽到無數的恐嚇之言，幫主也不用這般嚇我們了。」

那神像不再說話，大殿中恢復一片寂然。

大約延續了有一盞熱茶工夫之久，才聽那神風幫主說道：「退出大殿，向右轉，第三間房

子中。」

商八道：「好，在下等先去瞧過，再來和幫主談價錢。」轉身向外行去。

蕭翎緊隨身後，向前行去。

出了殿門，向右轉去，數到第三幢房子，舉手推去。

只聽呀然一響，兩扇大門大開。

抬頭看去，只見玉蘭長髮披垂，雖已露出女像，但仍穿著一身男裝，坐在一張木椅上面。

蕭翎重重地咳了一聲，道：「玉蘭，我們來救你了……」舉步向玉蘭行去。

只見玉蘭雙目圓睜，急急道：「不要碰我，快退下去，快退下去……你不能近我的身。」

蕭翎道：「縱然那神風幫主在此，我也不怕。」又向前欺進兩步，行近到玉蘭身側，伸手抓去。

玉蘭心中大急，尖聲叫道：「不要碰我，他們在我身上動了手腳……」

蕭翎道：「他們可是在你身上下了奇毒？」

玉蘭道：「不是，我也說不出是什麼，正因不知道，才不得不小心一些。」

蕭翎道：「我和商兄弟冒險來此，旨在救你離開此地，此刻機會甚好……」

玉蘭急急搖頭，道：「不行，不要碰我，快退回去！」

金算盤商八突然接道：「大哥暫請停手，這位姑娘心中必有隱情，大哥問得太急，使她一直沒有說清楚的機會。」

蕭翎道：「什麼隱情，我怎麼一點也瞧不出來？」

玉蘭道：「我被他們生擒之後，一直被蒙著眼睛，不知身在何處，剛才方被解去蒙面黑紗，送來此地，在我來此之前，被他們點了暈穴，隱隱覺到，他們似是在我身上放了一些東西，我不知是什麼，但他們這般安排，豈是沒有作用。」

商八輕輕咳了一聲，道：「大哥請先退出室外，我來找找他們放的什麼東西。」

蕭翎道：「不妨事，縱有變化，我亦可應付得及。」他自知江湖的閱歷，萬萬不及商八，只好退作旁觀。

商八先打量了一下四周情形，默查了進退之路，緩步向玉蘭走去，說道：「姑娘覺得他們在你身上，暗藏了一些東西？」

玉蘭道：「不錯，似是藏在前胸……」

商八怔了一怔，暗道：這地方叫我如何搜查！

突然間，由室外傳過來一個冰冷的聲音，道；「兩位看清楚了吧？」

蕭翎回頭一望，只見一個身著黑袍，胸繡金龍的大漢，遙站門外四、五尺外。

商八見識廣博，一見那胸前標誌，立時接道；「閣下定然是那神風幫主座前的金龍令主了？」

那黑袍大漢道：「正是本座。」微微一頓，接道：「兩位既已認明我們生擒之人不錯，留此已然無用，請入大殿去吧！敝幫主尙在候駕。」

蕭翎看玉蘭就在眼前，卻不能救她脫險，心中大為不服，神情微現激動。

商八是何等老練人物，目光一掠蕭翎，已瞧出他心中念頭，趕忙低聲說道：「知己知彼，百戰百勝，大哥暫請忍耐一、二。」

蕭翎輕輕歎息一聲，隨著那金龍令主直向大殿行去。

只見那猙獰高大的神像，已經移動了位置，換到大殿側角。

商八對那神像一抱拳，道：「咱們瞧過了，那位姑娘正是在下尋找之人。」

神風幫主道：「那很好。」

商八道：「在下想以貴幫金蛇令主，交換這位姑娘，不知幫主意下如何？」

神風幫主冷笑了兩聲，道：「我雖然很少在江湖之上走動，但卻也聽人說過你們中州二賈之名，一向是斤斤計較，利己為先，但本座又有著向來不願吃虧的習慣。」

他說話的聲音，都從那猙獰神像中傳出，而且忽而清脆尖細，忽而粗壯宏亮，使人無法測出他是男是女，更增了不少神秘氣氛。

商八正待答話，突見那座猙獰的神像雙目中，又泛升起一片紅光。

他雖然明明知道，這神風幫主是故弄玄虛，鑄造了這樣一座恐怖的神像藏身其中，但心中仍然有些緊張，低聲對蕭翎說道：「大哥請作戒備，慎防他有毒器暗算。」

只見那猙獰神像上一對巨目，愈來愈紅，兩個眼珠也不停地轉動，直似要攝人而噬似的。

商八回目望去，那帶路而來的金龍令主，早已退走，不知去向。

立時暗運功力，護住身體，緩步向那神像行了過去，心中忖道：我倒要瞧瞧你這形體是何物鑄成。

商八哈哈一笑，道：「生死有命，強求不得。」突然加快腳步，疾向那神像衝去，右手護胸待敵，左手疾探而出，觸摸著那神像側背。

只覺著手處一片冰冷，那神像竟然是生鐵鑄成，正待暗運內勁推它一掌試試，忽覺一股暗勁，當頭直落下來。

匆忙中抬頭一瞥，只見那猙獰神像一條巨大的左臂，直向下面擊來。

商八疾向旁側一躍，避開一擊，冷冷說道：「見面不如聞名，幫主之技，至此而已。」

神風幫主道：「你膽敢冒瀆本座法體！」巨口一張，白芒三閃，疾向商八飛去。

商八早已有備，身子一閃，金算盤已握到手中，橫裏推出一招。

只聽呼呼兩聲，兩枚隱泛藍芒的純鋼毒箭，正釘在神案之上，另一枚，卻被商八手中金算盤一擋之勢，震偏開去，釘在殿中木柱上。

蕭翎眼看商八已經出手，立時遙遙一記劈空掌，推了過去。

那神像看上去高大猙獰，十分嚇人，但卻無法行動，蕭翎掌力湧到，擊個正著。

商八沉聲道：「幫主造成這座巨大猙獰的神像，嚇嚇無知愚人，或可收一時之效，但咱們兄弟，決不會被這點詭異氣勢所震懾，如若再不答應釋放了那位姑娘，可別怪我們兄弟，今日要揭開幫主的真面目了。」

話一落口，接用傳音之術，對蕭翎說道：「大哥不可躁急，這神像周身都是暗器，可別中了他的算計。」

蕭翎對商八的閱歷經驗，早已心服，聽他勸止，果然停了下來。

商八不見神風幫主反應，又接口說道：「咱們兄弟，和貴幫雖曾有過一次小小過節，但那是出於誤會，彼此無怨無恨，咱們也不願和貴幫爲敵，還請幫主三思在下之言。」

他一連喝問數聲，仍然不聞那神風幫主答話。

蕭翎上下打量那猙獰的神像一眼，低聲說道：「咱們把他推倒地上，縱然這形像之內，藏有各種機關，也將失去作用，至低限度，可以減少他很多威力。」

正當兩人竊竊私議當兒，那神風幫主突然開口說道：「好！本座答應以那女娃兒，換回本幫中金蛇令主。」

商八道：「好！咱們一言爲定，日落時分，在下送來貴幫中金蛇令主。」

側身向蕭翎施了個眼色，二人聯袂離開大殿，直出觀門。

商八回頭不見有人追來，才低聲說道：「大哥可知兄弟爲何要你趕快出來嗎？」

蕭翎道：「究是爲何？」

商八道：「是兄弟忽然想到了武林中傳說的一件事，江湖上有一種傳說，那神風幫主處決屬下時，只要他在那神像前面站上片刻，立時就會受到該受的懲罰，這事聽來有些奇怪，但如仔細一想，其間實是大有文章。」

蕭翎道：「什麼文章？」

商八道：「那猙獰神像中，如若藏有暗器，憑咱們兄弟的武功，倒也不用怕他，如若他藏的無色無味的迷魂藥物，在無聲無息中噴了出來，咱們豈不是要不知不覺中受了毒害……」

話還未完，忽聞一陣急促的步履之聲傳了過來。

回頭望去，只見那金龍令主，快步奔來，在他身後緊隨著三人，其中一個，正是玉蘭。

蕭翎道：「那神風幫主又改變了主意？」

商八道：「事情確然有點蹊蹺！」

說話之間，那金龍令主已然行近身側，一拱手，道：「本幫主說，中州二賈在江湖上的信用，一向很好，既然答應了你們互相換人，索性讓你們先把這女娃兒帶走，再行釋放回本幫中金蛇令主。」

目光一顧玉蘭道：「你過去吧！」

商八急急接道：「且慢！」

金龍令主道：「爲什麼？」

商八目注玉蘭，肅然問道：「姑娘的神志清醒嗎？」

他一向說話是嘻嘻哈哈，此刻突然間嚴肅起來，看上去倒也有幾分煞氣。

玉蘭點頭說道：「我很好。」

商八道：「那剛才他們在姑娘懷中，放的何物，是否還在？」

玉蘭道：「不知道放的何物，他們先點了我的穴道，然後放下東西，取時亦然。」

商八默查她言行之間，毫無可疑，才對那金龍令主一揮手，道：「煩請令主代爲轉上貴幫主，就說我等深領盛情了。」

金龍令主道：「兩位慢走，恕在下不送了！」

蕭翎、商八帶著玉蘭，急急轉身而去，直返茅舍。

商八一直暗中留心玉蘭的舉止，看她武功似是毫未受損，心中更是多疑，直待他確知玉蘭已沒有問題，才長歎一聲，問道：「玉蘭姑娘，那神風幫主何以突然對你生了好感，竟然自動放開了你？」

玉蘭是何等聰明之人，早已發覺到商八在暗中監視著她的一舉一動，索性不多一言，盡量保持著鎮靜。

直待商八出言相問，才暗暗吁一口氣，道：「我也不太明白。」

商八望了蕭翎一眼，苦笑道：「這就奇怪了，那神風幫主行事爲人，當真是叫人猜想不透。」

三人一路急奔，不大工夫，已回到茅舍之中。

金蘭早已等得心急如焚，眼看玉蘭無恙歸來，不禁心中大喜，快步迎了上去，抓住玉蘭一雙手，急道：「你沒有吃苦頭嗎？」並肩進入廳中。

玉蘭道：「還好……」目光一轉，看到了彭雲，正坐在廳室中一角，閉目運息，立時緩步行了過去，低聲說道：「彭兄傷勢重嗎？」

彭雲緩緩睜開了雙目，淡淡一笑，道：「我受傷雖是不輕，但得了蕭大俠從中助手，早已經療治好了，只要我再休息一會兒，也許就會復元了。」

玉蘭黯然說道：「彭兄如不是爲了救我，何會受此重傷……」

彭雲道：「這是咱們丐幫中的傳統，任何人都會像我彭雲一樣，姑娘不用多謝我了。」

玉蘭歎道：「唉！久聞丐幫忠義相傳，個個都是大仁大義的英雄……」

蕭翎低聲問杜九，道：「那彭雲的傷勢如何？」

杜九道：「下藥對症，大見靈效，眼下他全身穴道已解，我想很快就可以全部好了。」

蕭翎道：「這就是了。」

只見彭雲緩緩閉上雙目，又開始運氣調息起來。

顯然，他很迫切地需要調息。

玉蘭不再打擾，緩緩站起，退到一側。

蕭翎探首望望室外天色，低聲對金蘭說道：「咱們大半天奔走勞動，腹中都甚飢餓，如若還有食用之物的話，還得請姑娘一展身手……」

金蘭低聲說道：「相公吩咐就是，怎的要這般客氣。」

玉蘭起身說道：「走！金蘭姊姊，我幫你到廚下做飯去吧！」隨在金蘭身後而去。

蕭翎眼看二婢去後，沉聲對啇八、杜九說道：「我已反覆忖思，除了冒險混入百花山莊之外，別無良策，而且要去立刻就去，出他們意料之外。」

啇八沉吟了一陣，道：「搭救兩位老人家的事，自然是愈快愈好，混入百花山莊容易，難在如何不讓他們發覺。」

杜九道：「只是，憑咱們三人之力，縱然能救出兩位老人家，也無法把他們送出百花山莊啊！」

蕭翎道：「如以百花山莊中高手而論，咱們三人實是太過單薄……」

忽聽那盤坐調息的彭雲，接口說道：「百花山莊勢力龐大，諸位憑藉三人之力，武功再強，也是難以拒擋，就我小要飯的所知，除了敝幫中八大長老，各率了十名弟子趕來之外，那豫、鄂、湘、贛總瓢把子，帶了一十八名屬下高手，趕來之外，還有那神箭鎮乾坤唐元奇、三陽神彈陸魁章，以及形意門下的高手董公誠，南派太極門下的石奉先等，另外還有九大門派中，密遣高手易容而來，暗做查訪，這些人不是和那沈木風結過大仇，就是受摯友所邀，捨命而來，三位如能和那馬文飛相謀一面，彼此攜手會合，或可和那百花山莊相抗拒。」

啇八點頭說道：「我啇老大早已聽到，中原武林道上，出了一位馬文飛，武功、才智，均超絕一時，出道不久，已爲中原武林道上的領袖。」

彭雲歎道：「可惜我小要飯的傷勢未癒，要不然，自當爲諸位奔走一趟，聯絡群豪，相謀一聚。」

商八突然想起了一件事，急急對杜九說道：「老二，快去放了那金蛇令主，小兄已和那神風幫主有約，不可失信於人。」

杜九應了一聲，起身而去。

商八緩緩把目光移注到彭雲身上，道：「在下久聞丐幫中傳訊之能，彭兄何不一展手段，使我等大開一次眼界。」

彭雲道：「如是平常之日，敝幫中的弟子，確有著傳訊千里之能，但目前歸州形勢，混亂異常，本幫中的弟子，行動大受約束，如非必需，不得在外面走動，但小要飯的仍願一試。」說著話，掙扎而起，大步行出室外。

蕭翎道：「彭兄到哪裏去？」

商八接道：「他要以丐幫中秘密的聯絡暗記，傳出消息。」

蕭翎道：「他傷勢未癒，不宜和人動手，咱們得去暗中保護於他。」

商八道：「丐幫中這通訊之法，享譽武林數十年，一直保持秘不外洩，咱們如若保護，只怕他懷疑咱們暗窺丐幫中傳訊之秘。」

蕭翎道：「原來如此。」

那彭雲出去，時約一盞熱茶，重又轉回茅舍，道：「目下此地形勢特殊，是否能夠傳出此訊，小要飯的實是不敢斷言。」

蕭翎道：「盡其在我，也就是了，彭兄傷勢將癒之際，不可再多勞心力。」

彭雲道：「多謝指教。」閉上雙目，又運氣調息起來。

又過片刻工夫，杜九急急奔回。

　八似是瞧出形勢不對，急急問道：「可是那金蛇令主有了意外嗎？」

杜九道：「金蛇令主已爲小弟釋放，只是那開道二鬼，卻已不知被何人救去，幸好小弟是把他們分開藏起……」

　八接道：「只要釋放了金蛇令主，咱們就算對那神風幫主有了交代，開道二鬼，被人救走，那就無關緊要了。」

說話之間，二婢已然做好飯菜，捧進廳中。

金蘭道：「荒野草舍，佐料不全，諸位將就果腹吧！」

　八看那捧上菜餚中，有雞有肉，香氣撲鼻，哈哈一笑，道：「兩位姑娘不用客氣了。」當先舉筷進食。

玉蘭星目一轉，看那彭雲仍在一角落處盤坐調息，想到他的傷完全是爲了相救自己，立時緩步走了過去，低聲說道：「彭兄，傷勢好些嗎？」

這彭雲自小隨恩師闖蕩江湖，可算是經過了無數的大風大浪，見聞之廣，經歷之多，眼下之人，只有中州二賈可以和他媲美，但玉蘭那一聲彭兄，卻叫得彭雲臉上飛起一片紅雲，急急說道：「不勞姑娘掛心，小叫化的傷勢好多了。」

玉蘭微微一笑，道：「你腹中定已有些飢餓，吃過飯再來調養不遲。」

彭雲倒是聽話得很，應聲走了過去，笑對中州二賈說道：「兩位大老闆，只怕是沒有陪過叫化子吃飯吧。」

他不論遇到何等人物，都是談笑風生，毫無拘束，但獨獨一見玉蘭，卻是害羞畏言，不敢正視。

商八笑道：「咱們做生意的，一向只算賠賺，不拘生張熟魏。」

一餐飯在談笑之中過去。

金蘭、玉蘭收拾起碗筷，瞥見兩個中年叫化子，大步闖了進來。

商八低聲說道：「這丐幫數百年一直被稱爲江湖上第一大幫，看來果非虛名，在此等環境之下，他們仍能頓飯之內，取得聯繫。」

只見彭雲大步迎了出去，和兩個中年叫化子低言數語，兩人立刻轉身匆匆而去。

彭雲目注兩人背影，離開了籬門，才緩緩轉回室中，臉色肅然，若有無限心事。

商八哈哈一笑，道：「那丐幫申幫主，豪情無倫，怎的卻調教出你這樣一個多愁善感的徒弟來。」

彭雲道：「大老闆有所不知，這兩日來，我們丐幫中放眼線的弟子，傷殘了很多，能否把蕭大俠要會晤那馬文飛的訊息傳到，大有疑問。」

商八道：「令師申幫主，可也趕來了嗎？」

彭雲道：「家師來是要來，但幾時趕到，卻難預料。」

商八心知，二十年前丐幫內訌時，一次自相殘殺，使幫中數十名武功高強的長老，盡皆傷亡，可算是精英大折，此時的丐幫，人數雖然眾多，但除了申幫主和三、五個掌令、執刑等的長老之外，高手寥寥無幾，但卻仍然保有著幫中傳統的豪壯氣度，義之所在，萬死不辭，也不便再多追問。

室中一片沉默，群豪似是都想到隨時可能遇上強敵惡戰，借此一刻寧靜，調息養神。一日匆匆，小息了兩個時辰，已是太陽下山時分。

彭雲已然等得心中大為焦急，默算時間，早已該有回音傳來。正自憂心忡忡，突聞砰的一聲，籬門被人踢開，一個身著百結灰衣的大漢，直闖了進來。

彭雲一瞥間，已瞧出來人正是本幫中的弟子，正待迎出室外，那人快步闖入廳中，張嘴噴出了一口鮮血，身子向地上栽去。

蕭翎疾躍而起，一把托住那大漢，硬生生把他托了起來。

商八探手入懷，摸出一個玉瓶，倒出了一粒丹丸，左手托起那人下顎，微一用力，揑開牙關，把丹丸投入那人口中。

杜九右手伸出，托在那大漢後背「命門穴」上，一股內力，源源攻入那大漢體內。

那大漢經群豪合力施救，神志陡然一清，啟開雙目，說道：「由此向西北，行約二十餘里，何家舖外，九曲潭……」

突然一陣喘息，又吐出一大口鮮血，閉上雙目，氣息奄奄。

商八低聲說道：「他內腑受傷甚重，又經過這一陣奔走，那最後一口保命元氣，也亦散去，只怕是無望救得了！」

杜九一提真氣，一股強猛內力，疾沖而入，催動這大漢內腑行血。

果然，那大漢又緩緩睜開眼來，望著彭雲，接道：「西行五里外，我已留下了咱們丐幫的暗記，指示去路……」突然一張大口，噴出一塊紫血，閉目而逝。

蕭翎黯然歎息一聲，道：「丐幫中人的仁義、豪氣，果然是可敬可佩。」言罷，抱拳一揖。

中州雙賈也收起嬉戲神態，齊齊抱拳長揖。

金蘭、玉蘭更是珠淚滾滾而下。

彭雲忍著眼中淚水，抱起那大漢屍體，緩步向外行去。

商八回顧了杜九一眼，兩人悄然隨在彭雲身後，暗中保護。

蕭翎、金蘭、玉蘭也不禁舉步隨出室外。

只見彭雲抱著屍體，出了竹籬，在一片草地上停了下來，屈下雙膝，對那個屍體拜了兩拜，揮動雙手，挖了個土坑。

蕭翎、商八等雖有心過去相助，但因不知規矩，不便擅自出手，只好遠遠地站著觀看。

彭雲埋好了屍體，隨手撿了七根枯枝，插在那墳頭之上。

一片落日餘暉，照著那簡陋的孤墳，看上去是那樣淒涼！

只聽彭雲高聲吟道：「遺愛長存，忠義當先，百世傳名，死而何憾，唯吾丐幫，常記斯言。」

蕭翎等只聽得肅然起敬，望著那突出在青草地上的新墳，各以大禮拜祭。

彭雲舉起衣袖，拂拭一下臉上的淚痕，說道：「怎敢當蕭大俠如此大禮。」

蕭翎道：「咱們武林之中，敬的是忠義之人，一拜之禮，有何不可。」

彭雲長長歎息一聲，仰臉望望天色，道：「時候不早了，咱們也該動身到何家舖九曲潭去瞧瞧……」也不容蕭翎等答話，轉身向前行去。

群豪只好隨他行去。

彭雲一口氣奔出五里左右，到了一片三岔口所在，停了下來，說道：「如若敝幫中那位兄弟留有暗記，應該在此處，諸位稍候片刻。」

伏身在岔道上仔細查看了一陣，說道：「這邊去了，循著正中一條大道，向前行去。」

那丐幫中的暗記標識，甚是隱秘，蕭翎窮盡目力，查看了那入口處的每寸土地，仍是瞧不出任何可疑之處。

這時，天色已然完全黑了下來，但那彭雲卻有如輕車熟路一般，腳不停步地向前趕行。

蕭翎等似是對那彭雲寄有無比的信任，隨他身後疾行，決不多問一句。

眾人奔行約一頓飯工夫，夜色中，隱見一座村落，幾點燈光，由村中透了出來。

彭雲收住腳步，低聲說道：「這就是何家舖了，各位就請在此等候一陣，我去查查那九曲潭在何處。」

蕭翎忖道：目下此地，殺機重重，隨時都可能發生意外變故，他傷勢未癒，再逢強敵，豈不是要吃大虧。

當下說道：「彭兄且慢，兄弟和你同行如何？」

杜九身子一側，行了過來，道：「此事不敢有勞大哥，兄弟奉陪他一行就是。」

蕭翎道：「好！我等在此地相候。」

彭雲一擺手，和杜九聯袂而起，兩個飛躍，人已隱失在夜色之中不見。

啇八低聲說道：「那九曲潭，必是群豪聚會之地，咱們不宜守在道旁，不如隱起身子，或可瞧到一些……」

語聲未落，遙聞馬蹄聲傳了過來。

蕭翎一拉金蘭、玉蘭，疾快地隱入道旁一株大樹之後。

金算盤啇八卻一提氣，身子凌空而起，隱藏在大樹上的枝葉中。

幾人不過剛剛藏好身子，兩匹快馬，已到了幾人停身之處，一勒馬韁，齊齊停了下來。

蕭翎目光銳利，雖是夜中，仍然看清了來人，是劍門雙英，追風劍裴百里和無影劍譚侗，心中吃了一驚，暗道：這兩人雖非百花山莊的門下弟子，但卻與百花山莊聯成一氣，深夜到此，難道百花山莊已知群豪在此聚會之事了嗎？

忖思之間，只聽那譚侗說道：「老大，咱們在劍門之時，是何等的逍遙自在，如今處處要聽受那沈木風的指令，兩相比較，何止是霄壤之別……」

裴百里一手按在唇上，輕輕地噓了一聲，低聲接道：「輕聲一點。」回顧來路良久，才歎息一聲，接道：「這日子小兄也過不下去。」

譚侗道：「既是大哥亦有此感，咱們何不借今宵機會，回轉劍門而去？」

裴百里道：「回轉劍門，唉！兄弟未免想得太好了，那沈木風是何等心狠手辣的人，豈肯放過咱們不成？」

譚侗道：「那沈木風把咱們認作下屬，隨意差遣，固是可恨，但那周兆龍故意和咱們結交為友，誘騙咱們投入百花山莊，想起來比那沈木風更加可恨，日後如有機會，非殺此人不可！」

裴百里道：「不錯，那周兆龍的卑劣之行，為兄亦對他恨如刺骨……」語聲微微一頓，接道：「咱們不便在此久留，因那沈木風最是多疑，說不定他已派了人，尾隨咱們而來。咱們如若久停此地不動，只怕要引起他們懷疑之心。」

說完話，一抖馬韁，健馬陡然向前奔去。

蕭翎眼看二人去遠，才低聲對金蘭、玉蘭說道：「看起來，那沈木風的末日已是不遠，百花山莊之人，大多已對他生出了叛離之心。」

金蘭道：「百花山莊中，雖然有不少人恨那沈木風，但能夠叛離他的，卻是為數不多。」

蕭翎道：「那沈木風有什麼可怕之處，似乎很多人都對他存有著畏懼之心？」

玉蘭道：「相公不知，百花山莊如是發覺哪個生出叛離之心，就迫他服下一種藥物，那藥物種類很多，因人施用。據妾婢所知，有一種藥物服過之後，在一定的期限內，必得服下一次解藥，如是逾越期限，那毒性便要發作……」

玉蘭接道：「妾婢還聽說那沈木風會一種奇妙的武功，專以傷人的內腑經脈，只要被傷著了，就得終身聽他之命……」

忽聽商八施展傳音之術，說道：「有人來了。」

蕭翎凝目望去，果見兩條人影，疾奔而至。

兩條人影來勢甚快，瞬息工夫已到了幾人停身的大樹下，正是杜九和彭雲。

商八飄身下樹，急聲問道：「可曾找到了九曲潭？」

彭雲道：「幸不辱命。」

蕭翎由樹後轉了出來，道：「百花山莊中已派遣了劍門雙英到此，兩位可曾見到？」

彭雲道：「可是兩個騎馬的人？」

蕭翎道：「不錯。」

彭雲道：「兩人已被派任巡行之人，引往別處，咱們得快些趕去，小要飯已囑托敝幫中兩名弟子，在途中恭候。」

商八道：「這次群豪聚會，不知是何人主持？」

彭雲道：「這個小要飯的也不太清楚，但據推想，不是那馬文飛，便可能是家師趕到。」

商八微微一笑，道：「如是那申幫主親身臨此，主持這次群豪秘密大會，事情必將有一個明朗的決定。」

彭雲道：「家師是否能如期趕到，目下還難預料，此刻寸陰如金，不宜在此停留，小要飯的要走前一步帶路了。」轉身向前行去。

蕭翎、商八等魚貫相隨彭雲之後，向前行去。

彭雲率領群豪左轉右折，行約四、五里路，停在一處叢林前邊，說道：「諸位請在此稍候片刻，小要飯的去瞧瞧他們來了沒有。」閃身進入林中。

片刻工夫，重又走了出來，說道：「敝幫中兩位弟子，已在等候，諸位快請入林上船。」

一矮身子，當先行去。

穿越了數丈密集的林木，果然到了一條寬不過丈餘的小溪前邊。

一艘木船，早已在溪邊停好，兩個衣著襤褸的丐幫人，並肩站在船頭之上。

彭雲當先一躍，飛落木船，蕭翎、商八等緊隨飛落船上。

兩個丐幫弟子，一語未發，待群豪飛落船上之後，立刻起碇行舟，順流而下。

這小溪雖然不寬，但溪水卻是很深，兩個丐幫弟子，操舟技術，十分熟練，隨著那曲折的小溪折轉而行，駛速甚快。

卅二　化險為夷

船行大約有一頓飯工夫之後，景物突然一變。

只見水域遼闊，一望不見邊際，右邊蘆葦叢生，密集異常。

兩個操舟的丐幫弟子，突然一折一轉，直向那蘆葦叢中行去。

蕭翎心中暗道：這蘆葦如此密集，船隻如何能駛得進去呢？

只見兩個操舟的丐幫弟子，突然一轉，小舟衝入蘆葦叢中。

原來那蘆葦林中，有一條秘密的水道，寬不過五尺，勉強可容一條小舟，順行通過，如是操舟的技術不佳，縱然知道秘密也是無法駛入。

那小舟轉過了兩個彎子，突聽一聲輕喝傳來，道：「停船。」

兩側蘆葦中，同時伸出來一支紅纓長槍，攔住了小舟。

兩個操舟的丐幫弟子，同時腕上加力，一收木槳，快舟陡然停了下來。

只聽左邊蘆葦叢中說道：「東方甲乙木。」

那站在小舟右側的丐幫弟子應道：「西方庚辛金。」

右側蘆葦中又傳出一個清冷的聲音，道：「天上日月星。」

小舟左邊丐幫弟子應道：「地下水火土。」
兩支探出的紅纓長槍，突的收了回去。
兩個丐幫弟子重又提舟而行，盤轉彎曲的水道之中。
杜九輕咳了一聲，道：「這地方關卡倒是十分森嚴。」
彭雲道：「百花山莊中人，無孔不入，不如此森嚴防備，如何能阻礙得他們摸魚。」
只覺那行進中的小舟，突然又停了下來，耳際邊，響起了那丐幫弟子聲音，道：「咱們已到了與會之地，諸位也該下船了。」
蕭翎抬頭打量了四周一眼，盡都是不見邊際的蘆葦，心中暗道：此刻不見一點陸地，難道要人行在水中不成。
彭雲低聲和一個丐幫弟子說了幾句話後，突然沉聲說道：「諸位請隨我來。」覷準了前方，縱身一躍，飛了過去。
蕭翎看彭雲停身之處，和小舟相距八、九尺的距離，深恐二婢輕功難及，當下說道：「玉蘭、金蘭，你們先上去吧！」
玉蘭應了一聲，當先躍起，直向彭雲停身之處衝了過去。
蕭翎右掌上蓄了內力，準備隨時相助，哪知玉蘭一躍之勢，竟是有過之而無不及，直向彭雲身上撞了過去。
彭雲疾退了四步，才算讓開玉蘭的撞擊之勢。

金蘭緊隨著玉蘭身後飛起，疾躍過去。

蕭翎、商八、杜九，連綿而起，躍落向彭雲等停身之處。

低頭看落足之處，原來是一塊兩尺寬窄的木板，架在蘆葦之上。

蕭翎心中暗道：他們佈置這樣一個隱秘之地，來做聚會之所，恐非一朝一夕可成，看將起來，是早有預謀了。

彭雲低聲說道：「諸位請隨我身後而行，萬一遇上了什麼動靜，切不可輕易出手。」轉身當先舉步行去。

這木板架著的通道，緊和水面相接，盤轉在密集的蘆葦叢中。

行約十四、五丈，陡然間向右轉去，燈光隱隱，由那密集的蘆葦叢中透了出來。

只聽一聲輕呼：「什麼人？」

兩側蘆葦叢中，突然躍出來兩個身著勁裝，手執單刀的大漢，橫身攔住了去路。

彭雲一抱拳，道：「丐幫中小要飯的彭雲。」

兩個大漢四道目光，投注到玉蘭和金蘭身上，道：「身後幾人，是何方人物？」

彭雲道：「大名鼎鼎的中州二賈。」

左面大漢接著問道：「那兩位姑娘呢？」

彭雲道：「小要飯的朋友。」

右面大漢接道：「彭兄名滿江湖，咱們聞名已久，自可不用號牌，身後幾位，不知是否帶

有受邀的號牌？」

彭雲說：「這幾位都是小要飯邀來的助拳高手，如有什麼不妥之處，有我小要飯的一肩承擔。」

兩個大漢相互望了一眼，道：「茲事體大，咱們兄弟擔不起這副擔子，諸位稍候，兄弟代幾位通報一聲……」

兩個大漢留下左面一人，守在道中，右面一人卻轉身向林裏奔去。

大約有一盞熱茶時光，那大漢帶著一個手握摺扇的少年，大步行來。

蕭翎目光銳利，已然看出那人正是豫、鄂、湘、贛總瓢把子馬文飛。

馬文飛突然加快了腳步，搶到那大漢前面，拱手說道：「彭兄弟，快給我引見中州雙賈……」目光轉處，陡然發現了蕭翎，怔了一怔，接道：「蕭兄也來了？」

蕭翎微微一笑，道：「馬兄沒有想到吧！」

指著商八道：「我來替馬兄引見，這位是中州雙賈商八，那位杜九。」

馬文飛抱拳說道：「久仰兩位俠名，今日有幸一會。」

商八還了一禮，笑道：「事無幸成，馬總瓢把子能夠督率四省武林同道，領袖群雄，果是有著人所難及的氣度。」

馬文飛道：「多承誇獎，兄弟擔當不起，蘆棚內現有酒菜，諸位入內共飲一杯如何？」

蕭翎道：「我等特來拜晤，自是要瞻仰一下馬兄的威風。」

馬文飛長揖肅客，道：「諸位請。」

彭雲當先帶路，和中州二賈緊隨而行，二婢和蕭翎魚貫隨行。

深行五丈，形勢突然一變，只見一座木板搭成的浮台上，燭火高燒，坐了不少的人，蕭翎目光一掃，約略估計不下二十人。

進口處亮燃著兩支紅燭，十分明亮，是以蕭翎等進門之後，全場中人都看得十分清楚。

商八抬頭一看，只見上面用黑布遮了起來，想是怕燈光透出所致，心中暗暗讚道：這馬文飛設想周密，果是一個人才……

突聞金風微嘯之聲，破空而來。

金算盤商八一聞那嘯風之聲，立時辨出是暗器襲來，轉目望去，只見蕭翎左手中已然接住一支銀梭鏢，口中銜了一支短箭，右手握著一朵金蓮花。

他在一轉瞬之間，手口並用，接了三般暗器，手法之快，拿捏之準，只瞧得滿場群豪，個個驚服不已。

馬文飛臉色一變，朗聲說道：「哪一位暗中施襲，請站出來答話？」

蕭翎隨手拋去手中暗器，淡淡一笑，道：「算了，那人也許是和兄弟開個玩笑，馬兄不用認真。」

馬文飛目光由浮台西角處兩個座位上掠過，那兩個座位上端坐一個花白長髯的老者，和一個端莊嚴肅的青衣少女，口中說道：「蕭三莊主大量不究，兄弟是恭敬不如從命了。」

蕭翎一皺眉頭，欲言又止。

商八卻暗暗忖道：此人年紀不大，但處事做人卻是老練得很，出口第一句話，先點破大哥的身分來歷，免得場中群豪心中起疑，再把不究屬從，暗施偷襲一事，加諸在蕭翎身上，好叫人無法派他不是，短短兩句話，示警、諉過，佔盡了便宜。

彭雲目光環掃了全場一眼，不見丐幫中人，心中奇道：我幫中人，盡承艱辛，擺渡、守衛，盡是我丐幫弟子，但這參與機要，會決大事，怎無丐幫中人參加呢？

只見馬文飛向蕭翎抱拳一禮，道：「三莊主既然找到了此地，足見耳目靈敏，叫兄弟好生佩服，但既來之則安之，請坐下飲杯水酒如何？」

蕭翎心知馬文飛誤會了自己，正待出言解釋，杜九已冷冷接道：「馬總瓢把子，這待客之道，未免太過霸道了？」

馬文飛冷笑一聲，道：「兄弟對中州二賈，仰慕已久，想不到的是，以兩位這高身分之人，竟然也投靠了百花山莊。」

杜九怒道：「馬文飛，你講話要小心一些。」

場中群豪突然齊齊站起，兵刃紛紛出鞘，看樣子只待馬文飛一聲令下，立即將群起而攻，驟然局勢大變，劍拔弩張。

商八哈哈一笑，道：「諸位這般緊張，可是準備打上一場糊塗架？兄弟做買賣，一向是精打細算，如是有賠本之處，決然不幹。咱們如是相助那百花山莊而來，豈肯這般毫無戒備的輕

闖虎穴？」

彭雲急急說道：「馬兄請聽小要飯的一言。」

但聞一個清脆冷漠的聲音傳了過來，道：「各位武林前輩，晚輩曾在歸州城內一家酒樓之上，謀刺那周兆龍，就是被此人從中阻攔，致令我七年含冤，無法伸雪，今夜他混入咱們大會中來，此人萬萬不可放過，他冒用那蕭大俠之名，混跡江湖，淆人耳目，使人聞其名，不辨其奸，諸位伯伯、叔叔們，千萬不能上當。」

全場中數十道目光，一齊投注到蕭翎身上，人人的目光中充滿著怨恨、怒火。

蕭翎只覺心中有著千言萬語要說，一時間卻又感覺無從說起，眼看有不少仗著兵刃之人，緩步向前迫來，更是焦急，心知此刻情勢危急，若是要有一個人發動施襲，群豪立時將跟隨出手，勢道一發，必然是雷霆萬鈞，莫可擋拒。

金蘭、玉蘭仍然分守在他兩側，以兩人武功而論，決難抵擋那四面八方的發動之勢，當下低聲說道：「玉蘭、金蘭，快些退到我的身後。」

二婢自知武功難以拒擋攻勢，立時依言向後退去，閃到了蕭翎身後。

中州雙賈久經大敵，默察了眼下情況，悄無聲息地分立蕭翎兩側，既可保護蕭翎兩翼，又取得一個犄角呼應之勢。

一陣風彭雲，站在蕭翎身前約七、八尺遠，該是最先和群豪接觸，但人們因爲那丐幫申幫主在江湖上極受敬重，假如小叫化有出賣群豪的事情，將來自有那申幫主來懲治於他，丐幫勢

力眾大，亦不便和丐幫結仇。

因此，群豪全部繞過了一陣風彭雲。

馬文飛一直靜靜地站著未動，既未出言喝止，也未指令群豪出手。

浮台上鴉雀無聲，但沉默中卻有一股令人窒息的緊張氣氛。

突然間人影一閃，一個青衣少女當先向蕭翎衝了過去，玉手揮動，拍出一掌。

蕭翎身子微微一側，避開前胸要害，用右肩接下一掌。

這一掌落勢甚重，只打得蕭翎身子一晃。

杜九冷笑一聲，道：「小丫頭膽子不小。」右手一揮，斜裏拍來。

蕭翎探臂一攔，先擋開了杜九一掌，卻淡淡一笑，說道：「姑娘打了在下一掌，也可略解心頭之恨了。」

那青衣少女端莊嚴肅的臉色上，泛起了一片茫然之色，道：「你爲什麼不還手？」

蕭翎道：「昔日在下出手，阻攔了姑娘報仇舉動，雖然事出無心，但姑娘心中，卻一直記恨甚深，唉！其實在下縱不出手，姑娘出手的暗器，也是一樣傷不了那周兆龍！」

杜九出手之時，四周群豪已然躍躍欲試，但因蕭翎出手攔住了杜九一擊，使群豪大出意外，自動停了下來。

只聽那青衣少女冷冷說道：「那周兆龍殺死了我爹爹，逼死了我母親，這血海深仇，該不該報？」

蕭翎道：「殺父之仇，不共戴天，自然該報。但姑娘請仔細想一想當日情景，在下就算不出手，你是否能夠真的傷到那周兆龍？」

青衣少女凝目沉思片刻，道：「當時情景，已難記憶，但只記得你出手阻攔了我。」

只聽一聲蒼涼的歎息，道：「孩子，他說得不錯，縱然是他不出手，你發出的暗器，也無法傷了那周兆龍。」

那說話之人，虎目、方臉，正是暗器名家，八手神龍端木正。

突聞一聲悶哼，劃破了浮台上的沉寂，接著撲通一聲，一個大漢，摔倒地上。

蕭翎臉色肅然，回顧了那大漢一眼，吐了一口血出來。

原來，那大漢看蕭翎挨了一拳，不肯還手，瞧出便宜，心中暗道：女孩子家內力柔弱，拳掌之上勁道有限，傷不了他，如若我一掌把他震斃，或是重傷當場，豈不是要大露鋒芒，受在場武林同道敬重。

當下暗中運起鐵沙掌力，悄無聲息地欺進一步，一掌拍出。

蕭翎耳目何等靈敏，那大漢向身側欺進之時，他已然警覺，但想到目下群豪激動之時，一個處理不好，便將要引起一場惡戰，此來原有求人相助之心，如鬧出了流血慘劇，只怕是永難見諒於武林中。

於是暗中運功護身，裝作不知，但他卻沒有料到，那大漢練的竟然是鐵沙掌力。

商八雖然也瞧了出來，但他心知蕭翎有罡氣護身，這人鬼鬼祟祟，暗中施襲，有欠光明，

要他吃些苦頭也好，看見裝作未看見。

那大漢掌勢拍出，見蕭翎還未發覺，心中大喜，暗想：這倒是該我大出風頭，一舉成名。又加了兩成勁道，全力拍出。

掌勢觸到了蕭翎身上，立時覺出了不對，只覺一股強大無倫的反震之力，回擊過來，氣血內湧，悶哼一聲，摔倒地上，暈了過去。

蕭翎的護身罡氣，功候還淺，對方又是用的碎石開碑的鐵沙掌力，但覺熱血上湧，內腑劇震，也吐出一口血來。

這變故，震驚了全場，玉蘭、金蘭同時尖叫一聲：「相公！」一齊伸手扶住了蕭翎。

蕭翎暗中一提真氣，壓制下翻動的氣血，淡淡一笑，道：「我不要緊，快放開我。」

二婢看他神色無異，不敢勉強，依言放手。

蕭翎探手取出一方絹帕，遞向那青衣少女，道：「冒瀆姑娘了。」

原來，蕭翎一時控制不住內腑中湧上的氣血，噴出一口鮮血，正吐在那青衣少女身上。

那青衣少女呆呆望著那倒在地上的大漢，認出是以鐵沙掌馳名江湖的碎碑手王義，心中暗自震駭道：他是有心讓我的了，剛才我打他一掌，竟是毫無反震之力，這王義掌力，強我何止數倍，卻受到如此重傷……

低頭看看衣袂上大片血跡，心中忽生不安之感，垂下頭去，不敢和蕭翎目光相觸，低聲說道：「不妨事，相公不用放在心上。」悄然避到八手神龍端木正的身後。

馬文飛橫移兩步，行到王義身側，探手一把，抓起了王義身子，低聲探問道：「王兄，你傷得很重嗎？」

王義耳、鼻、口、目間都有紫血湧出，這正是內腑離位，心脈斷裂之徵，縱有靈丹妙藥，也無法起死回生了。

只見王義突然睜開眼來，說道：「他有護身罡氣……」說話時肌肉顫動，似是用盡了身內的氣力，一語甫落，氣絕而逝。

馬文飛緩緩放下王義的屍體，揮手對群豪說道：「諸位暫請各回席位。」

碎碑手王義之死，使群豪激動的心情，平靜了不少，聽得馬文飛呼喝之言後，紛紛回歸原位。

馬文飛目注蕭翎，冷漠地說道：「蕭兄駕臨，有何見教？」

蕭翎道：「兄弟已脫離了百花山莊……」

馬文飛微帶慍意地接道：「在下所知，那沈木風正派遣快馬，邀約武林梟雄，為蕭兄加盟百花山莊一事，大作慶祝，卻未聞蕭兄離開百花山莊的訊息。」

蕭翎一皺眉頭，道：「有這等事？」

心中暗道：我如據實說明內情，雖可獲得群豪瞭解，但陷身在百花山莊的父母，只怕有性命之憂，一時沉吟難決。

金算盤商八突然接口說道：「馬兄請一旁說話，在下有幾句機密之言，不便當場說明。」

馬文飛略一沉吟，轉身行到浮台一角。

啇八大步行了過去。

兩人低語一陣，馬文飛面色凝重地緩步走了回來，低聲說道：「蕭兄請！」左手伸出，把蕭翎讓向東側一個座位上。

馬文飛目光掃掠了四周的群豪一眼，低聲說道：「在下適才未解蕭兄真實來意，多有冒犯。」

蕭翎道：「兄弟不速而至，難怪馬兄和群豪震動，如何能怪馬兄。」

馬文飛道：「今夜兄弟雖蒙與會群豪推舉主事，但事實上，兄弟實在自知藝難服眾，才不勝人，兄弟就算願為蕭兄承擔大責，只怕一時情面，也難使群豪心服。」

蕭翎劍眉聳動，肅然拱手說道：「馬兄有何見教，乾脆明說了吧！但得兄弟力所能及，無不全力以赴。」

馬文飛道：「目下那百花山莊之中，正在大肆鋪張，為蕭兄加盟百花山莊一事祝賀，此訊凡與會之人，無一不知，兄弟就全力代蕭兄解說，也是難安眾心，蕭兄可否暫請退出此地，俟兄弟取信於群豪之後，再行派遣手下，恭迎蕭兄與會。」

蕭翎此來之意，原想相求群豪，相助救出父母，但看眼下情形，如再留此，反將無益有害，當下說道：「既是兄弟難以見諒於人，也只好先行告退了！」抱拳一揖，轉身而去。

啇八、杜九、玉蘭、金蘭，緊隨在蕭翎身後，向前行去。

彭雲突然縱身一躍，攔住了蕭翎去路，道：「小要飯的無能，不能取得群豪信任，也無顏參與這場大會……」

馬文飛急急接道：「彭兄，不要誤會，以彭兄在武林俠名，凡是在場之人無不敬仰，至於蕭大俠，在真相沒有澄清之前，不便參與大會，令師俠駕未到，目下只有彭兄一人，如是彭兄退出此會，丐幫中豈不是無人參與此會了嗎？事關大局，還望彭兄三思兄弟之言。」

彭雲凝目沉思了一陣，道：「只因目下群豪對那百花山莊心存恐懼過重，致形成這次僵局，兄弟名微言輕，未能使蕭兄為在場群豪見重，說來慚愧得很。」

蕭翎道：「冰凍三尺，豈是一日之寒，彭兄珍重，兄弟這裏告別了。」回頭大步而去。

行到那木板鋪成的小道盡處，竟未見載渡之舟。

杜九怒聲罵道：「這小子可惡得很，擋咱們不許與會，卻又無載咱們越渡之舟，不知這究竟是何用心？」

蕭翎道：「我想他定有安排，杜兄弟不用性急。」

彭雲道：「操舟之人，大都是我丐幫中弟子，小要飯的用我在丐幫中的身分，要他們馳舟來迎就是。」

蕭翎道：「彭兄不可造次，我想那馬文飛定有佈置，咱們還是等它一會兒的好。」

談話之間，遙聞一陣木槳划水之聲，傳了過來。

蕭翎道：「這不是來了嗎？」

凝目望去，只見一葉小舟，急馳而來。

那小舟很快地馳近了幾人停身之處，果然，仍是兩個丐幫中弟子操舟。

彭雲黯然說道：「諸位請上船吧！小要飯的重回浮台之後，必將為蕭兄辯解此事，要那馬文飛親自去恭請蕭兄。」

蕭翎歎道：「只怪兄弟失足成恨，一度加入百花山莊，自是難以怪別人了。」說著話，躍上小舟。

中州二賈、金蘭、玉蘭，魚貫相隨，登上小舟。

兩個丐幫弟子，立時划動小舟，穿行蘆葦叢中的水道上，兩人操舟動作，十分熟練，極快地馳出了蘆葦叢。

片刻工夫，到了岸畔，岸上是一片黑黝黝的雜林。

蕭翎等魚貫登岸，兩個丐幫弟子，立時掉轉船頭而去。

商八望了蕭翎一眼，道：「大哥，意欲何往？」

蕭翎道：「求人不如求己，既然我不能見容於聚會群豪，只有自行設法，營救我父母脫險了……」

商八兩道目光突轉注玉蘭身上，緩緩說道：「如是在下想得不錯，玉蘭姑娘必有良策。」

玉蘭沉吟了一陣，道：「辦法雖有一個，但不知成是不成。」

蕭翎道：「什麼辦法，快些請說。」

玉蘭道：「小婢所知，那百花山莊東北方，有一道便門，出入之人，大都是廚子和老媽子等人，那是百花山莊中，唯一可以設法混入的漏洞。」

商八道：「好！杜兄弟，咱們扮作廚房中人，由那側門混入。」

蕭翎道：「我呢？」

商八道：「兄弟已為大哥借箸代籌，想了一個辦法，你和那玉蘭易容換裝，混入那百花山莊邀請高手的僕從之中，或可混進莊去。」

蕭翎道：「你何以知那百花山莊中，邀有高手聚會？」

商八道：「沈木風為大哥加盟百花山莊一事，遣快馬邀請異道高手，舉行一場英雄大會，明裏是為你祝賀，使你能一舉之間，成名江湖，實則是別具陰謀，炫耀實力，使一干與會高手，盡皆為他所用，那馬文飛也在受邀之列。」

蕭翎道：「你可是要我假扮那馬文飛的隨身僕從，混入百花山莊？」

商八道：「兄弟擅作主意，還望大哥恕罪。」

蕭翎道：「你為我費了這大心機，我感激還來不及，何罪之有？」

商八道：「我和那馬文飛已經約好，明天初更時分相見，後日一早，進入莊中。」

蕭翎望望天色，道：「此刻距明晚初更，還有一段很遙長的時間，咱們有足夠準備的時間了。」

啇八笑道：「兄弟帶的那兩頭虎獒，雖已通了靈性，但也不能長時棄之不管，我去安排一下，大哥和兩位姑娘就在這樹林中，找個地方休息一下，兄弟去去就來。」

說罷，和杜九聯袂而去。

蕭翎出道江湖，就捲入了這場武林正邪大決鬥的是非之中，陰錯陽差地造成武林同道對他的誤會，已有抽身不能之感，父母被擄作人質，又使他和百花山莊，形成了一種微妙的關係，在這場鬥智、鬥力的大決鬥中，成了一位左右為難的中間人物。

他望著中州二賈遠去的背影，黯然一歎，兩行思親淚，順頰而下。

誰說丈夫不彈淚，只為未到傷心處。

玉蘭、金蘭第一次看到了這位身負絕藝，性情堅毅的少年，暴露出脆弱，亦不禁哀傷淚下，難以自禁。

金蘭緩緩由懷中摸出了一方絹帕，遞了過去，道：「相公肩擔大任，保重身體要緊。」

玉蘭接道：「事已至此，急在善後，兩位老人家吉人天相，就算目前受些苦難，但必有脫危之日。相公肩上擔子是何等沉重，如若你苦壞了身子，那就大為不智了。」

蕭翎長長吁一口氣，道：「多謝兩位姑娘相勸。」席地而坐，閉目運息。

金蘭、玉蘭心知內功愈深之人，在運氣療傷之時，愈是受不得外力驚擾，二婢相互望了一眼，振起精神，替他守關。

大約過了頓飯光景，突聽一陣急促的步履之聲，傳了過來。

玉蘭霍然驚覺，刷的一聲，抽出長劍，低聲向金蘭說道：「姊姊請守護相公，我去瞧瞧來人是誰。」

金蘭還未來得及回話，玉蘭已疾如飄風而去。

回頭望去，只覺蕭翎運息正值緊要關頭，朦朧夜色下，可見他頭頂之上，泛升起一層淡淡的白氣。

金蘭相度一下四周情形，閃入了一株大樹之後，凝神戒備，如果來人是直向此地而來，那也顧不得江湖規矩，只有暗施偷襲了。

仔細聽去，已然不聞那步履之聲，不知是被玉蘭引走，還是那人轉了方向。

時間在緊張中悄然溜去，過了盞茶工夫，仍然不聞動靜。

這意外的寂靜，反而使金蘭產生出更大的恐懼，大有風聲鶴唳，草木皆兵之感。

突然間，聞得一聲冷笑，來自身後。

轉頭望過去，只見八尺以外的樹影下，站著一個黑衣瘦小的人影。

夜色中，那人影似一個陡然間出現的幽靈！

金蘭定定神，舉手拂拭一下頭上的冷汗，喝道：「什麼人？」

那黑衣人陡然間停下身子，望了金蘭一眼，道：「那盤坐調息的，可是蕭翎嗎？」

金蘭看清了來人之後，登時心頭一涼，手中長劍軟軟垂了下來，道：「毒手藥王。」

黑衣人道：「不錯，正是老夫，我問你那盤坐調息的人，可是蕭翎嗎？」

金蘭心中暗道：這毒手藥王，武功高強，我決然非他之敵，但如能多擋他一招，蕭相公就多上一分生機，我金蘭受蕭相公厚待之恩，今日以死相報，死而何憾。她想過了生死之事，膽氣突然一壯，冷冷說道：「藥王不在百花山莊中，到此為何？」

毒手藥王怒道：「老夫問你那人可是蕭翎，你聽到沒有？」

金蘭道：「是又怎樣？」

毒手藥王喃喃自語道：「皇天不負苦心人，終於讓老夫找到他了。」

金蘭道：「蕭相公是奉那沈大莊主之命，帶我和玉蘭妹妹離開百花山莊，另有要事……」

毒手藥王冷然一笑，接道：「為救老夫女兒之命，也顧不得和那沈木風的交情了。」突然一側身，避開金蘭，直向蕭翎衝了過去。

金蘭長劍一圈，刷的一聲，斜裏刺出一劍，想封擋毒手藥王去路。

毒手藥王右手一揮，一股潛力逼來，擋開了金蘭劍勢，人如電奔，衝近了蕭翎。

金蘭吃了一驚，疾步追去。

毒手藥王武功何等高強，待金蘭身子躍起，毒手藥王已到了蕭翎身前，右手一伸，連點了蕭翎三處穴道。

蕭翎運氣正值緊要關頭，雖然聽得兩人說話，卻不能分心旁顧，竟是毫無抵抗的被那毒手藥王點了穴道。

金蘭心急如焚，長劍連揮，攻出三招。

毒手藥王輕描淡寫地連揮右掌，封開金蘭劍勢，冷冷說道：「看在沈木風面上，老夫不傷你的性命，但如激起老夫怒火，那可別怪我不顧念和沈木風的交情了。」

金蘭失聲叫道：「快放開他。」長劍連連迫攻，一招緊過一招。

毒手藥王右手掌拍指點，封拒金蘭劍勢，左手推拿蕭翎背上兩道經脈，使那凝聚的真氣散去，免得久凝成傷。

金蘭一口氣攻出了二十多劍，都被毒手藥王輕而易舉地封拒開去，心中驚痛交集，不禁落下淚來。

突然間衣袂飄風之聲，一道白光，疾飛而至，刺向毒手藥王。

金蘭回目一顧，見來人正是玉蘭，只覺愧恨交集，嗚咽說道：「姊姊無能，被他衝近了蕭相公……」

玉蘭接道：「經過以後再說，此刻救人要緊。」長劍連變，著著迫攻。

金蘭也振起精神，揮劍搶攻。

毒手藥王雖然武功高強，但他一面分心於疏通蕭翎凝聚丹田的真氣，一面拒擋兩人攻勢，有著力難從心之感，何況二女情急拚命，長劍專走險招，招招都是指向要害、大穴，漸有應付不暇之感。

不禁激起怒火，冷笑一聲，喝道：「無知的丫頭，老夫不過看在那沈木風的面上，不願傷害你們，但你們這般逼迫老夫，那是逼我出手傷人了？」暗中提聚真氣，右手陡然推出。

一股強猛絕倫的暗勁，直向金蘭撞了過去。

金蘭長劍一振，斜裏上撩，左掌全力推出，封擋那湧來掌力。

只覺那撞來力道，有如排山倒海一般，洶湧而至，一觸之下，心神大震，竟然身不由己地退出了七、八步，一跤跌倒。

玉蘭眼看金蘭受傷摔倒，心中大爲吃驚，明知餘下一人，決然難是敵手，不禁動了拚命之心，趁那毒手藥王掌力推出還未收回，長劍急施一招「長虹經天」，連人帶劍地直撞過去。

毒手藥王冷冷說道：「丫頭找死！」

右手一收，又推出了一掌。

玉蘭如何擋得住毒手藥王強猛內力的一擊，連人帶劍地向後退去，撞在一株大樹上，才停了下來，摔在地上。

毒手藥王目光環掃了摔倒在地上的二婢一眼，自言自語道：「老夫也不取你們性命了，就算你們告訴那沈木風，老夫也不怕他。」一把抱起蕭翎，舉步行去。

夜暗林密，那毒手藥王轉了兩個彎，人已蹤影不見。

金蘭先掙扎起來，長長吁一口氣，緩步行到玉蘭身側，一把抓起玉蘭右臂，低聲說道：「妹妹，你怎麼了？」

玉蘭吃那毒手藥王掌力震起，撞在大樹上，只震得血氣浮動，暈了過去，經金蘭扶起一陣搖動，悠悠醒了過來，說道：「我不要緊，那蕭相公呢？」

金蘭道：「蕭相公被毒手藥王帶走了！」

突聞衣袂飄風之聲，兩條人影疾掠而至。

來人正是中州二賈。

金算盤商八急聲說道：「怎麼？蕭大哥哪裏去了？」

金蘭道：「他……他被毒手藥王擄走了。」

杜九道：「毒手藥王，這個老怪物，也到歸州府了嗎？」

商八望了杜九一眼，道：「老二，此刻不是問話時機，咱們先設法救了兩位姑娘再說。」

杜九點點頭，探手從懷中摸出了一個玉瓶，倒出了兩粒丹藥，道：「兩位姑娘先請服下此藥。」

玉蘭急道：「小婢們不足爲惜，兩位還是快去追那毒手藥王吧！」

商八道：「夜暗林密，一時間到哪裏追查，他既和那沈木風相交莫逆，想是奉那沈木風之命而來的了……」

玉蘭道：「不是，他要救他女兒之命。小婢聽蕭爺說過，那毒手藥王女兒身罹怪病，必得換去全身之血，才能痊癒，蕭爺身上的血……血……」一陣急咳，吐出一口血來。

商八伸出右手一拍，掌心按在玉蘭背心之上，說道：「姑娘不用急了，那毒手藥王擄去蕭大俠是別有所圖，一時間自不會傷了他的性命，姑娘傷勢要緊，在下助姑娘先行調息一下，再行設法尋那毒手藥王不遲。」

說話之間，內力已源源而出，注入玉蘭「命門」穴內。

那毒手藥王出手一擊，本可把玉蘭、金蘭置於死地，震斃當場，但因二婢都是百花山莊中人，這毒手藥王和沈木風交情甚深，是以手下留情，只憑強大的內力，輕傷了兩人。

玉蘭得啇八內力相助，極快地壓下去泛動的氣血，長長吁一口氣，道：「不行，咱們得去找蕭相公，如是去得晚了，那毒手藥王豈不抽盡了相公的血！」

啇八道：「那毒手藥王武功高強，憑咱們幾人追尋，如何能夠找得到他……」

目光一轉，沉聲對杜九說道：「去召來一隻虎獒，只要不過兩個時辰，不難追尋到他的去路。」

杜九轉身急奔而去。

啇八望望天色，道：「兩位姑娘請借此時光，休息片刻，如若那毒手藥王跑得不遠，咱們還不致延誤了明日預定的計劃。」

二婢心頭略寬，想到追尋時還得趕路，立時閉目靜坐調息。

又過頓飯時光，杜九帶一頭黑毛大犬而至，啇八口中嘰哩咕嚕，似是在和黑犬說話，然後牽著黑犬，在四周走了一圈，突然放開了手。

只見那黑犬抖抖身上長毛，人立而起，突然一躍數尺，向前奔去。

玉蘭看那巨犬奔行方向，正是毒手藥王去處，不禁心頭一喜，說道：「對啦，想不到這大黑犬還有這等好處。」

商八突然低嘯一聲，那黑犬去而復返，站在四、五尺外，望著商八，似是待命一般，金算盤商八口中嘰咕兩聲，那黑犬又轉頭向前行去，但已不似初行時那般快如飄風。

玉蘭道：「你這是幹什麼？」

商八道：「兩位姑娘傷勢未復，不宜奔行太快，同時我料那毒手藥王也不會去遠，咱們如若走得太快，衣袂帶起的風聲，靜夜可達十丈之外，豈不是打草驚蛇了。」

玉蘭道：「不錯。」舉步向前行去。

玉蘭、金蘭經過這一陣調息，精神雖然已經大見好轉，但身上的痛苦仍是頗難擔當，暗自咬牙忍痛上路。

只見那帶路的大黑犬，繞出樹林，直向正北方向行去。

那帶路虎獒一口氣走約四、五里路，在一荒墳中停了下來。

商八瞧著那虎獒，凝望著一座突起的大墓，伏地不動，做出將要撲襲之勢，立時低聲說道：「在此地了。」

卅三　血救佳人

這座大墳，年代十分久遠，墳上生滿了半人高的青草。

啇八繞著墳墓，走了一周，果然覺得草叢下面，有不少新土，心中一動，分開草叢，仔細瞧去。

黯淡星光之下，只見一座兩尺見方洞穴，掩蔽在草叢之中。

想那毒手藥王，定然認為此地十分隱秘，決然是不會有人找來，竟然連那洞穴亦未掩蓋。

凝神聽去，裏面傳出來隱約語聲。

那毒手藥王乃武林中久有盛譽之人，啇八不敢大意，悄然退回，讓玉蘭、金蘭帶著虎獒，躲在遠處等候，卻低聲對杜九說道：「老二，那毒手藥王，武功非同小可，大哥又落在他的手中，咱們投鼠忌器，難以全力施展，切不可莽撞出手。」

杜九道：「小弟聽命行事就是。」

啇八帶杜九輕步行到那大墳前面，右耳貼在土穴洞口處，凝神聽去。

只聽墓中傳出蕭翎的聲音，道：「我已被你擒住，生死還不是聽你擺佈，你為何還要這般求我？」

一個蒼沉的聲音，道：「小女心地善良，她如醒來之後，知道是我逼你輸血，決計不肯接受，那時，老夫也無能迫她強受了。」

蕭翎道：「你求我之意，可是要我告訴她，是我自願輸血救她嗎？」

那蒼沉聲音道：「正是如此，蕭大俠仁心俠骨，反正你已經死定了，何不做點好事，救活老夫小女呢？」

商八聽來心頭泛起一股涼意，忖道：這生死大事還可以商量的嗎？

蕭翎長長歎息一聲，道：「捨身爲人，原是一件大大的好事，只是此時此刻，在下還不願死。」

突見火光一閃，墓穴中亮起了燈光。

商八凝神望去，只見那棺材上面，鋪著一張紅氈，氈上躺著一個少女，棺旁的磚土，早已挖去，四壁還蒙垂一片紅色的布幔，顯然，毒手藥王經營這容身之地，費了不少工夫。

蕭翎和毒手藥王，緊傍那棺木而坐，但卻離洞口甚遠，影子由燈光反照過來，商八只要看那兩個人影，就可了然兩人的舉動。

但聞毒手藥王歎道：「你現在已經是死定了，已不是願與不願的事，老夫當以藥物助你，減少你的痛苦，讓你死得安詳一些就是。」

蕭翎道：「我有幾樁心願未完，死也難以瞑目。」

毒手藥王道：「什麼心願？你只管說出好了，救得小女性命之後，老夫一定替你完成。」

蕭翎長歎一聲，道：「說了也是無用，不說也罷，你動手吧！」

商八心中突然一跳，暗道：那毒手藥王傍身之處，在墓內一處死角，縱然想暗中施展，也是無法下手，看將起來，非得設法進入這墓中不可了。

他足智多謀，為人謹慎，心中雖然緊張，卻是急而不亂，相度了一下形勢，打算好拒擋毒手藥王之策，突然一吸氣，那便便大腹疾快地收縮起來，身子一沉，直墜而下。

左手揮動金算盤，寶光閃閃，護住了身子，右手卻一把抓住了那躺在棺材上的少女。

毒手藥王萬沒想到，在這等荒涼之地，竟然會有人找了上來，待他警覺到發掌禦敵時，那棺木上的少女，已然落在了商八的手中，不禁心頭一涼，鬥志全消。

緩緩放下手掌，說道：「快放開她，她全身虛弱，奄奄一息，如何還能夠受人驚駭！」

商八看自己估計不錯，毒手藥王果然把這位重疾垂死的女兒，視若寶貝，不禁膽氣一壯，哈哈一笑，道：「在下自有分寸，如若你不胡亂出手，在下決不會傷到令嬡就是。」

毒手藥王英雄氣短，歎息一聲，道：「老夫和你們中州雙賈素無嫌怨，你們這般和我作對，破壞我療救小女之事，是何用心？」

商八哈哈一笑，道：「那只怪藥王找錯了人！你可知那蕭翎是咱們中州二賈的什麼人？」

毒手藥王怒道：「這蕭翎明明是百花山莊中的三莊主，和你中州二賈何干？」

商八道：「不錯啊！他是那百花山莊的三莊主，但也是中州二賈的龍頭大哥！」

毒手藥王黯然說道：「你要什麼條件？說吧！反正中州雙賈一向是唯利是圖……」

商八道：「不錯，放了蕭翎！」

毒手藥王道：「老夫苦等十年，才找到了這麼一個人來，你如迫我放去蕭翎，那無疑奪去了老夫愛女之命……」

商八冷冷說道：「令嬡的性命是命，難道在下龍頭大哥的性命，就不是命了嗎？」

毒手藥王那乾枯瘦小的身體，微微抖動，雙目中暴射出狠毒的光芒，厲聲喝道：「你要以我女兒生死，要挾老夫嗎？」

商八冷冷說道：「這不是要挾，而是千真萬確的事，藥王可是看出在下不敢傷害令嬡嗎？」

毒手藥王雙目中那種凌厲凶芒，瞬間變成了一片慈愛，望著那躺在棺蓋上的少女，緩緩說道：「老夫放了蕭翎就是。」右手揮動，拍活了蕭翎受制的穴道。

蕭翎緩緩站起身子，望望那躺在棺蓋上的少女，歎道：「殺一人，救一人，豈是好生之德……」

毒手藥王接道：「能救我女兒之命，殺上千百人有何不可？」

蕭翎道：「可憐天下父母心，你生性惡毒、冷酷，但對待自己的女兒，卻是慈恩深重，親情如山，實也令人……」

語聲微微一頓，接道：「難道天下除了我蕭某身上的血，當真就無藥能救令嬡之病嗎？」

毒手藥王欲言雙止，沉吟了一陣，接道：「世間或有靈藥，但老夫還未發現。」

蕭翎暗中運氣戒備，回頭對商八說道：「你先出去吧！」

商八心知蕭翎武功要強過自己很多，當下並不謙辭，鬆開那少女手腕，一提氣穿洞而出。

毒手藥王動作快速無比，商八身子剛剛躍起，右手已遞了出去，扣向蕭翎左腕脈門。

蕭翎早已有備，哪還容他得手，左掌一揮，反向毒手藥王抓來的掌勢上面迎去。

毒手藥王屈起的五指一伸，變抓爲掌，砰的硬接一掌。

彼此都覺著心頭一震，這一掌力拚得半斤八兩。

毒手藥王右掌和蕭翎硬拚掌力的同時，左手已悄無聲息地點了過來。

蕭翎右肘一沉，反向毒手藥王的脈穴上撞去，迫得毒手藥王一挫腕，收回掌勢。

就這一瞬工夫，蕭翎已搶了先機，展開反擊，掌指齊施，連攻六招。

這六招迅快如電，迫得毒手藥王連退兩步，才把六招封擋開去，說道：「不要傷到了我的女兒。」

蕭翎冷冷說道：「如不是看在令嬡份上，今日我蕭翎決不就此放手。」冷笑一聲，道：「你已兩度對我暗算，今後決不會再有第三次了。」突然一提氣，穿出洞外。

商八、杜九手中仗著兵刃，在洞外等候，眼看蕭翎無恙而出，齊聲說道：「大哥是否已傷了那毒手藥王？」

蕭翎道：「沒有，那毒手藥王雖然惡毒、殘忍，但他的女兒卻是一個大大的好人。」

商八低聲說道：「那毒手藥王，全身是毒，被詡爲當今武林中第一用毒高手，咱們不宜在此多留，快些走吧！」

杜九當先帶路，會合了二婢，急急行去。

蕭翎突然想起了一件事，停下腳步說道：「如若那毒手藥王把今宵經過之情，告訴了那沈木風，沈木風必將加派高手，看守家父母囚禁之處，咱們縱然混入百花山莊，只怕也將多費一番手腳。」

玉蘭微微一笑，道：「此事相公但請放心，那毒手藥王追尋相公行蹤，純是出於私心，沈木風和他交情雖深，但以沈本風的性格而論，決不會允許那毒手藥王因一己私心，誤了他的大事，以妾婢之見，毒手藥王決然不敢和沈木風談起。」

蕭翎道：「好像是所有的人，都很畏懼沈木風。」

玉蘭道：「不錯，那沈木風調教屬下的手法，十分奇特，但因從來沒人見過，事情就愈是神秘，他究竟用的什麼手法，也使人無從預測，但小婢曾聽過那沈木風一句豪語……」

蕭翎也動了好奇之心，急急問道：「什麼豪語？」

玉蘭道：「他說『五龍有成』之日，就是他雄霸天下之時。」

商八見識廣博，江湖上事，他可算無所不知，但這一次卻是聽得茫然不解，舉手搔著頭皮道：「何謂五龍？」

玉蘭道：「詳情小婢亦不知，不過，那五龍很厲害，是決然不會錯了。」

商八道：「自然不錯。沈木風如不是有一點憑藉，亦不會重出江湖之後，立時這般招搖。」

玉蘭道：「小婢所知，已然說完，至於商爺如何打算，悉憑商爺決定了。」

商八道：「這個，在下也難作主，待和馬文飛商量之後，才能決定。」

玉蘭突然說道：「商爺和那馬文飛相約決定，要相公扮成那馬文飛的隨行之人，但據小婢所知，那主人、僕從，進得百花山莊就被分開，各進另外一處所在了，彼此是互不知曉。」

商八道：「這個我早已想到，但咱們主要的目的，是混入百花山莊中……」

語聲微微一頓，接道：「凡是受到邀請之人，都奉贈一塊銀牌，憑牌進莊，一牌兩人，不論是何人隨行，一面銀牌，都不得再行增加人數……」

杜九突然說道：「一面銀牌，限入兩人，如若咱們再有兩面銀牌，那就全部可以大搖大擺的走進百花山莊了……」微微一頓，接道：「你和馬文飛約的幾時見面？」

商八道：「明日正午會面，下午入莊。」

杜九道：「太快了，如是時間充裕一些，咱們可以仿製那些銀牌，最好是造上十面、八面，分贈旁人應用，先把他百花山莊鬧得一個神鬼不安再說。」

商八道：「辦法雖非很好，倒是不妨一試，屆時，咱們四人亦可大搖大擺的混進莊去，也用不著想法裝作下人、僕女，從那側門中混進去了。」

玉蘭一對明亮的眼睛，盯注在杜九的臉上，心中暗暗忖道：瞧不出你還有雕刻、仿製之

能。

杜九輕輕咳了一聲，笑道：「姑娘不用這般盯我，也不要不相信，這等事馬上就可以當面表演，分辨真假……」

目光轉注到啇八臉上，接道：「眼下唯一的難題，是如何找到那馬文飛，取來他的銀牌，如是定要明天中午才能取到，杜老二難爲無米之炊，咱們只有遵照玉蘭姑娘的老辦法，由那側門混進去了！」

啇八來回走了一趟，低聲說道：「好！你們守住蕭大哥。」縱身而起，兩起兩落間，人影已消失不見。

杜九回頭對玉蘭說道：「我要不用激將之法，老大也不會全力去弄那馬文飛的銀牌。」

玉蘭微微一笑，道：「你瞧那啇爺能不能拿到那面銀牌？」

杜九道：「照我杜老二的看法，馬文飛決然鬥不過我啇老大，他既然去了，那就有八成拿回來的希望。」

玉蘭道：「他要咱們在此地等待，咱們何不借此機會好好休息一下。」

杜九心中一動，暗道：二婢傷勢未癒，跟著我們跑了這麼遠的路，想必早已是疲累不堪了，當下說道：「不錯，咱們正該借此機會休息一下才是。」

玉蘭、金蘭傷勢本未全好，再經過這一陣奔走，已有些發作之徵，但她們十分要強，直待杜九應了聲，才閉上雙目，盤坐調息。

杜九看二婢調息禪定，也緩步走到丈餘外處一座亂石堆上，蹲了下去。

夜闌人靜，荒野幽涼，遠處傳來了幾聲梟鳴，增加了不少寒夜的恐怖。

突然間，那蹲在玉蘭身側的黑毛虎獒，一躍而起，直向正東方撲去。

二婢運息正值緊要關頭，雖聞聲息，但卻未動，蕭翎和杜九，卻為這虎獒躍奔之勢所驚，蕭翎一提氣，疾向那虎獒奔行方向追去，口中卻施展傳音之術，說道：「杜兄弟，你照顧兩位姑娘。」

他動作奇快，兩個飛躍，人已追到虎獒身後六、七尺處。

杜九人已站起，原想追那虎獒而去，但見蕭翎已捷足先去，只好倒躍退回，守護在二婢身側。

玉蘭為人機警多智，急急把真氣納回丹田，睜目望去。

只見杜九瘦高的身影，擋在身前，目光四下輪轉，這情形分明是遇上了什麼警兆，當下說道：「杜爺，你在瞧什麼？」

杜九回望了玉蘭一眼，道：「不妨事，姑娘只管運氣調息，有在下替兩位姑娘護法。」

玉蘭目光左右轉顧一眼，見蕭翎不在，忍不住問道：「相公呢？」

杜九見玉蘭對蕭翎異常關懷，自己也想隨後追去看看，不由道：「我要去了，有誰為兩位姑娘護法呢？」

玉蘭道：「不妨事，小婢調息已完，我替金蘭姊姊護法，杜爺只管放心前去。」

語聲甫落，瞥見一團黑影，急奔而至，直撲向杜九膝下，正是那黑毛虎獒。緊隨在虎獒之後，兩條人影，聯袂而至，左首蕭翎，右首卻是一陣風彭雲。

杜九冷冷說道：「我道是誰，原來是小叫化子。」

彭雲道：「諸位離開那浮台不久，小要飯的越想越不是味兒，就悄然離開，尋找幾位，我得那划舟弟子相告，一路追來，兜了半夜，仍是找不到幾位行蹤，如不是遇上了這頭大黑獒，還有得小要飯好找了。」

杜九道：「那馬文飛不問皂白，把我們逼退浮台，固然是瞧不起你小要飯，可是對我們兄弟，也算是一場不大不小的羞辱，日後如是有得機會，非得還給他點顏色瞧瞧不可。」

彭雲豪放不羈，但生性卻很剛傲，被杜九一番話，譏諷的心頭難過異常，當下說道：「杜二爺不用找小要飯難過，那馬文飛逼你們下了浮台，這個難堪，小要飯的實要比幾位更難下台，因此，小要飯的拚著受家師一頓責罰，擅自作主，傳諭調集門下弟子，特來恭候差遣。」

杜九哈哈一笑，道：「這麼看將起來，你小叫化的倒還是一個可交的朋友了。」

說話之間，商八急奔而回。

蕭翎道：「那馬文飛可曾答應了嗎？」

商八微微一笑，道：「馬文飛沒有見到，但兄弟此行，卻是幸未辱命。」

杜九道：「怎麼？你可是偷了一個銀牌回來？」

商八微微一笑，道：「不錯，是偷來的，不過，小兄還沒有這份能耐。」

杜九道：「你可是遇上了那個神偷向飛了嗎？」

只聽丈餘外暗影中響起了一陣哈哈大笑，道：「難得杜兄弟還記得老偷兒，咱們兄弟總有二十年沒見了吧！」

轉眼看去，只見一個矮小枯瘦之人，緩步走了過來。

此人年約五旬上下，留著八字鬍，一身土布衣褲，雙目炯炯生光。

杜九道：「老偷兒，這些時不聞你的消息，躲到哪裏去了？」

神偷向飛笑道：「兄弟二十年前，偷竊失手，被人打了一掌，心中大爲氣惱，因此，揀了一處僻靜之地，苦練偷竊之學，自信此後萬無一失，才行重出江湖。」

金蘭、玉蘭聽得忍俊不住，嗤的一聲，笑了出來。

向飛目光一轉，望著二婢冷冷說道：「兩位姑娘笑什麼，可是譏笑老夫這雞鳴狗盜之技，不登大雅之堂嗎？」

玉蘭道：「向爺不要生氣，小婢們不是這個意思，這裏向你賠禮了。」

向飛哈哈一笑，抱拳一揖，道：「老偷兒這裏還禮。」

商八道：「老偷兒，不要貧嘴薄舌的專和女孩子家打趣，我要替你引見兩位朋友……」伸手一指蕭翎，接道：「這是我們龍頭大哥蕭翎。」

向飛瞧了商八一眼，又望了蕭翎一眼，心道：把這麼一個娃兒當龍頭大哥，中州雙賈當真是越老越糊塗了，雙手卻一抱拳，道：「老偷兒和中州雙賈一向稱兄道弟，跟著他們稱呼，也

叫你一聲龍頭大哥了。」

蕭翎道：「不敢，不敢，向兄言重了。」

商八仰天打個哈哈，道：「大哥不用聽老偷兒口裏客氣，心中可是不肯服氣，大哥日後最好能露一手給他見識見識。」

蕭翎淡淡一笑，默默不語。

商八回手一指彭雲，接道：「這位是丐幫中申幫主衣缽弟子，一陣風彭雲。」

彭雲一拱手道：「小要飯的。」

向飛老氣橫秋地說道：「老偷兒和申幫主有過數面之緣，不過那已是二十年前的事了。」

彭雲道：「那時，小要飯的還未蒙恩師收歸門下。」

杜九抬頭望望天色，道：「老大，時間不早了，要想僞製銀牌，豈是片刻可成。」

商八緩緩從懷中摸出一面銀牌，遞了過去，道：「老偷兒不知在何處偷了這面銀牌。」

杜九接過銀牌，仔細一瞧，登時一皺眉頭。

原來，那銀牌花紋交錯，精工異常，僞造極不容易。

向飛微微一笑，道：「杜老二，老偷兒久聞你極善仿製，不知造出這樣銀牌要多久時光？」

杜九道：「這銀牌雕工精細，實在大出我杜九意料之外，看來非一日夜的工夫，很難僞造的維妙維肖。」

向飛道：「一日夜的工夫，還不算休息時間，由此刻算起，找工具準備動手，看來是要兩天時間的了？」

杜九道：「差不多。」

向飛道：「百花山莊的群雄大會就算還未曲終人散，至少已至尾聲，這場熱鬧，咱們也看不到了，我瞧你還是讓老偷兒露一手吧！」

商八暗暗計算道：大哥、二婢、老二、小叫化、老偷兒，連我七個人，兩人一面銀牌，一共還差了三個，當下說道：「老偷兒，還得三面才夠。」

蕭翎道：「兩面就行了。」

商八道：「大哥可是已有了入莊之策？」

蕭翎道：「你已答應那馬文飛，由他帶我入莊，豈可失信於人。」

商八道：「那是情非得已，此刻既然有了銀牌，還讓大哥委屈扮作那馬文飛的僕從，豈不是太委屈大哥了嗎？」

蕭翎道：「不妨事，我和他們走在一起，還有不少方便。」

商八心中暗道：不錯，咱們此行志在混水摸魚，藉機救出兩位老人家，需用人手，何等眾多，如無那馬文飛率領那群豪相助，此事甚難完成。

當下點頭一笑，回目望著向飛，道：「老偷兒，再去偷上兩面銀牌，就夠用了。」

向飛微微一笑，道：「二面，三面，都非難題，不過，老偷兒要帶個助手同行，萬一失了

風，也有一個報訊之人。」

商八心中暗道：這老偷兒刁鑽古怪，不知又要捉弄哪個了。

皺皺眉頭道：「你要帶哪一個？」

向飛哈哈一笑，道：「老偷兒如果帶一個小妞兒，定然引得萬人注目，下起手來，豈不是方便了許多。」

商八長吁一口氣，道：「你想帶玉蘭，那要你和她商量了，人家十幾歲的大姑娘，肯不肯和老偷兒走在一起，可是難說得很。」

玉蘭微微一笑，道：「小婢極願隨行，不過，小婢出身百花山莊，歸州城內各處要道，都布有百花山莊的眼線……」

向飛接道：「不妨事，老偷兒自有為你易容之法，事不宜遲，咱們立刻動身如何？」

玉蘭欠身對蕭翎一禮，道：「相公，妾婢追隨向爺一行，去去就來。」

蕭翎笑道：「你多辛苦了。」

向飛抬頭望望天色，道：「午時之前，咱們在前面一片荒林見面，我要去了。」

和玉蘭聯袂躍起，疾奔而去。

商八低聲對蕭翎道：「這老偷兒竊盜之技，江湖上無出其右，但卻頗具俠骨，二十年前在武林中，曾有義偷美譽，他既然說出大話，必有把握。」

蕭翎道：「偷兒名雖不雅，但比起那些外貌和善，內藏奸詐之人，尤勝一籌……」

他輕輕歎息一聲，接道：「你和那馬文飛可曾約好了會面之處嗎？」

啇八道：「馬文飛和中原群豪，一直對大哥存著很深的戒心，和他們會見了之後，只怕難免仍要受群豪許多冷嘲熱諷……」

蕭翎接道：「這個，小兄自信可以忍受得了。」

啇八道：「好！既是如此，咱就立時動身，只是人多不便，最好由兄弟一人陪同大哥前去。」

蕭翎心知馬文飛等中原群豪，心中對他存疑甚深，此行極是冒險，馬文飛等群豪，必將對他的行動，有著周密的防範，但想如無中原群豪相助，憑仗啇八和自己有限幾人之力，決難和百花山莊眾多人數抗拒，當下點頭微笑，道：「好！那就有勞兄弟了。」

啇八又低聲囑咐了杜九幾句，才帶著蕭翎急急而去。

兩人奔行六、七里路，到了一片分岔的溪流旁邊，停了下來。

太陽逐走了暗夜，金色的光芒，照耀著水中蕩起的漣漪，一葉小舟，由遠處蘆葦叢中急駛而至，直划向兩人停身之處。

一個全身勁裝，披著黑色英雄氅的青年，躍上岸來，那小舟卻疾快地轉頭劃去。

啇八緩緩站起身來，一抱拳，道：「總瓢把子果然言而有信。」

馬文飛目光一轉，還了一禮，笑道：「有勞兩位久候了。」

商八道：「昨日相商之事，馬兄可有困難？」

馬文飛笑道：「小弟既然答應了商兄，不論如何困難，也得辦到……」目光轉注到蕭翎身上，接道：「只是委屈了三莊主，兄弟心中難安。」

蕭翎只覺三莊主這稱呼，刺耳異常，但仍然心平氣和地抱拳說道：「有勞馬兄相助，兄弟是感激不盡。」

商八道：「馬兄，我把大哥奉託你了，兄弟就此別過。」轉身兩個飛躍，人蹤頓杳。

蕭翎目注商八去遠，欠身說道：「在下幾時改扮？」

馬文飛緩緩從英雄氅內，取出一個青色的包袱，道：「這裏有衣服和易容藥物一包，蕭兄先請換過衣服，再行易容。」

蕭翎緩緩接過包裹，心中說不出是一股什麼滋味，轉入一叢深草之中，換過衣服，取些河水調開易容藥物，塗在臉上。

一個英俊瀟灑的美男子，片刻間容色大變，變成了一個面容枯黃的少年。

馬文飛微微一笑，道：「蕭兄今午與兄弟共赴百花山莊之宴，連姓名也得暫時換換了。」

蕭翎道：「那就請馬兄給小弟取一個名字吧！」

馬文飛沉吟了一陣，道：「但望蕭兄能夠馬到成功，旗開得勝，順利救出令尊、令堂，易名馬成如何？」

蕭翎道：「很好。」

馬文飛抬頭看看天色，道：「咱們先到歸州城內，飽餐一頓，再到百花山莊中去，不知蕭兄意下如何？」

蕭翎道：「兄弟是悉聽吩咐。」

馬文飛道：「既是如此，咱們就即刻動身。」轉身向前奔去。

蕭翎不再多問，追隨在馬文飛身後而行。

兩人進了歸州城，只見滿街都是佩帶兵刃，騎著駿馬的武林人物。

馬文飛帶著蕭翎行到一處高大酒樓前面，停了下來，四下打量了一眼，緩步向樓上行去。

只見樓上坐滿了武林人物，只有靠東面臨街處的一張方桌上面，坐了一個身披鵝黃英雄氅的中年大漢，兩側座位，還沒有人。

馬文飛緩步行近那木桌之前，緩緩坐了下去，蕭翎倒是裝什麼像什麼，悄然站在馬文飛的身後。

那身披鵝黃英雄氅的大漢，抬頭望了馬文飛一眼，欲言又止。

馬文飛只覺這大漢面貌很熟，只是一時間卻又想不起他的姓名。

馬文飛喚過店小二，要了酒飯，回顧蕭翎一眼，說道：「你也坐下吃點食物。」

蕭翎應了一聲，端端正正地坐了下去。

但聞酒樓上人聲吵雜，進出之人，川流不息，大都是江湖中的人物，蕭翎心中暗想：不知

那沈木風邀請了多少武林同道，怎的有這麼多武林人物在這歸州城中出現。

兩人匆匆用過酒飯，會帳下樓，馬文飛又故意在城中走了一轉，才折向百花山莊而去。

行到了一處僻靜所在，低聲對蕭翎說道：「咱們看了一周，竟然未見少林、武當中人，沈木風既然未請白道中人與會，何以會發給我馬文飛一張請帖？古人道：宴無好宴，會無好會，看將起來，沈木風必是將在大會之中，暗用手腳，也許進得百花山莊之後，咱們就無法守在一起，蕭兄要自行留心一些。」

蕭翎道：「多謝關照，進入百花山莊之後，在下自當盡量設法和總瓢把子守在一起。」

馬文飛道：「商八、杜九，可要與會嗎？」

蕭翎道：「他們身上懷有銀牌，不難混入。」

馬文飛道：「這就好了，中州二賈武功高強，他們入得百花山莊，也好助我們一臂之力。」一放開腳步，向前奔去。

這條路蕭翎是熟悉無比，閉著眼也可以摸上百花山莊中去，但他卻循規蹈距的，追隨在馬文飛的身後而行。

片刻工夫，已到了百花山莊。

馬文飛雖然久聞百花山莊之名，但卻從未到過，抬頭看去，只見重重花樹，環繞著一處廣大莊院，一座高樓，聳入雲表，窮盡目力望去，隱隱可見樓上人影閃動。

花樹林中，突然轉出來兩個青衣大漢，快步迎了上來，遙遙抱拳說道：「兩位可是應邀赴宴來的嗎？」

馬文飛一拱手，道：「不錯。」

兩人立即閃向兩側，欠身說道：「這邊請。」

繞過一叢翠竹，景物忽然一變，只見花樹環繞著一座高大的門樓前面，左側站著十二個藍衣童子，右側十二個紅衣美婢，幾張木案，排列大門前面，中間僅可容兩人並肩通過，兩個身著長衫，留著八字鬍的老者，分坐在兩側木案後面，每人身後，站著兩個勁裝大漢。

馬文飛目光銳利，一掠兩個老者身後大漢，已瞧出都是內外兼具的武林高手，暗中一提真氣，凝神戒備，緩步向前行去。

蕭翎緊隨身後，相距不過兩尺。

馬文飛行至那木案旁側，兩個老者齊齊站了起來，欠身說：「貴賓留名。」

馬文飛淡淡一笑，道：「豫、鄂、湘、贛總瓢把子馬文飛。」

左首老者欠身說道：「原來是馬大爺，可否留下大名？」

馬文飛接過毛筆，龍飛鳳舞地在木案白緞上簽下了姓名。

右面一位老者陪笑說道：「大爺鑒諒，可否把奉邀銀牌……」

馬文飛不待對方話說完，探手從懷中取出銀牌遞了過去。

那老者接過銀牌，很仔細地瞧了一陣，雙手奉上，說道：「馬爺請好好保管此物。」

馬文飛一皺眉頭，接過銀牌，藏入懷中。

左首老者兩道目光卻一直在蕭翎身上打量，直待馬文飛收好銀牌，才緩緩說道：「這位是總瓢把子的什麼人？」

馬文飛冷冷說道：「隨身僕從，那邀請函上說得明白，每面銀牌，可容兩人入莊，難道是在下看錯了嗎？」

左首老者欠身陪笑道：「總瓢把子不要生氣，小的們奉命行事，不得不問明白身分，也好為馬爺隨身的小廝準備好宿住之處……」

目光轉注到蕭翎身上，道：「小哥怎麼稱呼？」

蕭翎道：「馬成。」舉步向前行去。

只聽右首老者高聲喊道：「豫、鄂、湘、贛總瓢把子馬文飛大爺，隨帶僕從馬成駕到。」

但見一個紅衣美婢，和一個藍衣童子，急步奔了過來，迎面一禮，道：「恭迎馬爺的大駕。」

馬文飛暗道：好大的鋪張，揮手說道：「不用多禮。」

那紅衣美婢嫣然一笑，道：「小婢為馬爺帶路。」轉身向前行去。

馬文飛舉步隨進，蕭翎緊隨在馬文飛的身後，那藍衣童子卻在蕭翎身後而行。

馬文飛心中暗道：前有開道，後有跟隨，當真是防備森嚴。

那紅衣美婢，引導兩人進了懸燈結綵的大門，穿過一條紅氈鋪地的甬道，到了一座敞廳門

前，停下腳步，高聲說道：「豫、鄂、湘、贛總瓢把子馬文飛，馬大爺駕到。」

語聲甫落，大廳中緩步走出一個華服少年，迎了上來。

蕭翎目光一掠來人，不禁心頭一跳，趕忙垂下頭去，長吸一口氣，隱斂起目中神光。

只見那華服少年迎出廳門，一抱拳，道：「兄弟周兆龍，久聞馬兄大名，今承賞光駕臨，百花山莊生輝不少。」

馬文飛還了一禮，道：「怎敢當周二莊主迎接，兄弟這裏拜謝了。」

周兆龍哈哈一笑，道：「馬兄言重了。」右手牽著馬文飛的左腕，並肩向大廳中行去，蕭翎微微垂首，緊隨著馬文飛的身後，亦步亦趨。

敞廳中人數不多，不過有七、八個人，周兆龍也不替馬文飛介紹，直穿敞廳而過，一面笑道：「馬兄遠道來此，請到翠竹軒中稍息風塵，今夜兄弟再爲馬兄設宴洗塵。」

蕭翎一直微微垂頭，隨在馬文飛的身後而行，直奔那翠竹軒中。

這翠竹軒在百花山莊的四大迎賓館中，是最差的一個，比起那「蘭花精舍」、「梅花閣」、「牡丹亭」都要遜色，蕭翎在這百花山莊中，做了很久的三莊主，就未去過那「翠竹軒」中一步，顯然，豫、鄂、湘、贛總瓢把子，並未受到百花山莊中的重視。

周兆龍帶著馬文飛繞過幾叢花樹，進入了一片翠竹林中。

只見無數紅磚砌成的精舍，散佈在翠竹林中內。

周兆龍帶著馬文飛行近了一精舍前面，笑道：「這就是馬兄的休息停居之處，近日來百花

山莊內佳賓雲集，莊中的房舍，不敷應用，委屈馬兄在這蝸居，遷就幾日了。」

馬文飛笑道：「好說，好說，兄弟久聞百花山莊之名，今日一見，果然是氣象萬千，百花盛放，如入仙境。」

周兆龍微微一笑，道：「馬兄過獎了。」伸手在門環上輕叩三聲。

兩扇紅門，呀然大開，一個眉目清秀的小婢，當門而立。

周兆龍指著馬文飛說道：「這位馬爺，是咱們這百花山莊中的貴賓，你好好招待。」

那小婢應了一聲，欠身說道：「馬爺請進。」

馬文飛心中暗道：難道這翠竹軒無數精舍中，都有專司侍候貴賓的美婢不成？

心中念頭轉動，人卻步入精舍。

周兆龍卻停在精舍門外，抱拳說道：「兄弟還要迎客，恕不能奉陪了，晚宴之時，兄弟再親來奉請。」轉身大步而去。

那美婢穿著一身青衫、青裙，但卻用白緞滾邊，臉上脂粉薄施，看上去倒是有一股清雅嬌俏之氣。

只見她躬柳腰，啓櫻唇，嬌聲說道：「小婢鳳竹，馬爺有什麼吩咐，儘管呼叫小婢……」

微微一笑，接道：「馬爺請先看看宿居，如若有什麼不妥之處，小婢亦好早些為馬爺換過。」當先轉身，蓮步姍姍，帶路而行。

推開一重繡簾，裏面是一個小巧美雅的臥室。粉紅綾幔遮蔽，靠東首橫放著一張木榻，兩盆不知名的紅花，散播出淡淡的清香，紅花、紅壁、紅綾被，全室看不出第二種顏色。

馬文飛淡淡一笑，道：「好是很好，只是布設太鮮艷了，似是女孩子家的閨房一般。」

鳳竹嫣然一笑，道：「小婢如非侍候馬大爺，可是沒福住這翠竹軒了。」言來星目流轉，巧笑倩兮，媚態橫溢，極盡誘惑。

馬文飛心中一動，暗道：是啦，沈木風這般安排，分明是想以女色爲餌，使人不覺陷入於脂粉陷阱之中，唉！與會群豪，不知有幾人能逃過這脂粉陷阱！

心念一轉，緩步退出室外。

鳳竹緊隨而出，俏目流轉，望了蕭翎一眼，笑道：「這位可是馬爺的僕從嗎？」

蕭翎急急接道：「小的馬成。」

鳳竹道：「後面有小房一間，是你宿居之室，跟我來吧！」舉步行去。

蕭翎隨那鳳竹身後，直行到精舍盡處，鳳竹推開了一扇緊閉的木門，笑道：「馬兄儘管休息，侍候馬大爺的事，不再勞動你小哥了。」

輕輕帶上木門，轉身而去。

這是個簡陋的小室，除了一榻一桌之外，別無長物，蕭翎想到過去在百花山莊的威風，此刻卻要在陋室居住，不禁啞然失笑。

馬文飛在廳中一張籐椅上坐了下來，長長吸一口氣，納入丹田，微閉著雙目養神，他爲人精明，進入臥室中後，覺出那臥室中，散佈著一種奇怪的清香，有若醉人春酒，心中霍然警

覺，暗暗忖道：那臥室中一色桃紅，佈置得有如新房一般，再加上那股醉人的香氣，嬌嬈的美婢，顯然，這是有意的安排，看來非得小心一些不可……

只聽一陣步履之聲，傳入耳際，鳳竹春風俏步地走了過來。

馬文飛微微一啓雙目，瞧了鳳竹一眼，裝作不見，仍然靜坐不動。

鳳竹走到馬文飛的身前，停了下來，柔聲說道：「馬大爺，遠道而來，想是十分睏倦，小婢已替馬爺備好了熱水，可要洗澡？」

馬文飛啓開雙目，望了鳳竹一眼，淡淡說道：「不敢多勞姑娘費心，在下自會料理，姑娘請自去休息！」

鳳竹笑道：「小婢奉命侍候馬大爺，不論馬爺有什麼吩咐，小婢是無所不從。」

馬文飛心中暗自罵道：沈木風的手段，當真是卑劣得很！連美人計也用了出來，這丫頭只怕是奉有嚴命，非得誘我上鉤不可，看她之貌，不似淫蕩之人，何以竟然這般自甘下賤，我倒是要逗她一逗，看她有些什麼反應。

心念一轉，微微笑道：「姑娘的風姿撩人，玉潤珠圓，看上去實不像侍人之婢。」

鳳竹笑道：「如得馬爺提攜，小婢是感激不盡。」

馬文飛道：「我要如何提攜姑娘呢？」

鳳竹粉臉突然泛現兩圈紅暈，低聲說道：「馬爺只要在我們大莊主面前說上一句，極爲喜愛小婢，那就行了。」

馬文飛笑道：「這事容易，但不知他如何賞賜姑娘？」

鳳竹道：「我們大莊主大方得很，他便將小婢賜給馬爺。」

馬文飛哈哈大笑，道：「可惜呀！可惜。」

鳳竹愕然說道：「可惜什麼？」

馬文飛道：「可惜姑娘這等美艷之人，在下卻無艷福消受，因為在下練的是童子功，不能接近女色，只有望花惆悵，有負姑娘的雅意了。」

鳳竹嬌媚一笑，道：「小婢侍候馬爺，只望得以常日追隨左右，小婢心願已足。」

馬文飛暗道：這丫頭大有自薦枕席之意，看來如不堅決斷去她的念頭，只怕她心猶不死。當下哂然笑道：「以姑娘之貌，嬌態媚笑，不為所動者，那是絕無僅有，在下自知難以自鎖心猿意馬。」

鳳竹輕輕歎息一聲，道：「馬爺既如此說，小婢再厚顏一些，也不便再多懇求馬爺，帶我離開百花山莊了……」語聲微微一頓，接道：「但小婢奉命侍候馬爺，馬爺留在百花山莊一日，小婢就奉君身側，聽候差遣。」言罷一笑而去。

卅四　卜算如神

太陽下山時分，周兆龍果然是如約而來，牽著馬文飛一隻手，說道：「小弟已備下酒宴，爲馬兄洗塵。」

馬文飛道：「如此叨擾，實叫兄弟心中難安。」

蕭翎經過一陣調息，精神充沛飽滿，微微垂首，肅立於馬文飛的身後。

周兆龍雖然不願馬文飛隨身僕從也去參與，但馬文飛裝糊塗不講話，周兆龍不便擅自作主，叱退馬文飛的僕從。

穿過了幾叢花樹，到了一座燭光輝煌的敞廳中。

敞廳中盛宴早開，一張紅漆八仙桌上，早已坐了四、五個人。

蕭翎目光微微一轉動，看那輝煌的大廳中，只擺這一桌宴席，心下好生奇怪，人卻閃入廳門後面，倚壁而立。

周兆龍帶著馬文飛行近那八仙桌，說道：「諸位貴賓，今日兄弟要替諸位引見一個大有名望的人物，這位就是大名鼎鼎的豫、鄂、湘、贛四省總瓢把子馬文飛兄。」

桌上四人，三個站起身來，一抱拳，道：「久仰馬兄之名，今日有幸一晤。」

只有靠北面的一個面色慘白，身穿白衣的中年文士，坐著未動，似是根本未聽到周兆龍介紹之言。

馬文飛掃視了那白衣文士一眼，也未理會。

周兆龍對那白衣文士失禮端坐未動的事，恍如未覺，卻指著三個起身作禮之人，說道：「這三位是泰山三雄，王氏兄弟。」

靠南面首位上年齡較大之人，道：「兄弟王通。」

緊傍王通而坐的大漢接道：「兄弟王驥。」

坐在正西位上的大漢，說道：「兄弟王放。」

馬文飛道：「幸會，幸會。」

周兆龍望著那白衣文士，笑道：「這位是東海神卜司馬乾。」

馬文飛心中暗道：此人一副驕狂之氣，我也不和他客氣了，緩緩坐了下去，冷漠地說道：「原來是司馬兄。」

司馬乾冷笑一聲，道：「馬總瓢把子的氣色很壞，近日裏必有血光之災。」

馬文飛淡淡一笑，道：「兄弟一向不信命相之論。」

司馬乾道：「馬兄不信，咱們走著瞧吧！在下索性說得武斷一些，由今日算起，三日之內，馬總瓢把子如無血光之災，兄弟就從此不用東海神卜的稱號。」

馬文飛聽他說得如此肯定，也不禁心中微微一震，抬頭望了司馬乾一眼，緩緩說道：「多

承指教。」

司馬乾仰天打個哈哈，端起面前酒杯，一飲而盡。

周兆龍眼看司馬乾已然吃了起來，急急端起酒杯，說道：「諸位請啊！」

馬文飛仍有著很深的戒心，喝了杯中之酒，但卻不肯吞下，藉故吐在手帕之上。

只見司馬乾和王氏三雄，舉杯酒乾，才漸漸地放開了懷，吃喝起來。

席中諸人，除了周兆龍殷殷勸酒之外，都很少說話，一席酒飯匆匆吃完。

東海神卜居然從懷中摸出三枚金錢，雙手合捧，搖動一陣，撒在桌上，看了一陣後，自言自語地說道：「這百花山莊混入了不少奸細。」

馬文飛吃了一驚，暗道：這狂人難道當真有卜算之能不成？

只見周兆龍微微一笑，道：「司馬兄可能卜算出有幾位嗎？」

司馬乾道：「以卦相看來，至少有十位以上。」

周兆龍道：「不多，不多，照敝大莊主估計，至少該有二十位以上。」

司馬乾收起桌上金錢，冷冷說道：「以兄弟卜相分析，對貴莊大是不利……」

周兆龍哈哈一笑，接道：「司馬兄不用擔心，諸般可能發生的變亂，都已經在敝大莊主的計算之中。」

司馬乾似是對自己的卜算之術，充滿著自信，說道：「周兄既然不肯聽從兄弟的警告，兄弟倒要拭目以觀，貴莊如何應付混亂之局了。」

泰山王氏三雄，心中暗自忖道：世間哪有強行迫人相信自己卜算之術的人，這司馬乾也算得是一個奇怪之人了。

馬文飛緩緩站起身子，道：「此刻已酒足飯飽，二莊主還有什麼指教嗎？」

周兆龍道：「不敢，不敢，馬兄如若有事，儘管請便。」

馬文飛一抱拳，道：「兄弟這裏先行告退了。」起身而去。

蕭翎垂目緊隨在馬文飛身後，直奔翠竹軒。

司馬乾望著那馬文飛的背影，道：「二莊主可識得此人嗎？」

周兆龍道：「我和他見面始自今日，但對他的底細，卻是早已瞭如指掌。」

司馬乾道：「此人就是一位大有問題的人物，二莊主要多多小心。」言罷，也不待周兆龍回答，就起身而去。

馬文飛和蕭翎一氣走回翠竹精舍，鳳竹含笑相迎，捧上香茗，笑道：「馬爺，可要休息嗎？」

馬文飛道：「我要靜坐一刻，姑娘請自去休息吧！」語聲微微一頓，又道：「如是姑娘存有離開百花山莊之心，等在下見得沈大莊主之後，自會代爲進言……」

鳳竹急急道：「馬爺既是不喜小婢常侍身側，千萬不可在大莊主面前，爲小婢請命……」

馬文飛笑道：「我知道，我要請大莊主，把姑娘賜於在下，待離開百花山莊之後，姑娘就

可以自由他往了。」

鳳竹黯然說道：「天涯茫茫，我無親無故，你要我到哪裏去呢？不敢勞動馬爺了。」轉過身子，緩步而去。

馬文飛心中暗道：這丫頭似有著離開百花山莊之心，只不知是真是假，唉！百花山莊中人，縱然是一個婢女，也使人莫測高深……

忖思之間，瞥見那剛剛行出精舍的鳳竹，重又急急奔了回來，說道：「馬爺，有一位司馬先生來拜訪。」

馬文飛心中奇道：司馬乾找上門來，不知爲了何事，看此人態度曖昧，用心難測，倒得留心一些才是。

口中卻連連說道：「快些有請……」

一句話未說完，司馬乾已闖了進來，道：「打擾馬兄。」

語氣冰冷，簡直不似在說客氣話。

馬文飛本待和他客氣寒暄幾句，但聽得那冷漠的語氣，心中一動，忖道：對此等倨傲之人，也不用對他多禮，當下也冷冷說道：「司馬兄有何見教？」

司馬乾不用人讓，自動坐了下去，道：「咱們真人面前不說假話，馬兄到這百花山莊中來，心懷別圖，瞞得了周兆龍，卻是瞞不過兄弟。」

馬文飛冷笑一聲，道：「司馬兄就是爲這句話過訪嗎？兄弟已經知道了……」

司馬乾道：「周兆龍不聽我警告之言，自負他們這百花山莊有如銅牆鐵壁，實叫兄弟氣憤不過。」

此人每一句，都使人震駭、驚異，大有語不驚人死不休之概。

馬文飛一時間倒是摸不清他的用心，一皺眉頭，道：「恕兄弟愚拙，聽不懂司馬兄言中之意。」

司馬乾道：「兄弟之意，簡單不過，我要在周兆龍面前，證明我司馬乾卜算之術的靈驗，並非是信口開河。」

馬文飛道：「不知司馬兄要如何證明？」

司馬乾道：「周兆龍不肯相信我司馬乾的話，我要他嘗點苦頭，知道我司馬乾的厲害！」

馬文飛笑道：「願聞其詳。」

司馬乾目光一掠那站在廳室一角的鳳竹，欲言又止。

知趣的鳳竹，打量眼前形勢，悄然退了出去。

馬文飛微微一笑，道：「現在可以說了。」

司馬乾道：「馬兄的來意，不但是兄弟瞭然，就是那周兆龍，只怕也知道的十分清楚。」

馬文飛淡淡一笑，道：「不錯，兄弟和百花山莊中的人，是道不同難相爲謀，承他們看得起我馬文飛，奉柬相邀，如是兄弟不來，豈不是要被人恥笑我膽子太小嗎？」

司馬乾道：「在下的看法，馬兄到此，恐不止單是爲了一點顏面英名而已。」

馬文飛心中一動，暗道：這人很少在中原武林中走動，既然不知他的來歷，又不知他和百花山莊的關係，切不可露了口風。

念頭轉了幾轉，定了主意，淡淡一笑，道：「不論司馬兄心中如何想法，兄弟是不變既定主意。」

司馬乾道：「如若馬兄肯把既定之策，告訴兄弟，兄弟倒可助馬兄一臂之力。」

馬文飛笑道：「司馬兄自負神卜，何不自卜一卦，算算兄弟心中所謀。」

司馬乾怫然不悅，霍然站起，道：「看將起來，馬兄也是不肯信任兄弟了？」

馬文飛也站了起來，笑道：「彼此相交不深，司馬兄不覺問得太多了嗎？」

司馬乾臉色大變，冷冷說道：「馬兄可是迫逼在下相助百花山莊了？」

馬文飛道：「這個悉憑尊便！」

司馬乾突然用手端起茶杯，喝了一口，冷冷說道：「馬兄日內定有血光之災，可要兄弟指明你一條去路嗎？」

馬文飛笑道：「大丈夫生死何足畏，不用司馬兄費心了。」

司馬乾冷冷說道：「馬兄既不相信兄弟這卜算之術，那麼也就算了。」放下茶杯，大步而去。

這東海神卜司馬乾，來自遙遠的東域，自負學有所長，希望能在中原武林道上，揚名立萬，甫入中原，正趕上中原武林哄傳百花山莊之事，司馬乾慕名拜莊，毛遂自薦，原想憑藉胸中所學，一舉驚人，受人尊敬，卻不料事與願違，竟是未蒙重視，而心中一怒，又想幫助馬文飛，把百花山莊鬧一個天翻地覆，卻不料又被馬文飛拒於千里之外。

守在室外的鳳竹姑娘，眼看司馬乾含憤而去，悄然走回室中，收拾茶具，哪知手指一和司馬乾用過的茶杯相觸，一個細瓷白杯，突然碎裂如粉，灑了一地。

馬文飛微微一怔，半晌說不出話來。

鳳竹卻嫣然一笑，道：「司馬先生的武功不弱，他如能稍微沉著一些，不要太急於名利，很快就可為百花山莊收羅重用！」

馬文飛心中一動，這丫頭似是知道的很多，而且評論司馬乾的武功時，口氣是那樣平靜，既無驚愕之感，亦無讚佩之意，難道這丫頭也具有上乘武功不成，何不藉此探聽一些莊中隱秘。

當下輕輕咳了一聲，道：「在下久聞百花山莊，納賢羅才，是以莊中有著無數的奇才異士，不知何以對那司馬乾，竟然十分冷淡？」

鳳竹笑道：「這等事，小婢本不敢談，但馬爺是正人君子，決不至陷害小婢，談談也就無妨了。」

她探頭往室外望了一陣，接道：「只怪司馬乾來不逢時，大莊主正為英雄大會勞心，無暇接見於他，才埋沒了這樣一位奇才。」

馬文飛道：「難道二莊主就瞧不出那司馬乾身懷絕技嗎？」

鳳竹笑道：「一則二莊主的眼光目力，難以及得大莊主，他雖然瞧出了司馬乾是一位懷才奇人，但卻無法瞧出他究竟有多大本領，二則他也無權重用那司馬乾。」

馬文飛道：「怎麼？他身爲百花山莊的二莊主，難道做不得一點主嗎？」

鳳竹道：「我們百花山莊，大權一向是集中在大莊主一人手中，二莊主只不過是傳達大莊主之命罷了。」

馬文飛道：「原來如此……」

語聲微微一頓，又道：「姑娘可知貴莊沈大莊主的宴客確期嗎？」

鳳竹道：「正期是明日中午，但今天晚上，確有一個盛大的晚宴，席設望花樓前的花圃之中，大莊主屆時將親身主持。」

馬文飛道：「承蒙姑娘諸多指點，在下是感激不盡。」

鳳竹微微一笑，道：「馬大爺許下的諾言，但願不要忘去。」

馬文飛道：「姑娘放心。」

心中卻是暗暗奇怪，道：我幾時曾對她許下了諾言，許諾的又是些什麼呢？

鳳竹微微一笑，滿臉歡愉地收了茶碗而去。

只見蕭翎緩步走入廳中，說道：「總瓢把子藉機坐息一陣，也許夜間難免有一番應酬。」

馬文飛道：「好！我就在廳中坐息一陣。」

蕭翎心中暗自奇道：爲什麼不到臥室中去呢？有我蕭翎替你護法，還有什麼不放心的嗎？

正自懷疑之間，鳳竹已重返廳中，笑著說道：「馬爺請放心在室中休息，小婢已經移開了那兩盆紅花。」

馬文飛心中暗道：這丫頭果然是聰明得很。當下行入臥室，嗅了一陣，果然再無香味，才盤膝坐在木榻之上，運氣調息。

蕭翎回顧了鳳竹一眼，道：「咱們總瓢把子，打坐調息時，向不許別人驚擾，此地暫有小的照看，不勞姑娘了。」

他雖然臉色枯黃，但易容藥物卻無法改變那端正的輪廓，清澈的星目。

鳳竹目光當和蕭翎冷電般的眼神一觸，芳心突然一震，忍不住打量了蕭翎一陣，茫然說道：「你面貌、眼神好像一個人。」

蕭翎冷冷說道：「像哪一個？」

鳳竹伸出纖纖玉指，按在頂門之上，思索良久，道：「我一時想不起來了，但你那眼神，我一定見過。」

蕭翎心中暗道：這丫頭的眼光、記憶，倒是很好，我易容之後，她仍瞧得出來，我對她毫無記憶，想來定然不是常見的了。

只聽鳳竹嬌聲說道：「你追隨馬爺很久了？」

蕭翎道：「很久了。」

鳳竹緩步走出室門，左腳剛剛踏出，突然又收了回來，轉過嬌軀，舉手一招，道：「我想

起來啦，過來我告訴你。」

蕭翎心中雖然不願，但卻知道這分派於此的婢女，明是侍候，暗是監視，如果對她太過冷漠，她只要在周兆龍面前，講上幾句壞話，卻是大有妨礙。

只好緩步走了過來，道：「姑娘要說什麼？」

鳳竹道：「你好像我們三莊主！」

蕭翎心頭一跳，道：「我像貴莊的三莊主，姑娘取笑了！」

鳳竹笑道：「千真萬確，你這對眼睛，確是像他，水汪汪的桃花眼，只是你面色枯黃，和我們三莊主俊俏模樣，差的遠了。」言罷，也不待蕭翎回答，轉身而去。

蕭翎心中暗道：看情形，這丫頭發覺我像他們的三莊主一事，是從眼睛之上瞧了出來的，我該特別留心這眼睛才是。

日落西山，夜色低垂，東方天際，升起了一鉤新月。

鳳竹手中舉著紗燈，緩步走來，低聲對蕭翎說道：「馬爺醒了嗎？」

蕭翎道：「沒有，姑娘有何見教？」

鳳竹道：「大莊主洗塵晚宴時間已經快到，快請喚起馬爺，要他潔面更衣，準備赴宴。」

蕭翎道：「這事容易，姑娘不用操心，決誤不了事。」

微微一頓，接道：「在下有一件事，想請教姑娘，不知姑娘肯不肯賜告？」

鳳竹道：「什麼事？」

蕭翎道：「今夜之中，不知咱們是否可見到你家三莊主？」

鳳竹道：「自然是見得到了，敝莊主這場邀集的群雄大會，主要的就是爲我家三莊主和江湖群豪會面。」

蕭翎心中暗道：不知又是哪一個冒充了我蕭翎，難道那藍玉棠也被沈木風收羅在百花山莊之內不成？

蕭翎和鳳竹談話之間，馬文飛已緩步走了出來。

鳳竹欠身一禮，道：「馬爺可要更衣？」

馬文飛道：「不用了，貴莊大莊主的洗塵晚宴，幾時開始？」

鳳竹抬頭望望天上一鉤新月，笑道：「月上樹梢頭，已經到了。」

馬文飛點點頭，道：「咱們要即刻動身了！」

鳳竹拿起放在案上的紗燈，說道：「小婢替馬爺帶路。」舉步向外行去。

馬文飛回頭望了蕭翎一眼，暗施傳音之術，說道：「蕭兄，赴宴之時，莫忘了和中州二賈等聯繫，商議動手之策。」

蕭翎點點頭，緊行兩步，追在鳳竹身後。

繞過了兩片花叢，只見一座聳雲高樓，屹立在眾女婢環繞之中。

樓下一片如茵草地上，早已擺好了十幾桌酒筵，看情形，邀請之人，並不太多。

馬文飛一皺眉頭，道「姑娘，咱們可是來得太早了一些？」

鳳竹道：「不早啦，那邊不是有人來了嗎？」

馬文飛抬頭看去，果見正北方花樹中，緩步走出一個高舉紗燈的藍衣女婢。

在那藍衣女婢之後，緊隨一個手提描金箱，身著長衫，年約四旬左右，胸前黑髯及腹的文士。

此人形狀特殊，蕭翎一眼之下，已然瞧出正是浙北向陽坪璇璣書廬主人宇文寒濤。

只見宇文寒濤在藍衣小婢紗燈引導之下，在靠近望花樓的一面坐下。

在他身後緊隨著百手書生成英。

就這一會兒，四面花叢中陸續出現了數十盞紗燈，在幾十個美婢引導之下，各就座位。

鳳竹笑道：「馬爺，入席吧！」移步向前行去。

馬文飛在鳳竹引導下，入了席位。

蕭翎低聲對鳳竹道：「姑娘，可有我的座位嗎？」

鳳竹顰起了柳眉兒，道：「你只要敢坐，就在旁邊坐下吧！反正每一桌可坐八人，事實上人數都是不足。」

蕭翎道：「多謝姑娘指點。」

只聽一個冷冷的聲音，傳了過來，道：「冤家路窄，兄弟又和馬兄分配到同一桌上了。」

馬文飛目光一轉，緩緩說道：「司馬兄和兄弟倒有緣得很。」

司馬乾緩步入席，在馬文飛對面坐下，那帶路美婢，悄然退了下去。

只見司馬乾說道：「百花山莊中這些美婢，個個都是人比花嬌，不知已有多少人，跌入了脂粉陷阱之中。」

這幾句話，說的聲音很高，似是有意讓全場中所有的人全都聽到。

果然，數十道目光，一齊投注過來。

司馬乾神色自若地端起茶杯，大大喝了一口，自言自語接道：「青竹蛇兒口，黃蜂尾上針，兩物不算毒，最狠婦人心，玫瑰多刺，酒色誤人，偏又是自古英雄愛美人，石榴裙下，作繭自縛，可歎啊！可歎！」

他每一句每一字，都用丹田真氣送出，聽來聲音不大，但卻傳出極遠，筵席中人，個個聽得真切。

馬文飛一皺眉頭，低聲說道：「司馬兄，夠了，已經是四座皆驚，萬目齊注……」

司馬乾冷冷接道：「兄弟觀察在座之人，大部都跌入脂粉陷阱之中，豈不是一大可悲之事。」

馬文飛心中暗道：此人見語不驚人，心有不甘，不用再和他談了。轉過頭去，裝作不聞。

司馬乾突然仰天打個哈哈，道：「天下愚人，何以如是之多，死在臨頭，還是貪圖口腹之慾，吃幾餐送終酒席。」

這幾句話又使得全場震動，立時議論紛紛。

司馬乾眼看仍是無人理他，突然一掌擊在木案上，只震得碗筷橫飛，散落在地，伏案大哭起來。

花樹林中，奔出來四個青衣童子，送上新的碗筷。

但聞司馬乾那號哭之聲，愈來愈大，全場皆聞。

馬文飛聽他哭聲甚是淒涼，心中暗暗奇道：此人武功不弱，亦似具有才華，何以會這般哭笑無常，難道當真是有些瘋癲不成。

他忍了又忍，終是忍耐不住，低聲說道：「司馬兄，群豪畢集，盛筵將開，你這般號啕大哭，成何體統。」

司馬乾抬起頭來，用袖拭去臉上淚痕，歎道：「兄弟眼下所見之人，大都即將身遭凶死，叫我如何不哭？」

馬文飛吁了口氣，暗道：這人當真是不能搭訕。

只聽司馬乾接著說道：「可歎世人無知，急急的趕到此地，只爲了送死而來。」

他這般自言自語，似是與人無涉，但已有幾個脾氣暴躁之人，聽得不耐，冷笑連連，嚷道：「你這狂人，瘋子，瘋子，狂人。」

司馬乾正要反唇相識，突然三聲鐘鳴，傳了過來。

那聳入雲霄的望花樓頂，突然飛飄下一道彩虹，直飛到數丈外一叢花樹之中。

馬文飛運足目力看去，原來是幾匹彩絹銜接起來，由那樓頂垂下，心中奇道：沈木風垂下

這一匹彩絹，不知是何用心？

忽然錚錚幾聲弦響，傳了過來，緊接著細樂聲悠揚，起自四周花樹叢中。

馬文飛暗暗想道：沈木風故意造出這些排場，用作唬人的方法之一。

且說蕭翎目光掃遍了全場中人，仍是不見中州二賈和向飛等人，心中焦急，暗道：如是只有我和馬文飛兩個人，今夜縱有機會，也是無法下手，不知是被人瞧出破綻，不准進莊，或是向飛信口開河，未取到那入莊銀牌……

只聽那悠揚樂聲中傳出來一聲呼喝，道：「四川唐家掌門人，唐老太太駕到。」

四川唐家在武林中獨樹一幟，以毒器爲暗器，馳名江湖，這一武林世家，有著一項奇怪、嚴肅的傳統，那就是唐門絕技，歷來傳媳不傳子，唐家人，雖三尺童子，都會打幾種淬毒暗器，但那真正霸絕江湖的幾種奇奧手法，卻是不肯輕易傳人。

凡被認定接掌下一代門戶的子媳，第一件事是選擇她隨身二婢，接著是五年的閉關生活。

江湖看唐家，多少帶有著神秘之感。因爲，掌門人接掌門戶前，有五年閉關習武之期，接掌門戶後，又很少在江湖上出現，是以，武林中見過唐家掌門人的爲數不多。

馬文飛抬頭望去，只見正北方，花樹叢中，緩步走出了一個白髮如銀，青色衣褲，手扶鳳頭枴杖的老嫗。

在她身後左、右兩側，緊隨著兩個二十出頭，天藍勁裝，身佩長劍的美姿少女。

帶路小婢，替那老嫗引入座位，但兩個侍婢卻不肯坐下，一左一右地分站唐老太太身後。

只聽呼喝之聲，又傳了過來，道：「關外長白山，黑、白二老駕到。」

蕭翎一皺眉頭，暗道：這黑、白二老，又是何許人物？倒得仔細瞧瞧。

側目一望，忽然發現那馬文飛臉上微現出驚愕之色，不禁心中一動，忖道：看來這黑、白二老，是大有名望的武林人物了。

轉眼瞧去，只見一個美婢，帶著兩個衣著不同之人，緩步行來。

左首一個，全身白衣，戴著白氈帽，身材細高，白髯垂胸。

右首一人，全身黑衣，頭上戴著一頂皮帽子，由頭上直垂頸間，只露出一對眼睛和鼻子。

黑、白二老也在那帶路美婢引導下，坐上席位。

只聽那花叢中的樂聲，突然一變，轉爲急促之聲。

望花樓頂，那垂下的彩緞上，突現了一條人影，足踏彩緞，直滑而下。

單是這一份輕功、膽氣，就已使全場中人，暗生驚駭。

只見那人影疾快沉落，已然清楚可見，是一個身軀高大的駝背中年人，豐頰隆額，濃眉海口，儒巾長衫，黑髯及腹，正是百花山莊的大莊主，血影子沈木風。

沈木風距地還有三丈左右時，突然邁足一步，身離彩緞，高大的身軀，飄飄而下，落著實地。

蕭翎心知沈木風目力驚人，見及細微，不敢多瞧，急急別過頭去。

只見那沈木風兩手抱拳，道：「諸位遠道而來，給我沈某人捧場，這份情意兄弟是感激不

盡。」

場中群豪大都站了起來，抱拳還禮。

沈木風緩步走到位居正中的席位之上，背東面西而坐，目光緩緩掃掠了四周一眼，道：「有幾位遠道客人還未趕到，諸位想必腹中已經飢餓，咱們也不再等他們了。」說完話，高高舉起右手一揮。

四面花叢中，登時湧現出無數美婢，奉上酒菜。

蕭翎暗中估計，場中十幾席上，大都是三、兩人坐了一桌，全場不過二、三十人，心中暗自奇道：沈木風只請了這一點客人嗎？更奇怪的是，周兆龍和金花夫人等，也不見出席此宴，難道這些人，都被派出去了不成。

忖思之間，沈木風已舉起酒杯，高聲說道：「兄弟今日煩請諸位到此，有兩件小事奉告，一是我沈木風由今日起，重出江湖，二則介紹一位後起之秀，和諸位相見。」

他聲音雖然有些沙啞，但字字句句，都如由口中彈出一般，聽得人心神震動。

馬文飛心中暗暗吃驚道：此人內功如此精深，果非好與人物。

只見那滿頭銀髮的唐老太太，突然一頓手中的鳳頭杖，說道：「老身已快屆退休之年，想不到在我退休之前，竟然離開了四川，遠行千里，趕赴沈大莊主約會。」

沈木風微微一笑，道：「足見夫人看得起我沈木風，在下是感激得很。」

唐老太太冷笑一聲，道：「老身雖然已年過七十，但卻不喜繞著彎子說話，老身今宵趕

到，明晨回川，恐是無暇參加沈大莊主明日午時的英雄大會了！」

沈木風笑道：「既是如此，在下也不敢勉強，但老夫人在百忙中抽暇光臨，已使在下這百花山莊，生輝不少……」

唐老太太兩道斜飛入鬢的花白眉毛一聳，冷漠地接道：「老身接掌唐家門戶三十年，從未受過人的要挾，這次沈大莊主能夠逼我離開四川，親身趕來，那是足見高明了。」

沈木風哈哈一笑，道：「唐夫人言重了。」

蕭翎已然感覺到今宵這洗塵宴上，所以人數不多，原是早作好的安排，與會之人，恐都是沈木風圈定的可疑人物，希望早作了斷，免得明午大會之上搗亂……

只聽唐老太太尖厲的喝道：「老身此來之意，沈木風大莊主應是早已明白了，老身不願和你鬥口，咱們之間的事情，是此刻了斷呢？還是稍候一刻？」

沈木風道：「此時不過初更，距天亮時光還早，老夫人最好還是先用過酒飯，我沈木風既然決定了重出江湖，難道還會跑掉不成？」

唐老太太雖然激憤難耐，但卻又似被沈木風握住了什麼把柄，不能發作，一頓手杖，恨聲說道：「老身不能遲過三更。」

沈木風笑道：「好！三更之前，在下定然對你唐夫人做個交代。」

唐老太太不再言語，閉上雙目，靜坐不動，只見她挽髮的釵簪，突然散落地上，白髮散亂，在夜風中飄飄飛舞。

蕭翎心中暗道：這唐老太太如此氣怒，心中定然是充滿了委屈，怒髮使釵簪散落，這份內功造詣倒也驚人。

沈木風端起面前的酒杯，又大喝了一口，笑道：「諸位之中，如若還有和在下要談什麼舊恨往事的，還請快快提出。」

馬文飛正待開口，突聽對面而坐的司馬乾搶先說道：「在下司馬乾想請教沈大莊主！」

沈木風兩道冷電一般的眼睛，直逼過來，盯在司馬乾臉上瞧了一陣，濃眉微揚，沉聲道：「司馬兄有何見教？」

司馬乾重重咳了一聲，道：「趕來百花山莊的武林人物，不下百位，但這洗塵宴上不過區區等二、三十人，不知大莊主用心何在？此乃兄弟不解之一。」

沈木風淡淡一笑，道：「好！還有一件，你一併說完，在下再答覆不遲。」

司馬乾道：「區區初入中原，和貴莊中人，素不相識，自是談不到仇恨二字，不知何以竟把在下也列入死亡的名額之內？此乃兄弟不解之二。」

沈木風縱聲大笑了一陣，道：「司馬兄何以要自謙死亡，倒叫我沈某人也有些不明白。」

司馬乾冷笑一聲，道：「沈大莊主如是未有把我等置於死地之心，何……」

沈木風大笑接道：「你可是說我在酒菜之中下了奇毒？」

司馬乾道：「這等下五門的手法，以你沈大莊主的身分，自然是不屑為之，何況在坐之人不乏武林高手，酒菜之中下毒，如何能夠毒得死在場之人。」

沈木風臉色一變，冷冷說道：「司馬乾，你如想從中挑撥離間，可別怪我沈木風反目無情，應了死亡自謙之言。」

在座群豪，大都是聽過沈木風凶殘惡名之人，也都是久年在江湖走動的人物，眼看沈木風突然變了臉色，不禁一齊向司馬乾望去。

司馬乾眼看群豪大都把目光投注到自己身上，不禁心花怒放，哈哈一笑，道：「沈大莊主施展的手段雖是出人意料，天衣無縫，可以遮掩天下英雄耳目，卻瞞不過我司馬乾的雙目！」

沈木風冷笑一聲，道：「無知狂徒，信口雌黃，來人給我拿下！」

但聞一聲清叱傳來，花樹叢中，疾飛出兩條人影，直向那司馬乾衝了過去。

馬文飛突然對司馬乾生出了很深好感，沉聲說道：「司馬兄！可要兄弟相助？」

司馬乾道：「不勞費心。」

目光一轉，只見向自己衝來之人，已然停住身子，左面一人，二十五、六歲的年紀，一身青色勁裝，背上斜插長劍，右面一人，身著紅衣，面容冷木，毫無表情。

蕭翎抬頭望了兩人一眼，低聲對馬文飛道：「馬兄，那左面青衣人，是沈木風的大弟子單宏章，右面那紅衣人，卻是沈木風的八大血影化身之一。」

兩人逼近司馬乾席位的四、五尺處，一齊收住腳步，左首那青衣人冷冷說道：「你是自己就縛呢？還是讓我等出手？」

司馬乾哈哈一笑，道：「大莊主雖是酒中無藥，餚中無藥，但卻在席位近處，布下了最厲害的金蠶蠱毒。」

語驚四座，因為場中人大都知道，那金蠶蠱毒，乃苗疆蠱毒中最為厲害的一種，只聽得個個心頭震動，神色大變。

沈木風兩目中殺機湧現，但也只不過一瞬間就恢復了鎮靜之色，哈哈一笑，道：「司馬兄，你是在癡人說夢了。」

司馬乾冷冷說道：「大莊主可以瞞過與會英雄的耳目，但卻瞞不過我司馬乾。」

單宏章站在司馬乾席位前，早已蓄勢待發，但因未得沈木風的令諭，始終不敢出手。陰詐的沈木風，默察四座情勢，大部群豪，臉上都泛出激憤之色，如若此時處決了那司馬乾，場中群豪必將深信已經中了金蠶蠱毒，那時，難免群起拚命。

眼下群豪，人人都是武功高強之士，如是大都以命相搏，這一戰，不論勝負，百花山莊中，都將有慘重的傷亡。

他不願冒著兩敗俱傷的危險，必需先行設法平息下去群豪之怒，使他們不疑中毒的事，然後再行處置這個狂人。

心中盤算已定，縱聲大笑，道：「司馬兄如是和我沈某人，或是百花山莊有什麼樑子、過節，那是盡可指名向我沈某挑戰，向百花山莊問罪，似這般挑撥離間，不覺手段太過卑下了嗎？」

司馬乾道：「在下說的句句實言，沈大莊主還要狡辯，兄弟可以……」

沈木風不容他再說下去，縱聲大笑一陣，接道：「這位司馬兄，有些瘋瘋癲癲，他的話，決不能認真，諸位是否中毒，請暗中運氣一查便知，這狂人挑撥離間，無所不爲，我沈某人度量，也是難以忍得下了……」

舉手一揮，接道：「給我拿下。」

單宏章早已運功蓄勢，只待令下，沈木風一句話還未說完，單宏章右手五指已經遞出，扣拿司馬乾的右腕。

司馬乾右腕一挫，避開掌勢，左手如驚雷迅電一般，掃了出去。

馬文飛坐在席位之上觀戰，相距也就不過四、五步遠，時時可覺到兩人動手時的指勁、掌力，目睹司馬乾避掌反擊之勢，不禁暗讚一聲：好武功！

那單宏章武功係沈木風親自傳授，豈同小可，右掌一揮，硬接了一掌。

但聞砰的一聲，如擊敗革，兩人各自被震得向後退了一步。

單宏章似是未料到這個有些癲狂之人，竟然是有著一身驚人的武功，不禁微微一呆。

就在他一怔之間，司馬乾已然揮掌攻到，雙掌連環，眨眼間攻出了八招，迫得單宏章退後兩尺。

沈木風眼看單宏章節節敗退，只覺顏面有損，不禁生出怒意，正待發作，忽見單宏章反守爲攻，一連三掌，也把司馬乾逼退了一步，藉機會高舉右手一揮。

那面容冷肅的紅衣大漢，一直靜靜地站在司馬乾身側，木刻泥塑一般，動也不動。

但沈木風右手一揮之後，情勢忽然不同。

只見那紅衣人右手一抬，悄無聲息的一掌，劈向了司馬乾的背心。

馬文飛喝道：「司馬兄，小心偷襲！」

司馬乾前拒單宏章的強攻，聞聲警覺，匆忙間，騰出左手，反臂拍出。

兩掌撞觸，司馬乾不自禁心頭駭然一震，暗道：此人內力之強，似是尤過那青衣人，如是這兩人前後夾攻，今夜一戰，恐怕凶險萬分。

忖思之間，那紅衣大漢已然揮拳如雨，連連搶攻。

司馬乾必須要前拒單宏章的巧變，後擋那紅衣大漢的力敵，惡戰了二、三十個照面，司馬乾已被迫得頂門上見了汗水。

馬文飛已對司馬乾生出了英雄相惜之心，眼看他落敗在即，心中好生不忍，霍然站了起來，左手一按桌沿，陡然翻了過去，右手一揮，接下了單宏章的掌勢，道：「司馬兄請用心對付那紅衣人，此人有兄弟對付。」

說話聲中，已然連續封架單宏章急攻的三掌。

司馬乾爲人雖然好強，但知自己難以同時拒擋兩人的攻勢，如再勉強地打下去，不死亦將重傷，是以，對馬文飛出面相助一事，默然承認，感激於心，全力對付那紅衣大漢。

卅五　大宴群豪

且說馬文飛和那單宏章一番惡戰，兩人倒是勢均力敵，不分秋色，攻守之間，各有奇招，力戰二十餘回合，仍是個不分勝敗之局。

沈木風眼看雙方惡戰下去，一時間還難分出勝敗，心中大感不耐，暗道：似這般下去，不知要打到幾時才可停手，豈不是大大有傷百花山莊的威名，在衆目睽睽之下，既不能調集人手，齊出圍攻，又不能親身臨敵，心中好生爲難。

只聽激鬥場中響起了兩聲悶哼，驚動了四座。

抬頭看去，只見馬文飛和單宏章各自退了四步，相對而立。

原來兩人在激鬥之中，彼此硬行拚了一招，兩人武功相若，內力也在伯仲之間，這一招硬拚，彼此都被震得向後退了四步。

場中群豪，大都暗中留神默查幾人搏鬥情形，但卻無一人出言干涉。

只聽單宏章冷笑一聲，道：「久聞馬總瓢把子之名，今日一會，果不虛傳。」颼的一聲，抽出背上長劍。

馬文飛微微一笑，道：「好說，好說。」右手卻探入懷中，取出一把摺扇，呼的一聲，張

了開來。

單宏章長劍一擺，左右揮動，登時閃起了一道銀虹，但卻並未攻向馬文飛，劈出兩劍之後，收劍凝神而立，雙目圓睜，望著馬文飛。

馬文飛看他執劍情形，心中微生震駭，心知他適才兩劍，只不過藉機會提聚真氣，再一出手，必將是排山倒海一般的猛攻。

馬文飛不敢輕敵，手中摺扇斜斜橫出，暗中提聚真氣，腦際之間，卻在想著拒敵之策。

這時，那紅衣大漢，已和司馬乾打入緊張關頭，司馬乾突地使出了一手奇速怪異的掌法，只見掌影飄飄，有如落英繽紛而下，但急促的掌勢中，卻又含蘊著沉穩的氣勢。

全場中人，都對司馬乾改變了看法，只見這瘋癲之人的武功，正和他為人一般，使人莫測高深。

那紅衣大漢雖是剽悍勇猛，拳拳如鐵錘擊石，巨斧開山一般，但他卻似被司馬乾奇快的攻勢，控制住局勢，佔盡了先機，空自揮拳如雨，卻無法佔得優勢。

沈木風似是未料到司馬乾竟是位身負絕技之士，亦未料到馬文飛忽然出手相助，原本的絕對勝算，此刻卻形勢大變。

除非沈木風再傳令增派高手加援圍攻之外，一時是很難分出勝敗！

但見唐老太太仰臉望著天上星辰，哈哈說道：「沈木風，咱們相約的時刻，快要到了，咱們早些了斷，老身也好早些動身回川。」

沈木風道：「怎麼？夫人似是很自信，能夠勝得在下，是嗎？」

唐老太太道：「最低限度，可使你一新耳目，看看唐家暗器手法如何。」

沈木風哈哈大笑一陣，道：「四川唐家以暗器名傳武林，自然是應有自負之處，只不過，在下倒不是畏懼暗器的人！」

唐老太太冷笑一聲，道：「現在誇口，不覺著太早一些了嗎？」

只聽場內司馬乾朗朗大笑聲中，混入了聲聲怒吼，震動全場。

轉頭看去，只見那紅衣大漢，雙目怒睜，雙拳揮舞如飛，口中又不停發出怒吼之聲，似是暴怒的猛獸，擇人而噬。

司馬乾卻是神態瀟灑，舉止飄逸地揮動著雙掌，和那紅衣大漢續鬥。

他已不願再和紅衣大漢硬拚內力，因為他發覺，那紅衣大漢似是已經失去了人性，像一頭猛獸，大有不死不休之氣概。

馬文飛和單宏章，也已打入了緊要關頭，雙方都已在盡施所能的求勝。

局外人，有兩個人內心中的焦急，更甚過場中拚鬥的人。

那就是蕭翎和沈木風。

蕭翎擔心著馬文飛傷敗，因而誤了搶救父母出險的大事，他很想暗中出手，相助馬文飛一臂之力，但卻又遲遲不敢出手。

沈木風不願在筵席之前，眾目睽睽之下，再調人手，倚多為勝，傷了司馬乾和馬文飛。

這時，四周花木林中的樂聲，早已停息下來，全場中鴉雀無聲，隱隱可聞得場中惡鬥的拳風。

又過有一盞熱茶工夫，突聞激鬥的司馬乾朗聲喝道：「諸位快請離開席位，百花山莊中人，即將要施放金蠶蠱毒了！」

場中群豪心中雖然仍有不信，但聞得司馬乾連連不絕的示警、呼叫，都暗自運氣戒備。

沈木風今夜這洗塵宴中，約來的盡是心中懷疑之人，準備在酒宴之間暗中觀察，可以收爲己用者，則收羅手下，桀驁不馴者，就早些把他除去，免得在明日英雄大會上，受其攪擾。

因此，沈木風早與金花夫人相商，決定了一個施毒的辦法，由金花夫人施放苗疆最厲害的金蠶蠱毒，而且使他們在不知不覺中中了蠱毒。

眼看將到金花夫人施放金蠶蠱毒的時間，卻被司馬乾從中呼叫阻撓，心中對他恨極，恨不得立刻把他碎屍萬段，挫骨揚灰。

沈木風心中雖然是焦急萬分，但他爲人陰沉，心計智謀，超絕一時，表面上仍然保持著鎮靜神情，內心之中，卻在苦思著對敵之策。

他沉思了良久，想過了千百種的辦法，仍是想不出一種良策。

就在沈木風思謀對策之際，場中的搏鬥形勢，又起了極大的變化。

只見司馬乾掌勢變化，愈來愈見凌厲、奇幻，那紅衣大漢取勝之機，也是愈來愈少，但那紅衣大漢攻守剽悍，卻也使場中群豪，瞧得個個震駭。

原來，那紅衣大漢，早已成了敗者，幾次都要傷在司馬乾的手中，但卻被他寧爲玉碎的幾招還攻，解了大危，仍然保持個不勝不敗之局。

只有在側觀戰的蕭翎心中明白，沈木風這八大血影化身，是經過了一種特殊的訓練，不但個個武功高強，勇猛善戰，而且悍不畏死，司馬乾和那紅衣大漢的一場拚鬥，雖然略佔上風，但最後的結局，還是難以預料。

只聽司馬乾高聲叫道：「在下此刻拚命惡戰，不惜和百花山莊結下大仇，無非是一片慈悲心腸，不忍眼看諸位受那蠱毒之害，此戰凶惡，想來諸位都已有目共睹了，那決不是能夠裝作得出來，如是諸位肯相信在下之言，快請離開座位。」一面喊叫，一面緩步向後退去。

這時，場中群豪倒是有一半接受了他的警告之言，站了起來，向後退去。

沈木風雖然陰沉，但眼看功敗垂成，再也沉不住氣，若是群豪當真退出了席位，那金花夫人施放的蠱毒，就沒法再傷得群豪。

心中大急之下，再也顧不得激怒群豪，冷笑一聲，喝道：「這個人瘋瘋癲癲，胡說八道，如不懲罰於他，百花山莊還有何顏面在江湖之上立足。」他自解自嘲地說過了幾句場面話，突然舉起右手，互擊三掌。

只見那花樹林中，響起了一陣奇異的樂聲，兩個步履輕盈的白衣少女，緩步走了出來，沈木風暗施傳音之術，指示二女行徑，兩個白衣少女，突然轉向司馬乾奔去。

詭異的樂聲，使場中添了不少恐怖、神秘之感！

只見那兩個白衣少女，奔近司馬乾後，一齊從背上抽出長劍，一語不發地揮劍攻了過去。

初時，二女劍招，還不覺有何凌厲之處，但攻出四、五劍後，威力突然大增，劍芒閃閃，攻勢猛銳異常，竟把司馬乾重又逼回到原來的席位前面。

司馬乾驟陷危境，全心拒敵，竟是顧不得再分心呼叫。

這時，爲那司馬乾警告之言，喚起的群豪，亦爲這突然的變化震驚，全神貫注於搏鬥形勢之上，忘記了離開席位的事。

倏忽間，兩個白衣女郎快如飄風的劍招，已然迫得司馬乾手忙腳亂，應接不暇。

沈木風抬頭望望天色，心中暗道：還有半炷香的工夫，金花夫人就可以施放蠱毒了，我還得設法多拖上半炷香的時光才是，只要場中之人，全部中了蠱毒，就可以收歸我用了……

心中正打著如意算盤，兩個身佩單刀的大漢，突然站了起來，一揮手中單刀，齊齊衝了上去，大喝道：「兄台不要驚慌，我等助你一臂之力！」單刀揮動，分向兩女劈去。

這兩個大漢，武功不弱，劈出刀勢，隱隱帶著金風破空之聲。

但見那兩個白衣女，突然分出了一人，拒敵兩個大漢攻襲，另一個卻仍是揮劍攻向司馬乾。

蕭翎眼看著形勢於己方愈來愈是不利，已無法再拖下去，只是，如自己出手，又勢非被那沈木風看穿身分不可，但如不及時出手援救，司馬乾又性命危在頃刻之間……

正自感到無法可施時，腦中突然一閃，想起了唐老太太來，暗道：我何不設法激她出手

呢？

轉臉望去，只見那唐老太太全神望著場中搏鬥情形，尤以對那白衣女的劍招，更見留神，似已暫時忘去了和沈木風搏鬥的事。

蕭翎順手在地上撿起一片落葉，就盤中取出一根魚刺，在那樹葉上刺道：大局危殆，請即出手。

估計了一下和那唐老太太的距離，默運內功，施出柳仙子獨善武林的迴旋手法，把一片樹葉，自後投去。

只見那一片青葉向後飛去丈餘左右時，突然一個迴旋，繞向那唐老太太席位飛去，但可惜相距還有兩尺左右時，力盡而落。

蕭翎心中暗暗叫了一聲可惜，只要再稍加一點氣力，那一片飛葉，即可落在唐老太太的身上了……

忖思之間，突然見唐老太太身後那身著天藍勁裝的美婢，隨手一抄，把那片落葉握入掌中，低頭一瞧，放入身上的暗器袋中。

蕭翎心中暗暗叫苦道：我該寫上那唐老太太的名字才對，目下她雖然撿得落葉，瞧到了葉上字跡，但卻不知我說的何人……

正自心神不安之際，突見那勁裝佩劍美婢，附在唐老太太耳邊，低言了數語。

但見唐老太太滿頭白髮飄動，砰的一掌，擊在木案之上，道：「沈木風，老身已不耐多等下去了，如是你不願另找地方，咱們就在此地動手如何？」

沈木風眼看即將分出勝敗，至多十回合之後，定可傷了司馬乾和兩個大漢，而那時，亦到了金花夫人施放金蠱的時候，屆時，群豪盡中蠱毒，豈不是聽憑自己宰割了……

沈木風一揚雙眉，冷冷說道：「唐夫人這般焦急，是何用心？」

唐老太太怒道：「老身急於回川，不願在你這百花山莊停留。」

隨手抓起鳳頭杖，大聲喝道：「諸位請向後面閃閃，免得老身的暗器，誤傷了諸位。」

四川唐家的暗器，馳名江湖已數十年，而且大都是淬有劇毒，除了唐家獨門解藥之外，別無可救之藥。

果然，臨近唐老太太幾桌席位上的豪客，紛紛站起，躲避開去。

唐老太太一頓鳳頭杖，緩步而出，喝道：「沈木風，快請離席一戰！」

沈木風心中怒火高漲，但卻仍能保持著表面的鎮靜，緩緩站了起來，道：「夫人一定要立刻動手，沈某人只好奉陪。」

唐老太太冷笑一聲，道：「沈木風，今日咱們動手，不同一般比試武功，誰有什麼能耐，只管盡量施展，傷死不管。」

沈木風道：「這個，在下早已料到，四川唐家除了幾種暗器手法之外，在下也想不出還有什麼驚人之技了。」

唐老太太怒道：「好！先吃老身一杖！」

掄動手中鳳頭杖，呼的一招「泰山壓頂」，劈了下去。

沈木風左手長袖一拂，一股潛力逼了過去，竟然把唐老太太那挾帶嘯風之聲的鳳頭枴杖，給封了開去。

全場群豪個個心頭震動，暗道：這沈木風的武功，果然非同小可。

唐老太太心中亦是暗暗震駭，但既已出手，有如騎上了虎背，欲罷不能，只好硬拚下去，腕勢突一轉動，鳳頭杖變招「橫掃千軍」，攔腰平擊過去。

沈木風哈哈一笑，右手大袖拂出，逼住杖勢，人卻陡然向前欺進，左袖迎面掃了過去。

唐老太太一挫腕，收回了鳳頭杖，人也疾快地向後退了三步。

沈木風舉步欺進，一雙肥大的衣袖，連環劈擊，不過是一刹工夫，竟然反守爲攻。

觀戰群豪，大都瞧得由心底泛起一陣涼意，四川唐家雖是以淬毒暗器馳名，但武功自成一家，亦非泛泛，這唐老太太，自是目下唐門中第一高人，但她竟被沈木風在三、五招中，由防守奪回主動，節節逼攻，把一個威鎮西南的唐老太太迫得無還手之力。

沈木風雙袖揮攻之勢，看上去並不快速，但他攻出袍袖指襲的部位，卻是極不易閃避的部位，而且常常中途改向，攻人必救。

兩人交手不過十個照面，唐老太太被迫得連退了六、七尺遠。

沈木風眼看名揚天下的唐家武功，竟然被自己赤手空拳，逼得手忙腳亂，心中大是得意，哈哈一笑，道：「四川唐家的武功，不過如此……」

話未說完，突然冷哼一聲，疾向後面退去，雙袖疾舞，呼呼風響。

但見一蓬銀芒，在沈木風凌厲的袖風中，四下散飛，落著實地。

唐門暗器手法，果是一絕，場中群豪竟然未看清那唐老太太如何發出了一蓬銀針，解了危境，迫退了沈木風。

這一來，沈木風搶得的先機，重又失去，唐老太太手中鳳頭杖又開始反守爲攻，縱送橫擊，杖影如山。

突然間響起了兩聲慘叫，夾雜在拳風和兵刃的交擊聲中。

凝目望去，只見那兩個援手的大漢，雙雙橫屍地上，已被那白衣美婢劈死劍下。

那白衣美婢殺了兩人之後，森冷的目光，環掃了全場一眼，緩步向司馬乾走了過去。

這時，司馬乾已成強弩之末，被那白衣美婢和紅衣大漢，迫得應接不暇，此刻，如若再加一人，司馬乾只怕難再抵擋三招。

蕭翎心想自己再不出手，局勢要立刻大變，當即暗中運起修羅指力，虛空一點，直襲那劍招惡毒的白衣美婢。

那白衣美婢眼看就要得手，突然嬌呼一聲，棄劍摔倒在地上。

司馬乾自忖必死，卻不料對方忽然躺下了一個，立時精神一振，呼呼兩拳，逼退了白衣女婢，舉起右袖一拭頭上汗水，腳尖一挑，勾起那白衣美婢脫手的長劍，右手一伸，接過劍把。

一劍在手，如虎添翼，揮劍反擊，片刻間已把那紅衣人圈在了一片劍光之中。

蕭翎一擊得手，暗自忖道：這兩白衣美婢的劍招，最是毒辣，必得先將兩人制住，才能穩住劣勢。

心念一轉，又發出修羅指力，疾向另一個白衣美婢點了過去。

那白衣美婢眼看同伴突然倒了下去，不禁一愕，就在她念頭還未轉完之際，一縷暗勁無聲而至，正擊中腰間命門穴，長劍脫手，摔倒地上。

這突然的變故，使場中群豪，不分敵我，全都如受重擊，數十道目光轉動，四下尋望。每人心中都明白，有人在暗中下手，傷了兩個白衣美婢，但卻無人知道是什麼人？以何等武功，傷了二婢？

沈木風突然急攻兩招，迫退了唐老夫人，一挫腰，高大的身軀，有如離弦之箭，飛掠到兩個白衣美婢身側，一手一個抓起了二婢，略一查看，沉聲喝道：「住手！」

單宏章應聲收劍，躍退五尺。

馬文飛右手一揮，啪的一聲，合上摺扇，也不追趕。

但聞單宏章一聲低嘯，剽悍的紅衣大漢，也突然收拳躍退。

司馬乾收了劍勢，也未追趕。

沈木風雙手一揮，竟把手中兩個白衣美婢，直對單宏章拋了過去，說道：「帶下去。」

事情連轉而下，一氣呵成，也就不過是眨眼的工夫。

沈木風直待單宏章退入了花樹陣中，才冷笑一聲，道：「哪位朋友好驚人的指力，使沈木

風開了一次眼界……」說話時，兩道森寒的目光不住地四下搜望。

蕭翎斂去雙目中的神光，端然而坐，裝出一副若無其事的模樣。

但聞沈木風接道：「哪位朋友，請恕我沈木風接待不周，但閣下既然敢施出金剛指一類絕學，傷我百花山莊的侍婢，想必是身負絕技的奇人，既然做了，何以卻不敢承認？」

他一連喝問數聲，卻不見有人答應。

場中突然靜寂，靜得可聞呼吸之聲。

沈木風森冷、銳利的目光，搜遍了場中每一個人，仍是看不出一點線索，冷笑一聲，說道：「閣下既有著如此絕技，爲何又這般藏頭露尾，豈不是有失英雄氣度？」

蕭翎心中早已拿定主意，不論沈木風如何出言相激，也是堅忍不理。

只聽東海神卜司馬乾說道：「暮鼓晨鐘，驚不醒該死的人，馬兄，咱們走吧！」

這時，馬文飛早已對司馬乾改了看法，已覺出這位狂放之人，確是位身懷奇技的高人，只是江湖上經驗不足，處處想一鳴驚人，弄巧成拙，致被人誤作了瘋癲的人。

當下應道：「怎麼？司馬兄可是看出即將施放金蠶蠱毒了嗎？」

司馬乾道：「如是兄弟的判斷不錯，已經開始放蠱了！」

兩人對答之間，說話聲音甚高，希望場中群豪，在這最後時光中，能夠接受警告，退出險地。

馬文飛眼看群豪大多未動，不禁暗暗一歎，當先向後退去，一面高聲說道：「司馬兄可知

那金蠶蠱毒能夠放得多遠嗎？咱們要退到何處，才可保得不爲金蠱襲害？」

司馬乾道：「據兄弟所知，如是放蠱老手，功力深厚的人，可及五里之遙，但那只限定一人，似今宵情勢，對象是場中群豪，那就難以放遠了，只要咱們退出預定地域範圍，那就可以避開中毒。」

蕭翎緊隨在馬文飛的身後，退向正西花樹林邊。

場中群豪，大部似已爲司馬乾警告之言所動，紛紛離席，向那花樹林邊退去。

沈木風找不出那暗中出手，指傷二婢的人，心中大感氣惱，再見群豪紛紛離席避退，一場萬無一失的周密計劃，變成了一場空幻，心中對那司馬乾恨入刺骨，暗道：這人今日如不把他除去，只怕將成大患，但此刻已到了金花夫人放蠱時刻，如若要調派人手，只怕難免有誤受蠱毒之險，說不得只好出手了。

心念一轉，沉聲喝道：「司馬乾，你給我站住！」

這時，司馬乾已然行近到花樹邊，陡然回過身來，道：「沈大莊主有何見教？」

沈木風心中雖是氣恨，卻淡然一笑道：「百花山莊和你素無仇恨，但你卻百般挑撥，本莊主縱是度量再大，也是容你不得。」說話之間，人已向司馬乾行了過去。

馬文飛低聲說道：「這沈木風武功高強，出手一擊，非同小可，司馬兄要多加小心。」

司馬乾低聲應道：「多謝指教。」暗中運集功力，蓄勢戒備，人卻仍然向後退去。

蕭翎目光一轉，瞥見沈木風眉宇間滿含殺機，立時施展傳音入密之術，道：「沈木風已動殺機，只怕司馬乾難擋一擊，馬兄請守在他身側，設法擋住那沈木風的視線，我暗中助司馬兄一臂之力。」

馬文飛依言移動身軀，和司馬乾並肩而退。

蕭翎借兩人身軀遮蔽，暗中蓄勁掌心，隨時準備出手救援。

這時，沈木風已然逼近到司馬乾七、八尺處，雙目中厲芒閃動，突然揚手一掌，拍了過去，司馬乾早已運集了全身功力戒備，眼看沈木風一掌劈來，立時揮掌迎去。

兩股潛力，懸空激撞，司馬乾頓覺不支，只覺一股山嶽般的壓力，直撞過來，內腑間血促氣湧。

那沈木風惱恨司馬乾破壞了他的大事，出手一擊，力道奇大，有心想把司馬乾毀在掌下，司馬乾正覺難以抗拒之際，突覺一雙手掌，輕輕拍在背後的「命門」穴上。

一股熱流真氣，直貫內腑，陡然間氣力大增，內力綿綿湧出，硬接下了沈木風這排山倒海的一擊。

沈木風心中似是甚有把握，料定司馬乾難以接下他這一擊，拍出一掌後，竟然回身而去。

哪知行出了七、八步遠，仍不聞司馬乾倒地之聲，不禁心中大疑。

回頭望去，只見司馬乾站在當地，神情從容，毫無異樣，不禁吃了一驚。

他為人陰沉，驚喜之情，素不易形諸神色，臉上驚愕，一閃而逝，淡淡一笑，道：「司馬兄果有非常武功，兄弟好生佩服。」

兩道銳利的目光，卻不停地在司馬乾身側搜望，心中似已早知是有人在暗中相助，只是還未找出那人是誰。

蕭翎以本身真氣內力，相助司馬乾擋過一擊，悄然縮回手去，借兩人身子遮擋，向後退出四步，垂手而立。

沈木風兩道閃轉的目光，突然投注到蕭翎身上，冷冷地道：「這位貴姓？」

馬文飛道：「是在下隨行的僕童。」

沈木風淡淡一笑，道：「他叫什麼名字？」

蕭翎一抱拳，道：「小人馬成。」

沈木風嗯了一聲，正待追問下去，四周突然一暗。

原來四周高燃的燈籠火把，就在這一瞬間熄去。一片陰雲，掩去了天上的星光，那火炬燈籠高燃，還不覺怎樣，此刻突然失去，立時感到夜暗如漆。

黑暗中只聽得衣袂飄風之聲，人影閃動，四下飛竄。

蕭翎的目光銳利，匆匆一瞥間，已瞧出其中一人，正是宇文寒濤，不禁心中一動，忖道：此人早已投靠沈木風的百花山莊之下，何以竟這般倉皇而遁，看起來那司馬乾並非信口開河，沈木風是當真要施放蠱毒了。

由明忽暗的恐怖，再加上宇文寒濤的感染，立時引起一陣混亂，場中群豪，大都紛紛奔向四周的花樹林中。

混亂中，只聽司馬乾高聲嚷道：「諸位快請奔閃開去。」

蕭翎凝目望去，沈木風早已不在原位站立。

目光一轉，瞥見沈木風正抓住那垂下的彩綢，捷如巧猿登樹，直向上面升去。他動作奇快，一轉眼間，已然升上了五、六丈高。

蕭翎長吁一口氣，暗道：我如在此時用出全力，打出暗器，或可傷得了他，這舉動雖然有欠光明，但如沈木風受了傷，對我解救父母一事，倒是大有幫助……

就這念頭一轉之間，沈木風早已升上七、八丈高，再想出手，已然無及。

只覺一隻手被人抓住，耳際間響起了司馬乾的聲音，道：「快些進入林中。」

蕭翎昔年在三聖谷中，曾聽那莊山貝談過蠱毒的厲害，而且所有惡蠱中，又以金蠶蠱毒最爲凶狠，頓生警覺，急急向後退去。

在蕭翎的想像之中，這沈木風定在花樹中埋伏下人手，備以堵擊奔入花樹林中的群豪，哪知情形竟然大大的出了意料之外，林中一片平靜。

混亂的聲音，重歸寂然，一切都恢復了平靜，只有夜風吹著花樹，發出一種輕微的沙沙之聲。

這時場中群豪，都已奔藏在四周的花樹林中，隱藏在花樹之後。

蕭翎和馬文飛、司馬乾，同藏在一片花叢之後，凝注著場中的變化。

馬文飛施展傳音之術，說道：「司馬兄何以得知，那沈木風要施放蠱毒？」

司馬乾微微一笑，也以傳音之術答道：「兄弟卜算中指出，今夜這場接風宴中，充滿凶險，只是卦中奇怪，險中有變……」

蕭翎停身兩人之間，兩人雖以傳音之術談話，但卻是有意地讓他聽到。

他雖然不會卜算之術，但當他聽到司馬乾說起以卜卦之術，算出這次凶險，忍不住好奇，接口說道：「在下亦聽聞過卜算的奇術，不管何等神卦，亦難推演出未來之事的細節，司馬兄能憑卦象，推算出沈木風施放蠱毒，實叫兄弟驚服。」

司馬乾微微一笑，道：「兄台實非人下之人，不知可否以真實姓名見告？」

蕭翎道：「司馬兄見義勇為，俠心鐵膽，兄弟也不用再作掩飾，只是姓名還難奉告，區區苦衷，還望賜諒。」

司馬乾笑道：「兄台不但武功高強，這胸羅之博，只怕不在兄弟之下，不錯，不論任何卜卦神算，也只能現示吉凶之徵，至於吉凶的變化之機，那就要憑仗著卜卦人的智慧、經驗，推論判斷了……」話至此處，場中已有驚變，頓時住口不言。

凝目望去，只見那暗夜籠罩的席位之上，突然現出了幾點微光，有如螢光游動。

司馬乾低聲說道：「小心了，這是最上乘的放蠱方法，那放蠱之人，道行極為高深。」

只見那幾點微光，閃動了一陣，突然消失不見。

這時，馬文飛已把司馬乾視作了身負絕世奇技之人，低聲問道：「怎麼那放出的蠱光不見了……」

話還未完，那隱失的微光，突然又閃動起來，而且數量大增，不下數十點。

司馬乾臉色一變，伸手握住蕭翎的左手，充滿驚愕地說道：「好厲害的放蠱人，今夜與會之人只怕是很少能逃得此劫了！」

馬文飛道：「離席的武林同道，大都藏在四周的花樹陣中，司馬兄既然瞧出了這蠱毒如此厲害，何不招呼藏在花樹中的武林同道逃走？」

司馬乾道：「這等放蠱之法，乃苗疆十三種放蠱之法中，最厲害的一種，此刻，只要咱們一動，那毒蠱必將追蹤咱們，反不如隱藏起來的好。」

但見數十道微光，繞那席位上閃轉不停，大約有一盞熱茶工夫，重又隱失不見。

司馬乾長歎一口氣，道：「現在，可以招呼他們逃走了。」

馬文飛正待起身招呼群豪，突見火光一閃，那高聳雲霄的望花樓後，緩步轉出來一個手捧金燈，長髮披垂，身著紅衣的婦人。

那金燈高約尺許，冒出兩寸高的藍色火焰，在夜風中微微搖動。

只見她舉步落足間十分緩慢，神情一片嚴肅。

蕭翎低聲說道：「是啦！這是苗疆金花夫人，放蠱的就是此人了！」

馬文飛一皺眉頭，道：「久聞其人之名，乃苗疆中第二高手，想不到竟然被沈木風收羅手下。」

只見金花夫人捧著金燈，直向這花樹陣中行來。

司馬乾全身開始抖動起來，低聲向馬文飛和蕭翎說道：「糟糕！她已發覺到此地有人，直向咱們行來，我們來不及逃走了。」

馬文飛微微一怔，道：「難道坐以待斃不成？」

司馬乾道：「唉！按那卦象而言，咱們本不該遭此凶險，想不到卦象卻失了靈驗。」

說話之間，那金花夫人已經行到了兩、三丈外，停了下來。

只見金花夫人雙目圓睜，望著手中金燈，燈中那藍色火焰，映著她充滿殺機的粉頰。

她緩緩把燈遞入右手，左手食指探入了口中。

司馬乾道：「糟啦！她要用血光馭蠱之法，咱們今夜決然難以逃得此劫……」

只見金花夫人那探入口中的食指，突然又取了出來，緩緩轉身而去。

她來得像一個幽靈，去得似一陣疾風，只見燈火閃了幾閃，人已消失不見。

司馬乾舉手拭去頭上的汗水，道：「奇怪呀！奇怪！她要施展血光馭蠱之法，爲什麼會突然又改變了心意？」

馬文飛道：「莫非她自知難以傷得咱們，知難而退了？」

司馬乾道：「非也，非也，其中必有緣故！」

遂又望了蕭翎一陣，緩緩問道：「又是兄台弄的神通。」

蕭翎道：「她雖然退了回去，但不知是否還會留下蠱毒。」

司馬乾道：「不會了，據在下所見，那金花夫人養的蠱似已入通靈之境，早已和她心靈相通，她既退走，那蠱也不會留下。」

蕭翎對他的博學，亦不禁暗生敬佩，道：「這麼說來，那沈木風的這番陰謀，又白費了。」

司馬乾突然探手入懷，取出金錢卦盒，道：「我再來算上一卦看看。」

馬文飛、蕭翎對他卜卦神算，有了認識，心知確是靈驗，也不再勸阻於他。

但見司馬乾把三枚金錢，裝入了卦盒之中，搖動了一陣，正待撤出，突見眼前火光一閃，所有熄去的火把、燈光，全都亮了起來。

只聽那望花樓上，傳下來一個沉重的聲音，說道：「諸位都已中了金蠶蠱毒，難再和我沈某爲敵了，眼下時光已經不早，諸位請各自回到安歇之處，休息一夜，也好仔細的想上一想，是否還要和我沈某爲敵。」

司馬乾收了卦盒、金錢，暗中運氣一試，低聲說道：「奇怪呀！咱們都好好的，那沈木風如何說咱們都中了蠱毒？」

馬文飛道：「據在下所知，一個人中了蠱毒之後，並無立時反應。」

但見數十個高舉紗燈的美婢，姍姍走入場中，高舉起手中紗燈，說道：「小婢們奉命，送各位回室安歇，今宵晚宴已罷，諸位都還是我們百花山莊的客人。」

喝聲甫落，那隱藏在花樹中的群豪，倒是有大部走了出來。

蕭翎低聲說道：「咱們可要出去嗎？」

司馬乾道：「咱們不能在這花樹中睡上一夜，自然是要出去了。」當先舉步而出。

只見鳳竹高舉紗燈，急急奔了過來，道：「馬爺。」

馬文飛道：「鳳竹姑娘好厲害的眼睛。」

鳳竹道：「我帶馬爺回房去吧！」

馬文飛道：「有勞姑娘了。」緊隨在鳳竹身後，直入了翠竹軒中。

鳳竹帶兩人返回室中，放下紗燈，笑道：「馬爺可要吃點什麼？」

馬文飛道：「那就有勞姑娘，替咱們備些食用之物了。」

百花山莊的每個婢女，似是都經過一番嚴格的挑選，她們都兼具美麗和柔媚，也有著森嚴的規矩，只是，她們對百花山莊的勝敗，卻是有些漠不關心，永遠帶著柔和的笑容。

馬文飛目睹鳳竹去後，低聲對蕭翎說道：「蕭兄可瞧出一些端倪嗎？」

蕭翎道：「什麼事？」

馬文飛道：「這百花山莊中的女婢，似是都對沈木風暗懷敵意。」

蕭翎點點頭，道：「不錯，在下亦有同感，但她們身受著一種嚴酷的統治，在沈木風積威之下，心中存有無比的畏懼……」突然住口不言，凝神聽去。

馬文飛心中一動，低聲問道：「有人嗎？」

話剛出口，室外響起一陣輕微的步履之聲，司馬乾緩步走了進來。

馬文飛站起身來，抱拳一禮，道：「司馬兄。」

司馬乾欠身還了一禮，目光轉動不住地在室內尋望，低聲說道：「那個侍候兩位的丫頭呢？」

馬文飛道：「去準備食用之物了。」

司馬乾怔了一怔，道：「吃不得，吃不得，這些丫頭，只不過借侍候之名，實則是監視著兩位的行動，如何能進他們的食用之物。」

馬文飛道：「雖說司馬兄顧慮得不錯，但咱們還得在這百花山莊中留上數日，難道就這樣長久不進食物嗎？」

探手從懷中摸出了兩根四寸長短，鑲有銀邊的象牙筷，笑道：「這一對象牙銀筷是一位海外朋友相贈，要我帶在身旁，不論酒菜，只要其中有毒，一試便知，司馬兄請帶去一根用吧！」

司馬乾也不客氣，伸手接了過來，放入懷中，說道：「兄弟此來是要請教一事。」口中雖是在對兩人說話，兩道目光，卻是一直地望著蕭翎。

蕭翎道：「有何見教？」

司馬乾道：「兄弟百思不解，兄台如何能使那金花夫人收了蠱毒而退？」

蕭翎微微一笑，道：「不敢欺瞞司馬兄，兄弟和那金花夫人早已相識，看她施放金蠶蠱毒，群豪即將遭殃，忍不住施展傳音之術，勸她收了蠱毒……」

司馬乾道：「兄台一言，那金花夫人就當真收了蠱毒而退，這麼說來，那金花夫人和兄台交非泛泛了。」

蕭翎道：「相識不久，多承她這般的看得起我。」

司馬乾點點頭，道：「原來如此，那是毋怪兄弟想它不通了。」

馬文飛突然接口說道：「司馬兄如何查出了放蠱的事？」

司馬乾道：「兄弟極善易容之術，查覺那卦象險中有變時，心中懷疑難安……」

馬文飛道：「因此司馬兄就易容冒險，深入望花樓，探得放蠱的機密？」

司馬乾微微一笑，道：「我巧扮周二莊主，施用詐語，才探得了放蠱機密，此事說來容易，行去倒也有甚多困難，但都是一些枝節小事，那也不足爲外人道了。」

馬文飛低頭沉吟一陣，道：「原來如此……」語聲微微一頓，接道：「明日午宴，就是百花山莊的英雄大會正期，沈木風放蠱不成，決然不肯干休，我料他今夜必將別有陰謀！」

司馬乾道：「這個兄弟亦有同感，但兄弟最爲憂慮的，還是那金花夫人暗中放蠱，如若除去此一毒計，沈木風縱然再有其他毒策，那就好對付的多了。」

馬文飛道：「司馬兄來得正好，你不來，兄弟也要找你，司馬兄智謀過人，必可想出對付之策。」

司馬乾閉目沉思一陣，道：「在下倒是想到一個辦法，只是難以暗中進行，一旦行將起來，必將驚動百花山莊中人。」

馬文飛笑道：「這個司馬兄倒不用多顧慮了，只怕咱們早在沈木風派人監視之下……」

但聞一陣步履聲傳了過來，鳳竹手中捧著一個木盤，緩步走了進來。

木盤上放著四個精緻的小菜，兩張大餅，和一小壺燙熱的酒。

鳳竹放下了手中盤，說道：「馬爺，可要一樣一樣的嚐給你瞧瞧嗎？」

馬文飛道：「自然要勞動姑娘了。」

鳳竹微微一笑，先就四樣小菜中，各食一些，又倒出一杯酒來飲下，笑道：「馬大爺，可以放心了嗎？」

馬文飛點點頭，道：「很好，此地不再勞姑娘相候，你也該請去休息了。」

鳳竹回顧了司馬乾一眼，緩緩步出室門而去。

馬文飛端起面前酒杯，伸手從懷中取出那支象牙筷來，緩緩伸入酒中。

只見那伸入酒中的象牙筷子，很快地變了顏色，伸入酒中那一小段，變成了一片深紫。

馬文飛冷笑一聲，道：「這丫頭口蜜腹劍，倒是厲害得很。」

司馬乾急快地取過小壺，當下查了一遍，道：「也許機關就在小壺之上。」舉手在小壺上下轉了一陣，不見異樣，才重又放了下去。

馬文飛道：「奇怪呀！這酒中明明有毒，那丫頭怎的大杯吃了下去，難道已經預先服下了解毒的藥物嗎？我們找來那丫頭問問。」

司馬乾雙目微閉，思索了一陣，道：「馬兄，如若是咱們能夠迫使那個丫頭幫忙，今宵或可小作報復之計。」
馬文飛道：「如何一個報復之法呢？」
司馬乾道：「兄弟也要施展一點手段，擾擾那沈木風的耳目。」
馬文飛知他身負奇學，但看他不肯說出什麼方案，也就不便追問。
蕭翎雖還是那馬文飛僕從身分，但事實上司馬乾對他的敬重，可說是尤過於馬文飛，在他的感覺中，不計名位的蕭翎，不但武功驚人，才智猶非常人能及，只怕他才是要和百花山莊分庭抗禮的領袖人物。
這時，蕭翎自動站了起來，道：「在下去找那丫頭來！」
司馬乾急急起身說道：「這個如何敢勞兄台。」
蕭翎微微一笑，帶著鳳竹，大步行了出去。
片刻之後，蕭翎帶著鳳竹，返回廳中。
馬文飛望望案上酒杯，低聲問道：「姑娘很好嗎？」
鳳竹道：「小婢很好啊！」
馬文飛心中暗道：這丫頭極善做作，如若不當面揭穿了她，只怕她不肯承認，當下說道：「這酒中暗下了毒，姑娘飲下毒酒，難道就感覺不出有中毒之徵？」
鳳竹道：「小婢親手在廚下添置的酒菜，怎會有毒？但馬爺之言，必有明證，只是小婢實無中毒的感覺。」

司馬乾道：「如若姑娘早服下了解毒之藥，酒中縱然有毒，那也不致發作。」

鳳竹淡淡一笑，道：「如此說來，小婢縱有百口，也是難以分辯了。」

司馬乾突然站起身來，道：「好！在下試給姑娘瞧瞧！」

右手伸出，緩緩向鳳竹右腕之上抓去。

鳳竹似想閃避，但卻又忽然改了主意，凝立不動，讓那司馬乾扣住了腕脈要穴。

司馬乾暗中加力，一收五指，笑道：「百花山莊中，一向是講究機詐、權謀，在下如若和姑娘講仁義道德，那是白費唇舌了。」

左手一抬，點向鳳竹的「天突」穴，之後左手一轉，又點了鳳竹後腦「風府」穴，然後放了鳳竹的手腕脈穴，道：「姑娘可知我點了你什麼穴道嗎？」

鳳竹冷冷說道：「『天突』、『風府』，都是足以致人死命的要害大穴。」

蕭翎雖然覺著司馬乾這等作爲，有失英雄氣度，但想到那沈木風的毒辣，和眼下處境的險惡，也是難怪這司馬乾以毒攻毒的作法了。

鳳竹道：「你點了我兩處要穴，而且手法不輕不重，想是以此要挾於我了。」

司馬乾道：「姑娘真是聰明得很，『天突』屬任脈，『風府』屬督脈，一個時辰之內，兩處穴傷發作，姑娘全身都將癱瘓難動。」

鳳竹臉色一變，欲言又止。顯然她心中十分驚駭，但卻勉強忍了下去，不肯多問。

司馬乾淡淡一笑，道：「但如姑娘答應幫在下一個小忙，在下立可解除姑娘兩處受傷要

穴。」

鳳竹道：「幫什麼忙？」

司馬乾道：「簡單得很，只要姑娘把幾件小東西，送到那望花樓下。」

鳳竹搖搖頭，道：「不行，望花樓方圓五丈內，劃爲禁地，非得大莊主特命宣召之外，雖本莊中任何人，亦不能擅自接近。」

司馬乾道：「在下想姑娘必有辦法？」

鳳竹道：「我寧可全身癱瘓，也不願冒這個險。」

司馬乾道：「如若姑娘肯和在下合作，在下當盡我之能，救姑娘離開百花山莊。」

鳳竹道：「諸位莊主待我等情意甚厚……」

司馬乾笑道：「姑娘自幼在百花山莊之中長大，在那沈木風積威之下，早已是刀下羔羊，任由他宰殺，需知世界廣大，天外有天，在下只要列舉一事，姑娘就不難明白了。」

突然放低了聲音，接道：「連你們也難生離這百花山莊，哪還能夠救我。」

鳳竹眨動了一下眼睛，道：「什麼事？」

司馬乾道：「今宵沈木風擺下的洗塵之宴，佈置是何等周密，但與會群豪又有幾人傷在他的手下了；那金蠶蠱毒是何等厲害，但也未曾有一個與會之人中毒，姑娘請三思在下之言！」

鳳竹沉吟了一陣，道：「你可有快效毒藥，吞入腹內，立可死去？」

馬文飛奇道：「姑娘要那快效毒藥何用？」

鳳竹歎道：「我如答應你們，混入望花樓去，十有八九要被發覺，那時我可吞下毒藥，一死了之，也免得被擒之後，受本莊森嚴規戒懲罰。」

司馬乾微微一笑，道：「好！」探手入懷，摸出一個玉瓶，倒出一粒青色的丹丸，道：「此丹入口，瞬息間即可死去，如非必需，不可吞下。」

鳳竹接過丹丸，道：「要我送什麼東西？」

司馬乾笑道：「幾件小小玩藝，到處可藏，姑娘只要小心，決然不會被人發覺。」說話之間探手入懷，摸出一節形似竹篙之物，和一個黑色的盒子，遞了過去，接道：「姑娘只要把鐵筒木塞拔開，隨便丟在望花樓的附近就行了。」

鳳竹探頭望望天色，道：「好！我去試上一試。」

司馬乾道：「在下靜候姑娘傳來佳音。」

鳳竹苦笑一下，道：「我如在一個時辰之內，還不回來，那就是死在望花樓下了。」

司馬乾道：「姑娘不是早夭之相，但請放心前去就是……」語聲微微一頓，接道：「此刻時間正好，姑娘快些去吧！」

鳳竹道：「爲我效什麼勞？」

司馬乾道：「我等當迎接姑娘，只要姑娘能逃入花樹林中，縱有追兵，也是不足爲懼。」

鳳竹淡淡一笑，緩步出室而去。

卅六　起死回生

蕭翎眼看鳳竹步出室外，消失不見，忍不住低聲說道：「司馬兄，你瞧她可肯照計劃行事嗎？」

司馬乾道：「她定肯依計行事，據在下觀察所得，那鳳竹決不是夭壽之相，因此料定她今夜無事。」

蕭翎道：「咱們既然答應了接應她，不可失信。」

司馬乾笑道：「那是當然，咱們三人分兩個去接迎人，一個守家。」

馬文飛微微一笑，道：「請恕兄弟多口，司馬兄可否說明一下，鐵筒、黑盒之中，究竟放的是什麼東西？」

司馬乾道：「此物乃兄弟在東海珊瑚島習藝之時，取得的兩種奇怪之物，盒中是幾隻罕見的飛天蜈蚣，鐵筒中卻是一條奇毒的小蛇，那沈木風毒辣陰狠，竟圖放蠱，兄弟拚著兩件奇物受損，也要讓他受點困擾，鬧得心神不安。」

蕭翎怔了一怔，道：「區區一條毒蛇，和幾隻蜈蚣，豈能擾亂那望花樓嗎？」

司馬乾道：「這兩物極不相容，如若遇上，不是相互惡鬥，就是分頭亂竄，那條小蛇，

雖然長僅數寸，但行動敏捷，奇毒無比，如被咬中，非我配製的解藥，難以解毒，幾隻帶翅蜈蚣，飛行雖難及遠，但卻十分靈快，飛行時且帶一種嗡嗡的響聲，就算不能傷得望花樓中之人，亦可擾亂他們的耳目心神，說不定還可造成那沈木風和金花夫人之間的誤會，使那沈木風誤認金花夫人在望花樓上放蠱。」

馬文飛道：「不錯，兄弟亦曾聽聞過，成形之蠱，有如蛇。」

司馬乾笑道：「這不過是兄弟的如意算盤，收效如何，那還很難預料……」

微微一頓，道：「咱們也該去接應那丫頭了。」

馬文飛道：「沈木風為人何等精明，想那花樹陣中定有埋伏。」

司馬乾道：「何止埋伏，整個的百花山莊，就是一座五行奇陣，每一座院落和花樹林，又自成一座小陣，環環相接，連鎖成一座大陣，這沈木風實算得一個奇人，不過，這些陣圖變化，卻無法困得了兄弟。」

蕭翎道：「據在下所知，那叢叢花樹林中，都派有守護之人，此刻，群豪畢至，想那防守必更加嚴密了。」

司馬乾笑道：「咱們擒得兩個守護之人，換上他們的衣服，行動時，豈不更方便了嗎？」

回顧了馬文飛一眼，道：「那就偏勞總瓢把子守家了。」

馬文飛道：「兩位要小心一些，如是能夠避免衝突，那是最好不過。」

司馬乾微微一笑，道：「有勞關懷。」當先向外行去。

蕭翎緊隨身後，離開了翠竹軒。

司馬乾低聲說道：「兄台請跟在小弟身後。」

竟然進入那花樹林中，穿越而過。

蕭翎緊隨身後而行，只見那司馬乾，左一轉，右一彎，行走速度甚快，頗有輕車熟路之感。片刻工夫，已到了望花樓邊。

兩人穿越幾片樹林，竟是未遇上攔路之人。

只見那高聳雲霄的望花樓上，數處燈光未熄，顯然還有人未曾安歇。

司馬乾打量了四周形勢一眼，低聲說道：「如若在下估計的不錯，那丫頭該走咱們這個方向回來才是……」

話未說完，瞥見一條人影，由望花樓中走了出來，直對兩人隱身林中行來。

只見那人行得甚慢，步履從容，毫無驚慌之意。

望花樓上的燈光，突然熄去兩層，只餘最高的一層上，仍有燈光透出。

蕭翎心知那是沈木風的住宿之處，這樣深夜尚不安歇，想必是爲著今宵的失敗，正在研商對策。瞧著那聳立在夜色中的高樓，想起了被囚的父母，不禁一陣黯然。

司馬乾已暗中運集了功力，蓄勢戒備，目注著那逐漸行近的人影。

只見那人影愈行愈近，逐漸地接近了兩人停身之處。

司馬乾凝神望去，來人果是鳳竹，輕輕一扯蕭翎的衣角，暗施傳音之術，說道：「果然是

那丫頭，平安的出來了。」

蕭翎從黯然的感傷中清醒過來，望了來人一眼，心中突然動了懷疑。暗道：那望花樓下，層層都有著森嚴戒備，這丫頭只不過一個女婢身分，何以能自由進出，毫無警兆……

但見鳳竹緩步進入了花樹林中，直向翠竹軒中行去。

司馬乾低聲說道：「這丫頭神色有點奇怪，咱們跟著她瞧瞧。」

這時，那望花樓上最頂層的燈火，也突然熄去，整個百花山莊，籠罩在一片黑暗之中。

兩人急隨鳳竹，直入翠竹軒。

只見鳳竹輕揮玉手，一推虛掩的房門，緩步走了進去。

司馬乾突然一提氣，如影隨行，緊追在鳳竹身後而入。

馬文飛正坐廳中等候，瞥見鳳竹推門而入，立時站了起來，還來不及開口，那司馬乾已如影隨形一般，跨入房中，急急說道：「馬兄小心，這丫頭神色有些不對……」

馬文飛是何等人物，縱然司馬乾不打招呼，他已有所警惕，暗中運氣戒備。

只見鳳竹臉色一片鐵青，行到一張木椅前面，木然坐了下去，雙目中流露出無限痛苦，淒涼一笑，道：「小婢……」

她似是極力忍耐著不肯開口說話，說出兩個字，似已不支，一仰頭，靠在椅背上，氣絕而逝！

馬文飛右手一探，疾向鳳竹肩上抓去，口中急急喝道：「鳳姑娘……」

司馬乾右臂一拂，一股潛力湧出，擋開了馬文飛的掌勢，急急說道：「不可造次！」

馬文飛亦似有了警覺，霍然向後退了兩步，凝注著那倚在椅背上的屍體。

只見身體逐漸硬直起來，分明是死去無疑。

司馬乾搖搖頭，自責地說道：「是我害了她！」

蕭翎輕輕歎息一聲，道：「在下早該出言阻住才是……」突然住口不語，凝神聽去。

司馬乾一皺眉頭，低聲說道：「對方既是無所不用其極，咱們也不用手下留情了。」

話剛說完，室門外已俏生生地站著一個身著白衣，胸繡金花的美艷婦人。

司馬乾右手一揮，正待劈出，卻被蕭翎攔住。

只見那婦人一臉肅穆之色，瞪著一雙星目，兩道森冷、銳利的目光，緩緩由三人臉上掠過，道：「你們辦的好事！」

這時，司馬乾和馬文飛都已瞧出這人，正是那施放蠱毒的金花夫人，不禁又加了幾分戒備之心。

司馬乾回顧了鳳竹的屍體一眼，輕輕咳了一聲，道：「芳駕可是金花夫人嗎？在下東海神卜司馬乾。」

金花夫人目光轉到馬文飛的臉上，道：「你的姓名？」

馬文飛一聳雙眉，道：「馬文飛。」

金花夫人道：「嗯！豫、鄂、湘、贛四省的總瓢把子。」

馬文飛道：「浪得虛名，夫人見笑。」

金花夫人緩緩地把目光投注到蕭翎臉上，凝注了良久，緩緩說道：「你的名字？」

蕭翎淡淡一笑，道：「馬成……」

金花夫人嚴肅的臉上，泛起了一縷笑容，道：「嗯！好兄弟，你該掐住鼻子說話，易容雖不絕佳，但尚可掩人之目，不留心很難看得出來，可是你的聲音，卻是一點未改。」說著，撩起白裙進了門。

蕭翎道：「你怎知道我在此地？」

金花夫人目光一轉，望著那鳳竹的屍體，道：「這丫頭為我帶路！」

蕭翎道：「何以見得和我有關？」

金花夫人道：「別人也沒有那樣的膽子，敢役使這百花山莊一手調教出來的丫頭，進入望花樓裏去搗鬼。」

司馬乾雖然已知蕭翎的身分不低，但仍不知他的姓名，當下接道：「這丫頭是我派去，和這位兄台無關。」

金花夫人右手緩緩從懷中拿出一條紅色小蛇，遞了過去，道：「就是這條小蛇嗎？」

左手拿出一個黑色的盒子，道：「還有這盒中幾條蜈蚣，我瞧你還是收回去吧！」

雙腕一揚，毒蛇、盒子，一齊飛了過來。

司馬乾一伸手，接住盒子，卻是不敢伸手去接那毒蛇。

金花夫人冷冷說道：「不用怕，那毒蛇早已死去。」

司馬乾大概是自愧役使毒物之能，和這金花夫人相差太遠，接過盒子，一言不發。

蕭翎望了金花夫人一眼，道：「你既能找來此地，想是別人也能找來了？」

金花夫人笑道：「我已在室外，布下毒蛛，如是有人追蹤我來，那是自尋死路了！」

蕭翎望了鳳竹的屍體一眼，道：「你既然取去她攜帶的毒蛇，諒這丫頭也是你傷的了？」

金花夫人搖搖頭，道：「我取下她手中毒物，但她不是死在我的手中！」

馬文飛道：「什麼人殺了她？」

金花夫人揚手一指司馬乾，道：「他該是第一兇手！」

司馬乾怔了一怔，道：「我……」

金花夫人道：「不錯，就是你，你把那絕毒的奇蛇，交給了她，卻又不教制蛇手法，她被毒蛇咬中，毒發而死，豈不是死在了你的手中嗎？」

司馬乾道：「這麼說來，在下確是算得兇手了！」

金花夫人道：「如若不是那守樓之人，攻她一招，她已放出毒蛇，也不會被蛇咬中了，那人應算是第二兇手。」

馬文飛道：「夫人語含玄機，不知可否說得更清楚一點？」

金花夫人道：「事情簡單得很，這丫頭武功不弱，但卻不夠機警，如若是她不還手，我也會設法救她，卻不料她情急之下，竟然反手攻了一招，是無疑說明了她已生叛逆之心，這時，她手中毒蛇已然放出一半，回頭一口，咬中了她的手腕，」

蕭翎道：「她是中毒而死？」

金花夫人微微一笑，道：「這丫頭被蛇咬中之後，竟然是變得出奇的沉著，想是已存了必死之心，我取下她手中毒蛇、蜈蚣，她就轉身離開了望花樓，這時，那守樓之人，還要乘機出手，卻被我出手攔住。」

她對馬文飛、司馬乾說話之時，語氣冰冷，臉色冷漠，但和蕭翎說話時，卻是滿臉春風，笑得一臉柳媚花嬌。

馬文飛望了司馬乾一眼，道：「司馬兄，鳳姑娘只是中了蛇毒而死，司馬兄可有解毒之藥？」

司馬乾搖搖頭，道：「我瞧她不只單純的中了蛇毒。」

金花夫人道：「不錯，她出了望花樓後，又被埋伏在樓外的高手，擊中一掌，內傷、蛇毒，一齊發作，縱有靈丹妙藥，也是難以起死回生……」

她語聲微微一頓，又道：「你們自作聰明，認為那花樹中，無人出面攔阻你們，就未被人發覺嗎?其實你們的一切舉動，都有人在暗中監視，一舉一動都被傳到望花摟上。」

司馬乾道：「夫人到此地來，自然是無法逃過監視了。」

金花夫人道：「在今宵洗塵晚宴上，沈木風似是吃了什麼苦頭，回到望花樓上，一直默然沉思，一語不發，此刻他也許是還未了然真相，此人陰沉凶殘，不了然內情之前，決不肯隨便發動，現在我到此地來，自然逃不過百花山莊中的耳目，但他們卻無法隨我身後而來，查看我的舉動。」

馬文飛道：「縱然他不解真相，但夫人此來，亦必將引起他的注意了。」

金花夫人道：「那你們就別輕舉妄動……」

突然住口不言，臉色一變，冷冷喝道：「什麼人？」

只聽一聲悶哼傳來，但迅快地又歸靜寂！

金花夫人冷笑一聲，道：「諒他這苦頭，吃得不小……」

突然間想起了什麼重大之事，接道：「以那沈木風的爲人而論，今宵他必將想辦法對付你們，我不便在此久留，也不便出手相助。」

粉頰上閃掠過一抹淒涼的笑意，接道：「三位保重了。」突然轉身而去。

蕭翎口齒啓動，欲言又止。

金花夫人去勢奇快，但見人影一閃而沒。

馬文飛望望鳳竹的屍體，突然歎息一聲，道：「咱們讓一個小姑娘家爲我們涉險送命，實非英雄行徑。」

司馬乾道：「馬兄之意呢？」

馬文飛道：「兄弟之意，盡人事以聽天命，司馬兄身上既有療治毒蛇的奇藥，先讓她服下

兩粒，解去蛇毒，再行設法療治她的內傷，如若咱們不加施救，就讓她這般死去，實是難以安心。」

司馬乾望了鳳竹一眼，道：「好！」

探手入懷，取出一個玉瓶，從瓶中倒出了兩粒解藥，左手微一加力，捏開了鳳竹牙關，把兩粒解藥，投送到鳳竹的口中。

這時，鳳竹已然全身冰硬，氣息已絕，藥投入口，卻是無法嚥下。

蕭翎突然伸出手去，按在鳳竹的胸前，只覺她心臟似已停止了跳動，不禁一歎，道：「她氣息已絕，心臟已經停止跳動，那金花夫人說得不錯，縱有靈丹妙藥，只怕也難救活她了。」

突然一個冰冷的聲音接道：「誰說救不活了？」

馬文飛心頭一震，暗道：此人好佳妙的輕功，行動之間，竟是不帶一點聲息。

抬頭看去，只見一個全身黑衣，瘦骨嶙峋的怪人，當門而立，臉上肌肉僵硬，有如一具殭屍。

蕭翎只覺心頭一震，差一點衝口喊出毒手藥王。

馬文飛一皺眉頭，道：「閣下是……」

黑衣人冷冷接道：「天下武林中人，都怕那金花夫人的毒物，但老夫卻是不怕。」

司馬乾迅快地收好玉瓶，道：「你是什麼人？」

黑衣人道：「老夫毒手藥王，那女娃兒明明有救，誰說救不活了！」

口裏雖然在和司馬乾說話，兩道目光卻一直盯在蕭翎臉上打量。

蕭翎心中暗暗驚道：難道他已瞧出我的真面目不成，趕忙隱去目中神光，凝立不言。

司馬乾道：「你口氣倒是不小。」

毒手藥王道：「如是老夫救活了她，該當如何？」

馬文飛呆了一呆，暗道：救人性命，還要條件，那是無怪要在藥王之上，加上毒手二字。口中卻應道：「好！你說呀！如何才肯救活她？」

毒手藥王伸手一指蕭翎，道：「此人何人？」

馬文飛望了蕭翎一眼，看他閉口不言，立時接道：「在下的隨行之人。」

毒手藥王道：「如若老夫醫好這女娃兒的傷勢，救了她的性命，老夫也要向你討些東西！」

馬文飛道：「你要討取何物？」

毒手藥王道：「我要他身上的血……」

馬文飛只聽得打了一個冷顫，道：「你要他身上的鮮血何用？」

毒手藥王道：「救人，救一個奄奄一息的將死之人。」言來神情黯然。

馬文飛心中暗道：救人性命，要血何用，但以這毒手藥王醫道之精，此言當非空穴來風的事。

毒手藥王望了鳳竹一眼，道：「此人如再拖延下去，老夫也難施救，答不答應，還望馬兄

決定。」

他冷傲孤僻，舉世皆知，此時言來，語氣柔和，顯見心中甚是焦急。

蕭翎故意啞著嗓音說道：「你要我多少鮮血？」

毒手藥王歎息一聲，道：「如是你肯把全身鮮血盡皆相送，不但可暫救那人一命，且可起她沉痾，使她重獲生機。」

馬文飛道：「那是何人，得藥王如此關心？」

毒手藥王道：「老夫也不用欺瞞諸位了，那人就是區區的小女。」

馬文飛暗道：原來如此，毒手藥王雖毒，但對女兒的親情，倒是深厚得很。

只聽毒手藥王自言自語地說道：「馬兄如若肯命你僕從捨身輸血，救了小女之命，老夫願以十年之期，唯馬兄之命是從，水裏水中去，火裏火中行。」

馬文飛搖頭說道：「他雖追隨兄弟之下，但這等強人生死的大事，在下也是不便作主。」

蕭翎接道：「小人和藥王，談不上有何交情，這捨身相救令嬡之事，自然是談不上，但小人以慈悲之心，願意捨身奉贈，但不知藥王需要多少？」

毒手藥王望著木案上放著的兩只茶杯，道：「一杯鮮血，再加上我調製的靈丹，可以延長小女一月生命。」

蕭翎道：「好！小人就以一杯鮮血相贈……」

目光一轉，望著鳳竹道：「不過，藥王先得救活這女子的性命。」

毒手藥王道：「此事容易。」

突然大邁一步，欺進鳳竹身側，右手連揮數次，才停了下來。

凝神望去，只見鳳竹胸前、肩上，連插了六枚銀針。

這六枚銀針，分釘了鳳竹六處相關大穴，六穴受到刺激，靜止的氣血，突然激盪暢通，帶動了心臟功能，口齒啓動，吞下了司馬乾那專療奇毒的靈藥。

馬文飛看他六枚銀針刺下，鳳竹果然復生，心中大爲驚奇，忖道：這毒手藥王之名果非虛傳。

毒手藥王兩道銳利的目光，盯住在鳳竹身上，看她手腳一動，突然出手，拔下銀針，右手揮動，這裏點上一指，那裏拍上一掌。

他出手奇快，快得馬文飛等看不清楚他掌指拍點的穴道。

只聽鳳竹長長歎一口氣，睜開了緊閉的雙目，毒手藥王才停下手來，疾退兩步，探手從懷中摸出兩粒丹丸，遞向馬文飛，道：「讓她服下此藥，睡上四個時辰，發出毒汗就好了。」

馬文飛接過丹丸，道：「多謝藥王。」

鳳竹雙目轉動，看了毒手藥王一眼，立時盈盈拜倒地上，道：「多謝藥王相救。」

毒手藥王冷漠地說道：「不用謝我，謝那救你之人。」伸手指著蕭翎。

鳳竹回目望著蕭翎，心頭升起無限奇異之感，盈盈一禮，道：「多謝救命之恩。」

她一時間，不知該如何稱呼蕭翎，只好隨口說了一句。

蕭翎一抱拳，道：「姑娘不用多禮，你傷勢初癒，還得運氣調息一陣，請入房中靜坐去吧！」

鳳竹目光轉動，掃掠了馬文飛和司馬乾一眼，茫然不知所措。

毒手藥王冷冷說道：「他說得不錯，你該早些打坐調息才是，站在這裏發什麼呆。」

馬文飛一伸手，抓住了鳳竹右腕，道：「在下送姑娘到室中坐息。」

鳳竹雖然心頭有無數的疑竇，但這馬文飛可算是一行之主，見他扶助自己，自然是不會錯了，當下舉步行入臥室，說道：「這是馬爺的歇宿之處，小婢怎敢借用……」

馬文飛接道：「姑娘女中大丈夫，在下敬佩得很，你只管在房中打坐調息，不用分心旁騖，不論聽到什麼，也不用外出瞧看。」

鳳竹應了一聲，道：「小婢遵命。」

馬文飛道：「好好養息吧！」隨手帶上房門，退了出去。

抬頭看去，只見蕭翎右手拿著一只茶杯，左手袖管已然高高捲起，毒手藥王正待伸手去抓蕭翎手臂，立時大聲喝道：「且慢！」

蕭翎動作奇快，聞聲縮回手臂。

毒手藥王森冷的目光，一掃馬文飛，道：「怎麼？你後悔了？不然爲何要出手攔住我放血？」

馬文飛道：「在下替藥王放血如何？」

毒手藥王道：「你可知如何放嗎？」

馬文飛道：「這就得老前輩指教了。」

毒手藥王似想發作，但他又強自忍了下去，緩緩遞過一個鋒利的銅管，道：「將此管扎入他左臂主脈之上，用內力逼出他的血來。」

馬文飛接過銅管，道：「老前輩請退後兩步。」

原來馬文飛怕他在放血之時，暗下毒手，才堅持要自己代爲放血。

毒手藥王依言向後退去，守在門口之處，道：「快些出手，老夫代你們守望把風。」

馬文飛仔細地瞧了那銅管一陣，不似有毒之物，抓住蕭翎左臂，刺入蕭翎主脈中，右手暗運內力，按住蕭翎後背之上，真氣迫入體內，鮮血泉湧而出。

片刻工夫，已然流滿了一杯。

馬文飛取下銅管，連同一杯鮮血遞了過去，道：「藥王點收。」

毒手藥王接過銅管、鮮血，兩道目光，凝注在蕭翎的臉上，道：「日後，如是老夫救了你的性命，就要借你全身的鮮血一用了。」轉身大步而去。

馬文飛目睹那毒手藥王去遠，才長歎一聲，道：「蕭兄感覺如何？」

蕭翎道：「區區一杯鮮血，算不了什麼。」

回目望著司馬乾，接道：「看將起來，司馬先生的卜算命相之術，倒是不可不信。」

司馬乾道：「唉！這其間的曲折情勢，兄弟也是難以料到。」

馬文飛似是突然想到了什麼大事，一皺眉頭，道：「金花夫人和那毒手藥王，先後到了此地，只怕難以再瞞過沈木風的耳目，今夜咱們的處境，只怕凶險萬狀，必得早作準備才好。」

司馬乾道：「兄弟今宵留在此地，也好稍增一些實力，眼下，咱們熄去燈火，一面靜坐調息，一面守夜待敵。」

馬文飛道：「且慢熄去燈火。」

司馬乾道：「馬兄還有什麼高見？」

馬文飛道：「那沈木風雖然陰沉毒辣，但目下百花山莊中群豪雲集，諒他還要兼顧到身分、情面，不便大舉施襲，在下之意，適和司馬兄意見相左。」

司馬乾道：「領教高明。」

馬文飛道：「兄弟之意，如其熄去燈火，坐以待敵，倒不如在咱們這居室四周，高燃火把，一則可藉那火光，監視來犯之人，二則亦可引動與會群豪注意，沈木風如遣人大舉來犯，豈不是把用心昭告天下了。」

司馬乾點頭接道：「不錯啊，如若他們來犯，還將會爲我們招請來助拳之人……」

他微微一頓，又道：「只是照亮咱們宿室四周，至少也得要六支火把，而且要燃燒通宵，這些火把要到何處去找？」

馬文飛微微一笑，道：「兄弟已然留心到那花樹叢中，插有火把，而且蓄油豐富，足夠一夜燃燒之需，我去取它六支來。」縱身一躍，人蹤頓杳。

大約過有一盞熱茶工夫，馬文飛懷抱著六支火把，急奔而入。

司馬乾聽他喘急，想是經過了一番惡鬥，伸手接過火把，一面低聲問道：「可是遇上了截擊？」

馬文飛道：「雖未遇上截擊，但卻遇上了伏兵，兄弟情急，連下辣手，把兩人盡皆重傷手下，取了六支火把回來。」

司馬乾道：「咱們連和百花山莊爲難，諒那沈木風也難忍受，說不定已在調集人手，事不宜遲，早些燃起火把，也叫他詭計難以得逞。」一邊說邊抱起火把，大步而出。

他早已相度好了四周形勢，很快地把六支火把，插了起來，晃燃火摺子，一齊燃了起來。

但見六支火炬，熊熊地燒了起來，照得四周三丈內一片通明。

馬文飛眼看燃起的火焰，足足有一尺多高，照得三丈內纖毫畢現，不論何等高強之人，也難逃過監視，當下舉手一揮，熄去了室內火燭，笑道：「兩位先請靜坐調息，兄弟代爲守夜。」

司馬乾微微一笑，道：「此刻已然三更過後，漫漫長夜，還餘下兩個時辰，但沈木風對咱們發動施襲，只有一個時辰了。」

這三人輪流戒備，一直不敢疏忽。

哪知事情竟然大出了三人意料之外，直到日升三竿，竟然未再發生事故。

司馬乾眼看室外陽光普照，那六支火炬，仍然熊熊燃燒，於是緩步出室，熄去火炬。

甜，臉色紅潤，竟然毫無傷病之容。

蕭翎、馬文飛擔心那鳳竹傷勢，行入室中，只見鳳竹閉目而臥，鼻息微聞，睡得十分香甜，臉色紅潤，竟然毫無傷病之容。

馬文飛長長吁一口氣，道：「看起來，她的蛇毒已然除淨，那毒手藥王，果有起死回生之術。」

蕭翎道：「如若此人能棄邪歸正，濟世救人，真不知要造福多少蒼生，只可惜他孤傲自賞，空懷一身絕世醫術，卻不肯多為人療傷治病。」

談話之間，司馬乾也走了進來，接道：「此女生機已復，兩位也不用擔心了，此刻距午時正宴，不過兩個時辰，昨宵咱們都未能好好休息，何不珍惜此刻時光，好好坐息一陣，也許在午時正宴的英雄會上，還將有一場衝突惡戰。」

馬文飛道：「不錯，沈木風既然放過了昨夜施襲之機，想來，決不會在青天白日之下，遣人來施下毒手了。」

三人退出臥室，閉上房門，就廳中盤膝而坐。

蕭翎內功精深，不到一個時辰，已然氣暢百脈，行功完畢。

睜眼看去，只見兩人運功似仍在緊要關頭，正待站起身子，突然一陣步履之聲，傳了過來，不禁重又閉上雙目，靜坐不動。

只見鳳竹蓮步姍姍，緩緩由臥室中走了出來，直入廳中，秀目凝神，望了三人一眼，垂首沉思，似是在考慮著一件重大之事。

蕭翎心中一動，暗道：昨夜她為形勢所迫，生死所繫，才甘冒奇險，把兩件毒物，送入那望花樓之中，但她久年在沈木風的積威之下，心神早為其所控制，雖有背叛之心，卻不敢付諸行動！是否真心棄邪歸正，還難預料，看她此刻神色，分明有所圖謀，倒是不可不留心一些。

當下暗作戒備，靜坐觀變。

那鳳竹低頭思索一陣，突然輕輕歎息一聲，緩步向司馬乾走了過去。

但見鳳竹繞過了司馬乾的身子，輕啓室門而去。

蕭翎只瞧得一皺眉頭，忖道：這丫頭幹什麼去了？

但她既沒有傷害馬文飛、司馬乾的舉動，蕭翎也忍著未曾出手，看她啓開室門而去，立時一提氣，飛身躍起，輕輕飛落室門後面，凝目向外望去。

鳳竹心中似是有些害怕，是以行動之間，十分小心，一面向前走，一面不住地四下張望。

蕭翎心頭大感奇怪，暗道：看樣子倒不像背叛我們而去，但她該知自己處境的險惡，又何苦這般冒險呢？

忖思之間，那鳳竹已進入花樹陣中，消失不見。

蕭翎暗暗忖道：這丫頭不知打的什麼主意！

凝神望去，只見花樹林中人影閃動，四下亂走，而且服色各異，有長袍馬褂，有疾服勁裝，也有不少人佩著兵刃，登時心頭一寬，暗道：中午英雄大會即屆，三山五嶽的英雄好漢，恐已到齊，這些人大都豪放不羈，要他們遵守規矩，實是一件不大容易的事，沈木風決不致在群豪注視之下，對付鳳竹。

蕭翎隱在門後站了一刻工夫之久，忽見鳳竹手中捧著一個木盤，匆匆由花樹林中走了出來。這一次，她的動作很快，幾乎是放腿而奔，眨眼之間，已到了室門口處。

蕭翎輕輕一閃，退後五步。

鳳竹一顆心一直在擔心著有人追趕，回手掩上室門，猛一抬頭，才發覺蕭翎站在四尺開外，當下點頭一笑，低聲說道：「馬兄醒了很久嗎？」

蕭翎道：「不久，姑娘離開此室時，在下也未醒來。」

鳳竹道：「小婢這條命，本已死去，多虧諸位又把我救了回來。」

蕭翎心中暗道：如若說出毒手藥王相救之事，她心中定然不安，不如不說得好。

當下說道：「姑娘爲傳送那毒物而傷，我等如若救治不活，那才是一樁大憾之事。」目光一轉，只見那木盤上放著四樣冷餚，和一盤饅頭。

鳳竹望了木盤上菜餚一眼，低聲說道：「據小婢所知，今午的英雄大宴之上，沈木風已然預定七種方案，暗害與會群豪，小婢身分低微，只知道其中一略，是在暗中下毒……」

她回頭向室外望了一陣，接道：「沈木風一位好友已代他配製好了無色無味的慢性毒藥，據聞那藥粉縱然吞下許多，中毒之人，也不會發覺，直到七日之後，毒性才會逐漸發作！」

蕭翎道：「那毒藥可是要下在酒餚中嗎？」

鳳竹道：「如何下法，小婢未曾聽過，不敢斷言，但想來不外酒菜之中，是以小婢先行偷一些菜餚，諸位先飽餐一頓，午時不要用那酒飯，也許可免中毒之苦。」

馬文飛、司馬乾已然在兩人談話之中運功完畢，司馬乾當先而起，道：「姑娘怎知這偷來的食物之中無毒呢？」

鳳竹道：「這個小婢不知，但憑猜想，他們決不致在此時下毒。」

馬文飛道：「兄弟此刻已感飢餓，如是這盤食物之中尚未下毒，倒可用來充飢。」

鳳竹緩緩放下木盤，道：「小婢身經死亡一劫之後，心中對死亡之懼，已是大爲減弱，對

那沈大莊主亦不似先前那般害怕。」

蕭翎失聲說道：「那金蘭、玉蘭，也是這般……」心中已然警覺，趕忙住口不言。

鳳竹急急說道：「怎麼？馬兄識得金蘭、玉蘭兩位大姊姊嗎？」

蕭翎心中暗道：目下情勢，我如就此打住不言，勢將惹她生疑，既然說了，就索性說下去吧！輕輕咳了一聲，道：「不錯，兩位姑娘和在下常在一起。」

鳳竹道：「兩位姑娘離開了百花山莊之後，仍然是婢女的身分嗎？」

蕭翎暗道：要糟，再一說，只怕全盤抖露，她見我僕從身分，那金蘭、玉蘭如是常常和我相處，自然是丫頭了……

馬文飛似是已瞧出蕭翎的為難之情，接口說道：「兩位姑娘雖然自謙為婢，但咱們卻把她們當做妹妹一般看待。」

鳳竹秀目一轉，道：「那金蘭、玉蘭現在何處？」

馬文飛先是一怔，繼而淡淡一笑，道：「兩位姑娘的藏身之地，目下還難以奉告，鳳姑娘要多多原諒。」

他探手從懷中摸出象牙筷子，試探鳳竹送來的食用之物，確實無毒，三人才分別食用。

半日時光，匆匆而過，轉眼間已到正午。

這正是沈木風宴請天下英雄的時刻。

只聽那望花樓上，銅鐘三鳴，一個身著青衫的大漢，急奔而來，在門外四、五尺處停了下

來，抱拳說道：「馬爺在嗎？」

馬文飛緩步行出室外，道：「有何見教？」

那青衫人道：「小的奉命恭請豫、鄂、湘、贛四省總瓢把子馬大爺……」

馬文飛道：「在下便是。」

青衫人道：「百花廳上，早已設好了馬爺的席位，小的奉命請馬爺入席。」

馬文飛一揮手，道：「知道了。」

那青衫人一轉身，急奔而去。

馬文飛望了鳳竹一眼，道：「姑娘和我等同去赴宴呢？還是要留在室中等候？」

鳳竹突然盈盈拜倒，叩了一個頭，說道：「小婢承馬爺的愛護，心中感激不盡。」

馬文飛欠身還了半禮，道：「姑娘有話，請站起來說，這等大禮，在下實受不起。」

鳳竹緩緩站起了身子，淒然接道：「小婢不論是隨馬爺赴會，或是留在室中，都已是難逃一死，但小婢能在死前，擺脫了心靈之枷，死亦瞑目九泉了。」

馬文飛道：「今日英雄大宴，結果如何，目下還難斷言，姑娘這等畏怯之心，未免是多餘的了。」

司馬乾突然接口說道：「如若姑娘確有棄暗投明之心，還望能隨我等同赴英雄大宴，死也死一個轟轟烈烈。」

蕭翎道：「那金蘭、玉蘭兩位姑娘，當初脫離百花山莊之時，亦和姑娘一般模樣，畏首畏尾，以死爲樂，但她們現在都還是好好的活著……」

鳳竹長長歎息一聲，接道：「諸位這般愛顧，小婢實是感激不盡，死亦無憾了。」

馬文飛笑道：「不要多擔心了，咱們去吧！」當先向外行去。

司馬乾道：「姑娘請隨在馬總瓢把子身後，在下隨後保護。」

鳳竹壯起膽子，緊隨在馬文飛身後而去，司馬乾緊隨鳳竹身後，蕭翎隨後相護。

穿過了叢叢花樹，到了一座廣大的敞廳中。

四個斗大的金字，橫在敞廳門上，寫的是：「英雄大宴」。

這座敞廳，是臨時搭蓋而成，高約二丈，足足有七、八丈方圓大小，綠蔭遮天，白綾幔頂，四十八根木柱，支起了這臨時敞廳。

敞廳中，早已擺好了酒席，大部席位上，都坐了人。

一個胸綴紅花的青衣女婢迎了上來，低聲說道：「請教大名？」

馬文飛道：「馬文飛。」

那青衣女婢笑道：「豫、鄂、湘、贛總瓢把子馬大爺……」

目光轉到了鳳竹臉上，突然一呆，道：「鳳竹姊姊嗎？」

鳳竹道：「正是愚姊！」

那青衣少女奇道：「姊姊來此作甚？」

鳳竹苦笑一下，道：「我跟隨馬大爺同來赴宴。」

那青衣女子眉宇間，泛現出一片茫然之色，欲言又止，轉身帶路而行。

蕭翎目光轉動，卻不見中州雙賈和金蘭等何在，想是幾人早已改扮，掩去了本來面目。

那青衣女子帶著馬文飛一直行到左首第二個席位上，低聲說道：「這就是馬爺的席位了。」欠身一禮，退了下去。

司馬乾、蕭翎等分別入了座位，只有鳳竹猶豫不決，想入座，似又不敢落座。

馬文飛低聲說道：「姑娘不用害怕，快請落座。」

鳳竹一閉眼睛，坐了下去。

突然間，敞廳中起了一陣騷動。

抬頭看去，只見沈木風儒巾長衫，當先而入，不住對兩側群豪，頷首作禮。

周兆龍緊隨沈木風身後，不住地抱拳作禮，朗朗大笑，連道：「諸位賞光，蓬蓽生輝。」

金花夫人、毒手藥王，依序緊隨在周兆龍的身後，最後的卻是一個面目俊俏，外罩披篷，內著勁裝，背上插劍的少年。

蕭翎心中暗道：這個人，想必就是那假冒我名的蕭翎了。

只見沈木風行到了主席之上，當先落座，金花夫人等才隨著一一落座。

沈木風端起面前酒杯，高舉手中，說道：「群賢畢至，蓬蓽生輝，諸位肯給我沈某人面子，兄弟是十分感激，請盡此杯。」言罷一飲而盡。

廳中群豪，雖都端起了酒杯，但是真正喝下去的，卻是少之又少，大都是舉到口邊，做個

樣子，有很多乾脆舉起酒杯就放下，連樣子也不肯做。

沈木風目光一掠群豪，滿堂佳賓，也不過三、五人真正的飲去了杯中之酒，不禁微微一笑，道：「諸位請放心的吃喝，在諸位酒未到三巡，菜未過五味之前，我沈木風決不會在酒菜之中下毒就是。」

言下之意，那是三巡酒過，菜上五味之後，就要在酒中下毒了。

只聽一個沉重的聲音說道：「沈兄之意，可是說咱們對這佳釀、美餚，只能淺嘗數口，適可而止，不可盡興大吃一頓？」

蕭翎轉臉望去，只見那人紫袍白髯，生像威猛，手中端著酒杯。

沈木風淡淡一笑，道：「那要看和我沈某人爲友爲敵了！」

紫袍白髯老者道：「我已二十年未入江湖，這次受你之邀而來，那可算給足你的面子了……」

沈木風道：「好說，好說，顏兄有何指教，兄弟是洗耳恭聽。」

蕭翎心中一動，暗道：沈木風一向自傲自大，這紫袍白髯姓顏的人，得他如此尊稱，定非平常人物。

只聽那紫袍人道：「這酒菜之中，如是下了毒藥，難道也能爲敵爲友的嗎？」

沈木風哈哈一笑，道：「如是和我沈某爲友，自是不該計較這酒菜之中是否有毒，他也該相信我沈某人能代爲療治，中毒又有何妨？」

紫袍人道：「如是為敵呢？」

沈木風道：「當今江湖之上用毒之人數不勝數，如是我沈某人的敵人，早該防備才是。」

紫袍人道：「此刻酒餚之中，可已下毒？」

沈木風笑道：「顏兄放心，此刻酒餚之中，都還未曾下毒，顏兄只管大膽品嚐。」

紫袍人突然一仰臉，喝下杯中之酒，未再接言，坐了下去。

蕭翎默查場中群豪神態，大部份都對那紫袍人流露敬仰之色，心中暗道：不知這紫袍老人是何許人物，聽他口氣、身分，頗有和沈木風分庭抗禮的氣魄。

突然間一隻手，由下伸過來，抓住了蕭翎的左手，低聲說道：「馬兄……」

蕭翎接道：「不要怕。」

轉眼望去，只見沈木風兩道炯炯的眼神，正逼視在鳳竹的臉上，神態間自有一種莫可抗拒的威重氣度。

只聽沈木風那沙啞的聲音道：「是鳳竹嗎？」

蕭翎低聲說道：「不要理他，裝出一副若無其事的模樣。」

哪知鳳竹突然間鬆開了握著蕭翎手腕上的五指，緩步離開了席位，盈盈拜倒地上，道：「奴婢正是鳳竹。」垂下頭去，不敢抬起。

沈木風淡淡一笑，道：「你這丫頭來此作甚？還不快給我退出廳去，留在此地，豈不要讓天下英雄，恥笑我百花山莊中沒有規矩嗎？」

鳳竹應了一聲，緩緩站了起來，望了馬文飛一眼，舉步向廳外走去。

馬文飛一皺眉頭，暗道：這丫頭如此膽小無用，縱然想出面護她，也是難以找出藉口。

只見她行了兩步，突然又回過身來，拜倒地上，道：「奴婢有下情稟告。」

沈木風一揮手，道：「去吧！有什麼話，改日再講也是一樣。」

鳳竹垂下雙目，說道：「奴婢已爲馬爺垂青，答允收留身側，還望莊主開恩賜允。」

沈木風目光一轉，望著馬文飛道：「馬爺！這丫頭之言，可是當真嗎？」

馬文飛只覺臉孔一熱，一張臉直紅到耳根後面，沉吟了良久，答不出話來。

要知他自負英雄，如若承認此事，那是無疑當著天下英雄之面，自白罪狀，勾引了百花山莊中的丫頭，想待否認，又見鳳竹滿臉淒怨哀苦之容，一時間竟不知如何開口才好。

但聞沈木風呵呵一笑，道：「馬總瓢把子，是何等英雄人物，豈肯看上了咱們百花山莊的丫頭，你不用癡心妄想了，快給我退出廳去。」

鳳竹道：「大莊主有言在先……」

沈木風道：「不錯，我說過，如是這次與會英雄，瞧上了你們哪個，都可向我沈木風討娶你們，但也得讓人家看得上啊！如今人家馬總瓢把子一言不發，定然是你這丫頭蓄意高攀，隨口捏造的謊言，快退下去。」

鳳竹緩緩站起身子，正待轉身而去，突聽馬文飛高聲說道：「姑娘留步。」

全場中人的目光，都已投注在馬文飛的身上，要看他如何處理這尷尬之局。

這時，馬文飛的一張俊臉，已然紅成紫青之色，但仍然硬著頭皮，站了起來，對那沈木風抱拳一揖，道：「大莊主如肯把鳳姑娘賜贈在下，兄弟實是感激不盡。」

沈木風微微一笑，道：「馬兄可是當真要討這丫頭爲妻嗎？」

鳳竹急急接道：「奴婢自知難以匹配馬爺，甘心爲妾……」

沈木風不理鳳竹，望著馬文飛，問道：「馬兄如是真的喜愛這個丫頭，也早該向我沈某人說上一聲才是……」

他縱聲大笑一陣，接道：「如若她做了馬總瓢把子的夫人，我沈木風豈能再把她當丫頭看待。」

這一番冷嘲熱諷，有如千萬把利劍刺入了馬文飛的心中一般，但又無法出口反擊，只有耐著性子忍受。

全場中鴉雀無聲，似是場中群豪內心中，都在品評著這件事。

馬文飛一張臉變成了紫紅顏色，目光轉動，掃掠了群豪一眼，暗自忖道：我馬文飛自負英雄人物，受盡武林同道敬重，豈能當真的討娶百花山莊中一個丫頭爲妻，日後傳揚於江湖之上，豈不是要永遠留作別人的話柄。

欲待出言否認，但見那鳳竹滿臉淒苦之色，楚楚可憐，心中又有些不忍。

只聽沈木風接道：「馬兄乃當今武林中大名鼎鼎之人，一言九鼎，自然不會欺騙我百花山莊中一個使女丫頭，這丫頭隨口胡說，有辱馬兄英名，饒她不得。」

右袖一揮，一股暗勁直射過來。

馬文飛心念轉動，暗忖：我馬文飛如若自負英雄，怎的連一個柔弱垂危的小姑娘，也不肯救，當下高聲說道：「住手！」呼的一掌，拍了出去。

沈木風內功深厚，全身力道已到了隨心之境，右腕一挫，硬把劈出的內力，硬生生收了回來，微笑接道：「馬兄有何見教？」

馬文飛道：「在下要代這位鳳姑娘，向沈大莊主乞命。」

沈木風淡淡一笑，道：「馬兄不覺著管得太多一點嗎？這丫頭是我百花山莊中的使女，我要如何處置於她，那也用不著馬兄多問……」

他縱聲大笑了一陣，道：「但如馬兄肯娶她為妻，那是另當別論了，在下自有成人之美。」

馬文飛心中暗道：當著普天下英雄之面，我如承允此事，那是非得娶她不可了，如若不肯承允，只怕是難以救鳳竹之命，一時心中為難，不知如何才好。

只見鳳竹雙目熱淚奔眶而出，黯然說道：「賤妾殘花敗柳，如何配薦馬爺枕席，馬大爺也不用管我了。」

柔弱的鳳竹，似是陡然間勇氣大振，毅然抬頭，指著沈木風道：「沈木風，百花山莊的嚴刑峻法，最終也不過一個死字……」

沈木風冷冷喝道：「你發了瘋了，小丫頭！」喝聲中左手一抬，一縷指風直襲過來。

司馬乾暗運內力，推出一掌，擋開了沈木風的指力，道：「為什麼不讓她說下去？」

沈木風道：「咱們百花山莊私事家規，用不著別人來插手多管！」

鳳竹的背叛，似是大出了沈木風的意料之外，饒是他足智多謀，亦有些失去鎮靜，明知再讓鳳竹說下去，必是難聽無比，只有立時把她置於死地一途，當下不再理會司馬乾，袍袖一揮，兩縷藍芒，直向鳳竹射去。

司馬乾心中大急，隨手抓起了一個酒壺，急急投擲過去，人也跟著離座而起，向鳳竹身邊躍去。

就在司馬乾酒壺出手的同時，兩道寒星，電射而至，迎向兩縷藍芒。

但聞波波兩聲輕響，四枚暗器，盡落在鳳竹身前。

凝目望去，只見兩枚銀蓮子上，各釘入了一枚兩寸長的藍色毒針，場中群豪，大都看得心頭暗生震駭，忖道：這沈木風的腕力強勁如斯，竟能把兩枚毒針，釘入銀蓮子中！

這司馬乾已然衝向鳳竹身側，眼看沈木風兩枚毒針，已被人擊落，立時一個倒躍，飛回原來的座位之上。

沈木風雙目中冷芒如電，不住四下搜望，顯然是找那暗發銀蓮子的人物。

馬文飛暗暗忖道：這人武功不弱，竟然能無聲無息的發出了兩枚銀蓮子，擊落沈木風的毒針，不知是何許人物。

忖思之間，突聞一股疾風，呼嘯而至，一團白光，疾射而來。

原來，司馬乾投擲出手的大酒壺，不知被何人暗發內勁，硬給逼了回來，直向馬文飛撞了過來，馬文飛右腕一抬，摺扇張開，暗運內力，疾向那酒壺一搧。

那直飛而來的酒壺突受到強大的阻力，懸空打了一個轉，呼的一聲轉向沈木風飛了過去。

沈木風似是已被激怒，冷冷說道：「哪一位打出的銀蓮子，好叫兄弟佩眼，只可惜藏頭露尾，有失英雄氣度。」說話之中，輕描淡寫地舉袖一拂。

但見那飛向沈木風的大酒壺，滴溜溜在空中打了兩轉，陡然間，向前飛去，挾帶著一股勁風，掠飛七、八張席面。

忽聽一人朗朗大笑，道：「有酒壺，而無酒杯，豈不是大煞風景嗎？」

左手推出，迎著那飛來的酒壺一擊，正在向前疾飛的酒壺，忽然轉向右側而去，只見那發話人緊隨著一抬右手，兩個細瓷酒杯，緊隨著那酒壺後面，向前飛去。

酒杯和酒壺、保持著二尺左右的距離，飛出三、四丈，一直不變。

馬文飛凝目望去，只見那人一身灰白百綻大褂，乾枯瘦小，竟是失蹤十餘年，丐幫中碩果僅存的一位長老孫不邪，不禁心頭大喜，暗道：此老還活在世上，而且參與了這場英雄大宴，增加了不少實力，近二十年不見他，此老仍是那等形貌，不見老態，想他內功定然精進不少。

沈木風重重咳了一聲，道：「孫兄竟然也趕來此地，兄弟增光不少。」

說話時，遙遙抱拳一禮。

蕭翎知那沈木風驕傲狂大，目中無人，此刻忽然對那人如此敬重，不禁暗中留神，打量了

孫不邪兩眼。

孫不邪哈哈一笑，道：「怎麼？你可是嫌棄老叫化子命太長了？」

沈木風道：「孫兄本該死在二十年前才是。」

孫不邪笑道：「老叫化一生中，就是不願別人稱心滿意，你想要老叫化死，我就偏偏活上個三、兩百歲給人瞧瞧。」

只聽又一個高昂的聲音喝道：「大家都是要飯的，這個忙不能不幫，我說醉鬼呀！你倒是幫我一幫啊！」

蕭翎轉眼望去，只見那說話之人，正是飯丐，在他對面，坐著滿臉酒色的酒僧。

只見酒僧一瞪惺忪的睡眼，說道：「窮要飯的就愛多管閒事，我和尚可是不聽你的。」口中說著不聽，右手袍袖，卻疾拂面出，一股暗勁，帶轉那大酒壺，轉向飛去。

飯丐揮手拍出一掌，兩只酒杯，緊隨酒壺之後，轉向飛去，仍然保持著二尺左右的距離。

廳中群豪，大都是江湖中有名的人物，如是發出內力，帶動酒壺轉向而來，並非什麼難事，但加上這兩個酒杯，那就非一般人所能爲力了，除了有著特殊的造詣、自信之外，絕不敢輕易嘗試。

那酒壺、酒杯，飛出了四、五丈後，無人再行出手，力盡向下落去。

這時，突然見金花夫人右袖一抖，那力盡跌落的酒壺，突然由下向上一翻，疾向金花夫人手中飛旋而去。

金花夫人緊隨左手一拂一捲，一丈外的兩個酒杯也緊隨酒壺之後飛入了金花夫人的手中。

她很少在中原露面，廳中群豪，大都不認識她，但見一個美貌婦人，有此功力，都不禁暗中震駭。

沈木風哈哈一笑，道：「諸位之中，只怕有大部分不識這位巾幗英雄，兄弟替各位引見一下，這位乃苗疆第二高手，金花夫人，諸位想是久聞其名了。」

金花夫人嫣然一笑，道：「邊荒武學，登不得大雅之堂，還望諸位多多指教。」

右手掂掂手中的大酒壺，接道：「一壺美酒，棄之可惜，賤妾借花獻佛，敬那位孫兄一杯。」順手在酒杯中斟滿了一杯酒，食、中二指輕輕一彈，滿杯酒直向孫不邪飛了過去。

孫不邪哈哈大笑，道：「老叫化艷福不淺，竟得美人垂青，夫人既然不嫌棄老叫化的老醜，那是卻之不恭了。」伸手接過飛來酒杯。

金花夫人淡淡一笑，又把第二個酒杯斟滿，目光轉動，四下掃掠了一眼，笑道：「這杯酒，該奉敬馬總瓢把子才是。」左掌向前一送，酒杯直向馬文飛了過去。

這兩人距離雖近，但那酒杯卻緩慢異常，懸空打旋，有如蝸牛慢步。

馬文飛暗運內力，道：「多謝盛情。」伸手接住酒杯。

金花夫人端起自己面前酒杯，嬌聲笑道：「兩位請啊，賤妾奉陪一杯。」說罷舉杯就唇，當先一飲而盡。

廳中群豪，雖然大都未見過金花夫人，但卻久已聞她之名。

苗疆中人放蠱的事，早已傳揚於武林之中，這金花夫人乃苗疆第二高手，放蠱之能，自然是非同小可，以那孫不邪身分、武功，接過酒杯之後，也是不敢貿然喝下。

金花夫人飲乾了杯中之酒，看孫不邪和馬文飛仍端著酒杯不敢飲下，忍不住大笑起來。

孫不邪突然大聲喝道：「不得了，這酒杯之中，下有蠱毒。」揮手把酒杯摔在地上。

他見識廣博，豈肯爲那金花夫人言語激怒，但想到長時間把酒杯端在手中，實非良策，倒不如隨口揑造一件理由，摔去手中酒杯。

但聞砰的一聲，酒杯片片粉碎，酒滴濺飛，灑了一地。

這時，廳中所有人的目光，都投注在碎破酒杯之處。

但見碎裂破片中，突然躍起了一條其細如針，長約寸許的白色小蟲，盤空打轉。

孫不邪只瞧得心頭大震，暗道：好厲害的金花夫人，果然在酒杯裏做了手腳，老叫化如受不住她言語譏笑，把這一杯酒飲入腹中，這苦頭可是吃的大了。

原來他摔去手中酒杯時，並未發覺酒杯中有什麼可疑之處，料不到這酒杯碎裂之後，卻見到這樣一條小蟲。

馬文飛正感無法下台，眼見孫不邪酒杯中那白色小蟲，正好藉機下台，右手一揮，也把手中酒杯掉得粉碎。

群豪聞聲轉頭，目光又齊齊轉注到馬文飛摔破的酒杯上，看看是何變化。

哪知這次倒出了群豪意料之外，竟是毫無異樣。

金花夫人突然離座而起，蓮步姍姍地直向孫不邪身前行去。

對這位外貌美艷，心如蛇蠍的金花夫人，群豪都不禁生出了三分畏懼，眼看她款步行來，立時紛紛提氣戒備。

金花夫人行來看似很慢，其實行動快速異常，一瞬工夫，已到了孫不邪摔碎酒杯之處，伸出纖纖玉手一抄，竟把那白色小蟲給抓在手中，輕啓櫻唇，投入口中，活活吞了下去，嬌聲笑道：「可惜呀！可惜……」扭轉嬌軀，直回座位。

馬文飛眼看他酒杯破碎之後，不見異樣，心中暗道：是啦！她和那蕭翎是故交舊識，看在那蕭翎面上，才不肯加害於我。

經這麼一陣擾鬧，使那早已成竹在胸的沈木風，增加了不少煩惱，他千算萬算，卻未算出孫不邪和紫袍人竟也會趕來參與這場英雄大宴，這兩人武功高強，非同小可，整個計劃，都必得爲之調整。

這沈木風生性陰沉，才具梟雄，愈是遇上了困急危難的事，愈能保持鎮靜，不爲所亂，當下一探手，笑對鳳竹說道：「爲你這丫頭的事，不能耽誤我滿廳佳賓的時間，你先退下，容後再說。」

鳳竹這一陣冷眼旁觀，看廳中群豪竟有很多人敢和那沈木風爲敵作對，不禁膽氣一壯，當下高聲說道：「奴婢既然冒犯了大莊主的神威，已是難免一死，但奴婢在一口氣未絕之前，要把大莊主平日的作爲，當著天下英雄之面，說了出來，奴婢雖死，亦可瞑目於九泉之下了。」

沈木風心中雖是憤怒已極，但此刻的鳳竹，已是廳中群豪注意的目標，如是出手傷她，必有無數高人自動出手相護，除非全力施爲，不惜和群豪立刻翻臉動手，只怕是仍難以傷得了她，但爲一個小小女婢，牽動整個大局，沈木風自非願爲，只有硬著頭皮聽下去了。

只聽鳳竹高聲接道：「全莊中丫頭使女，只要稍有姿色，都被你用作採補，奪去貞操……」

沈木風哈哈一笑，道：「不知羞恥的丫頭，這等言語，你也說得出口，你可認爲廳中諸位武林中成名人物，被你血口一咬，他們就當真會相信嗎？」

鳳竹道：「我就是被害人之一。」

沈木風淡淡一笑，道：「這丫頭不知中了什麼人的暗算，已然神志不清，咱們不用理她……」目光一轉，望著旁側一個像貌俊俏的少年，接道：「兄弟今日邀請諸位，來此首要的一件事，就是要爲這位兄弟，引見天下英雄……」

大廳中起了一陣輕微的波動，有人凝目思索，有人低聲議論，都在猜想著此人是誰？

沈木風微微一笑，道：「他出道江湖的時日雖短，但聲名卻是震動一時……」

人群中突然有人接道：「可是那蕭翎嗎？」

沈木風道：「不錯，正是蕭翎，此刻……」

只聽鳳竹尖聲叫道：「他不是蕭翎。」

沈木風望了鳳竹一眼，不理會她，繼續說道：「此刻的蕭翎，已是兄弟這百花山莊中的三

莊主，日後在江湖上，還望諸位多多照顧……」

鳳竹眼看廳中群豪神情，大部分似都相信了沈木風的謊言，不禁心中大急，高聲叫道：「他真的不是蕭翎，諸位不要受他所騙。」

沈木風仍然是一臉和藹的笑容，說道：「這丫頭胡言亂語，分明是受人毒算已深，無藥可救，三弟去把她殺了，以正咱們百花山莊的戒規。」

那俊貌少年陡然站起，兩道目光凝注在鳳竹的身上，緩緩舉手，抓住了劍把。

蕭翎之名，震動一時，但場中群豪，卻大部未見過他的武功，但看他凝視鳳竹的森森目光，和那握劍姿態，頗似劍道中上乘功夫，他遲遲不肯拔劍，拔劍一擊時，必將是石破天驚，莫可抗拒。

鳳竹此時，倒是勇氣大增，尖聲說道：「我鳳竹今日縱然身受亂劍分屍而死，但能當著天下英雄之面，揭穿你沈木風為人的惡毒卑下，那也是死而無憾了。」

這時，那假冒蕭翎的俊俏少年一張微現蒼白的臉上，滿佈了一層紫氣，雙目中光芒逼人，長劍已然離鞘半尺。

馬文飛摺扇一抖，突然斜張一半，左手平胸，長長吸了一口氣，雙目中凝注在那假蕭翎的右手之上。顯然，他已然瞧出情形不對，準備全力擋他一擊。

司馬乾突然一撩衣襟，探手從懷中摸出一對金輪，分執雙手，平胸舉起。

這時，大廳中一片寂靜。

蕭翎右手伸入懷中，悄然戴上一隻千年蛟皮手套，準備必要時出手施援。

只見那假蕭翎右腕一動，長劍突然出鞘。

剎那間劍氣湧動，寒芒電射，白虹一道，直向鳳竹襲出。

馬文飛摺扇旋轉，飛起了一片扇影，一擋疾射而來的白虹。

寂靜的大廳中，響起了一陣輕微的波動之聲，那飛起的滿天扇影，突然一閃斂去。

緊接金芒閃閃，飛起一片黃幕，擋住了那衝破扇影而過的白虹。

只聽叮叮幾聲脆響，白虹、黃芒，一齊收斂不見。

外人看去，只見扇影、輪光和劍氣，一閃而逝，但當事人卻已是幾歷生死。

凝目望去，只見假冒蕭翎之人，臉上籠聚的紫氣，已然全部散盡，露出了羊脂一般的蒼白臉色。

馬文飛臉上，交錯著青白之色，右手抱著摺扇，鮮血已然濕透了半個衣袖，滴在地上。

司馬乾雙手金輪交錯前胸，喘息之聲全廳可聞，頂門上汗珠如雨，滾滾而下。

場中情勢很明顯，司馬乾和馬文飛都在這阻擋那俊美少年一擊中，用盡了所有之能，如是那人的劍勢，再增強幾分力道，兩人雖盡全力，都無能阻止那攻向鳳竹的一劍。

這時，三人都靜靜地站著不動，極力在爭取時間，運氣調息。

這是大風暴前的片刻平靜，更慘厲的一擊，即將開始。

但見那俊美少年臉上，泛起一層淡淡的紫氣，逐漸地由淡轉濃。

司馬乾頭上的汗水，也逐漸地消退不見，喘息聲也消失不聞。

坐在旁側的蕭翎，默察情勢，司馬乾和馬文飛已然難以再擋對方一擊，必得想個法子，暗中出手相助才是，但在眾目睽睽之下，要想不露痕跡的出手，卻是一件不大容易的事。

只見那勁裝少年臉上的紫氣，愈來愈濃，雙目中的神光，更見朗澈清明，顯示出，一次生與死的決鬥，即將展開。

馬文飛經過這一陣調息，睏倦大消，正開始思索對付眼下強敵的辦法，暗暗忖道：如能和他展開搏鬥，這鹿死誰手，還難預料，他這內功馭劍的一擊，自己卻是極難抵禦。

眼下唯一的求勝機會，就是在他馭劍之後，展開搶攻，和他一招一式的搏鬥，但必需在他真氣消耗，難再馭劍取敵之時，才能各憑真實本領一戰，可是這機會是那般渺茫難期。

忖思之間，那勁裝少年，已然發動，長劍一振，寒芒疾閃，直向鳳竹射去。

就在那少年發動的同時，司馬乾和蕭翎也同時發動。

司馬乾一振手中金輪，橫裏攻出，迫向那冷電飛掣的寒芒。

蕭翎暗暗發出修羅指力，一縷暗勁，疾射過去。

那少年劍芒先被蕭翎發出的修羅指力一擋，威勢大減，再吃司馬乾那疾轉金輪一擋，響起了一陣叮叮咚咚之聲，硬把劍勢封住。

司馬乾還以為這勁裝少年二度一擊，因內力不夠而威勢大為減弱，竟被自己輕而易舉的封擋開去。

但那假冒蕭翎的勁裝少年，卻是吃了很大的苦頭，蕭翎怕他劍勢凌厲，不易阻擋，因此這一指，用出了八成勁力，無形暗勁撞去的力道甚猛。

那勁裝少年只覺到手中的長劍，被一股猛大暗勁擊中，幾乎不能控制的脫手飛出，自是被金輪輕描淡寫地封擋開去。

馬文飛突然欺進了兩步，一拱手，道：「兄台劍招高明，在下想領教一下兄台的武功。」他口中雖然說得客氣，但卻已不容那勁裝少年答話，將手中摺扇一揮，一招「笑指南天」，摺扇一合，點了過去。

這時，那勁裝少年臉上的紫氣，已全部散去，露出了一張慘白沒有血色的面孔。

只見他橫起一劍，擋開了馬文飛的摺扇，但卻不肯還手搶攻。

馬文飛哈哈一笑，道：「兄台怎麼不出手啊！可是累得打不動了？」

喝叫聲中，摺扇展開了一輪急快的攻勢，忽而合扇點出，忽而張扇橫削，一把摺扇兼作刀、劍，以及點穴的判官筆用。

那勁裝少年，似是在兩次擊敵中，用盡了氣力，封架馬文飛的摺扇，顯得有些力難從心，交手不到十回合，那勁裝少年已有些手忙腳亂，應接不暇。

沈木風眼看局勢危急，再打下去，不出二十招，那假冒蕭翎之美少年，定然要傷在馬文飛的摺扇之下，不禁心中大急，厲聲喝道：「住手！」

那勁裝少年，正欲藉機收劍退出，卻被馬文飛摺扇一緊，逼在一片扇影中，欲罷不能。

沈木風眼看喝止無效，心頭大怒，暗道：這馬文飛如此可惡，非得給他一點苦頭吃吃不可，舉手輕輕一彈，緩緩坐了下去。

只見左面一處席位之上，響起了一聲冷笑，道：「倚多為勝，算不得英雄人物。」

喝聲中，一條紅色軟索飛來，疾向馬文飛撞去，馬文飛回扇一擋，那勁裝少年，卻藉機收劍而退。

那伸來的紅色軟索，也不知是何物做成，可軟可硬，馬文飛揮扇一擋之下，那軟索突然收了回來，看樣子，並無真和馬文飛動手之意，旨在解那勁裝少年之危。

那假冒蕭翎的勁裝少年，疾退五尺，但並未回歸席位，凝神而立，運氣調息。

顯然，他心有不甘，準備再戰。

而馬文飛強忍傷痛一番惡戰之後，傷口迸裂，鮮血不停地湧出，染濕了半邊衣衫。

蕭翎默察廳中群豪，很明顯地分成了兩大壁壘，只是彼此都還未瞭解對方內情，暫時隱忍不發，正面和百花山莊為敵之人，只有自己和馬文飛等三人，當下暗施傳音之術，說道：「司馬兄，請勸回馬總瓢把子，暫時忍耐一、二，目下時機未熟，不宜再鬧下去。」

司馬乾對蕭翎早已心生敬服，聽他傳言相告，立時縱聲笑道：「馬兄，咱們回席位去。」

馬文飛知他之言必有用意，而事實上，自己因失血過多，也難再硬拚下去，目光一掠鳳竹，低聲說道：「鳳姑娘，也請退回席位上吧。」

幾人迅快地回到席位上，坐了下去。

馬文飛雙目一掠左面第二桌席位上的一位黑衣老者，低聲問道：「司馬兄，可識得那人嗎？」

司馬乾搖頭道：「不認識。」

蕭翎心中記憶甚清，那兩人正是昨夜同赴洗塵晚宴的關外黑、白二老，但因格於自己裝扮的身分，不好隨後接口，只好悶在心中不語。

這時，那勁裝少年，臉上又泛起一片濛濛紫氣，很快濃布全臉。

司馬乾暗暗吃了一驚，道：這人好精深的內功。

只見他一揚手中長劍，冷冷說道：「蕭某人還想領教馬總瓢把子的武功。」

這等指名挑戰，馬文飛就算明知必敗，也不能當面示弱，笑道：「當得奉陪。」

司馬乾卻搶先一步，離開席位，道：「馬總瓢把子身分尊貴，在下代爲奉陪一陣如何？」

那勁裝少年手中長劍微一顫動，登時閃起四朵劍花，冷冷說道：「你既要代他受死，那就請快亮兵刃。」

司馬乾心知他那劍術，凌厲異常，如若憑自己一人之力，實是難以接得下來，但既已答應，也只好硬著頭皮走了出去，取出懷中一對金輪，雙手分握。

蕭翎看那勁裝少年臉上的紫氣，已然十分濃重，心中暗自盤算，道：此人不知習的什麼武功，看來極似左道邪門，他連番擊襲，每次都把力道用盡，怎的回復如此之快，這司馬乾武功雖然高強，只怕也難擋一擊，怎生想個法子，助他一臂之力才是……

忖思之間，瞥見那勁裝少年長劍一抖，刺了過來。

這次，他竟是不再施展馭劍術施襲。

司馬乾畏懼他的，就是他那馭劍之術，見他揮劍擊來，不禁心中大喜，左手金輪推出一招「白鴿舒翼」，封開了劍勢，右手金輪「腕底翻雲」，斜裏攻出。

那勁裝少年長劍「玄鳥劃沙」，噹的一聲，震開金輪，隨手攻出三招。

剎那間，輪光、劍影，交織一片，展開了一場龍爭虎鬥。

蕭翎眼觀四方，一面留心著場中搏鬥的情形變化，一面留心著沈木風的舉動。

那司馬乾手中金輪的招數，十分凌厲，鬥到二十個照面，已然控制了大局。

只見沈木風微微一皺眉頭，嘴唇啓動，周兆龍突然離開了席位。

蕭翎趕忙也施用傳音之術，低聲對馬文飛道：「馬兄請多多留心那周兆龍的舉動。」

馬文飛全神貫注在司馬乾和勁裝少年搏鬥之上，聞言驚覺回頭一望，果見那周兆龍已離席悄然而去。

就在馬文飛分心旁顧之際，場中的搏鬥，已起了急劇的變化。

原來司馬乾和那假冒蕭翎之人惡鬥了二十餘個照面，已然摸準了對方的劍招，左手金輪突然施出一招「雲封五嶽」，冒險封住了對方左面的劍勢出路。

他守攻於先，除非是算準了對方的劍招，實乃高手過招的大忌。

卅八　輪轉大陣

如若那勁裝少年劍勢突由右面攻出，司馬乾整個半身要穴，將盡暴露在對方的劍勢之下，縱然不能傷在劍下，亦將被迫得手忙腳亂，盡失先機。

哪知，對方的劍路，竟是被他料中，果然從左面攻來。

司馬乾心中大喜，右手金輪迎面一招「飛鈸撞鐘」，擊向前胸。

那勁裝少年一提真氣，陡然向後退出兩步，避開了司馬乾金輪一擊。

哪知司馬乾右手一鬆，手中金輪突然脫手飛出，急如流星，一閃而至。

這飛輪之技，乃司馬乾金輪招數中的一絕，那勁裝少年驟不及防，被金輪擊中了前胸，悶哼一聲，吐出一口鮮血，一跤跌倒在地上。

全場中的英雄，無不暗暗讚歎司馬乾飛輪之技的凌厲。

只見沈木風緩緩站起身子，高大微駝的身軀，直對司馬乾走了過來。

蕭翎吃了一驚，暗道：這沈木風的武功奇高，舉手投足之間就要傷人，只怕司馬乾受不了他的一擊！

凝目望去，只見沈木風伏下身子，仔細地查看了一下假蕭翎的傷勢，突然舉手一招。

但見兩個青衣勁裝少年，抬著一個軟榻，急步奔了過來，抬起那假冒蕭翎的少年急急而去。

全場中人的目光，一齊投注在沈木風的身上，想他心痛蕭翎之死，必將對那司馬乾出手施襲。

哪知完全出了群豪的意料之外，兩個抬軟榻的青衣少年抬走了假蕭翎，沈木風竟然也自行轉回席上。

忽聽一聲朗朗大笑，震撼敞廳，道：「想不到大名鼎鼎的蕭翎，竟然是如此的無用，經不起別人一擊，這江湖上的傳言，當真是不能相信。」

馬文飛轉眼望去，只見那說話之人，一身玄色長衫，又細又高，臉色淡黃，說完，又是一陣哈哈大笑。

馬文飛心中暗道：此人不知是何許人物，看來亦不像中原道上同道。

沈木風緩緩把目光投注到那發話之人的身上，冷笑一聲道：「兄台何人？」

那人揚了揚倒垂的八字眉，冷笑一聲，道：「兄弟無名小卒，這姓名不說也罷。」

沈木風果是有著過人的氣度，望了那人一眼之後，竟又忍了下去，目光緩緩掃掠了敞廳一眼，放聲說道：「在下這位兄弟，雖然重傷在別人手下，但那只怪他學藝不精，縱死無怨……」語聲微微一頓，接道：「我百花山莊今日請的都是我沈某人的朋友，卻不料有很多自恃豪強的武林同道，明賴暗混的進入我百花山莊，而且來和我沈木風為難，這一來兄弟就算度量

再大些，也是難以忍受。」

他目光掃過全場，無一人接口說話。

沈木風淡淡一笑，續道：「退一步講，我沈某人承諸位看得起，肯以賞光駕臨，縱然是明賴暗混而入，但兄弟也不願追究，只要能夠安分守己，混頓酒菜，在下還招待得起，但如想恃強生事，卻是叫人難容，因此，兄弟想出個兩全其美的辦法，但不知諸位是否同意？」

只見人群中有人叫道：「大莊主有何高見，我等洗耳恭聽。」

沈木風突然提高了聲音，道：「這辦法簡單得很，如是願和沈某為友，勞請站起來走向我沈某人身後另一座篷席中去，那裏自有好酒好菜招待朋友，如是不願和沈某為友，但亦不願為敵，勞請移向左面席位……」

他聲音又為轉低沉地接道：「如是要和我沈某為敵，那就走向右面席位。諸位都是江湖成名人物，自不會魚目混珠，實敵虛友。」

沈木風話完落座，大廳中鴉雀無聲，良久之後，突然黑、白二老當先起立，直向沈木風身後而去。

這兩人帶頭行動，群豪紛紛相隨，片刻之間，大廳中雲集群豪，倒有一大半起身而行，直奔沈木風身後行去，隱入一層布幔之後不見。

右面席位上的群豪，大都站起，行到左面席位上。

蕭翎心中一動，暗道：這方法看似平淡，實則毒辣無比，利用武林人物那信用二字，先把

敵、我和中間人物，分個清楚，再行集中全力，對付敵人，然後再設法對付中間人物，這是各個擊破的辦法。

這時，右面席位上，只餘下寥寥數人，除了馬文飛、司馬乾等一桌之人，還有一個孫不邪，和幾個面目陌生的人。

最使蕭翎不解的是，昨夜洗塵晚宴上，還和沈木風拚得你死我活的四川唐家掌門人，唐老太太，竟然也由右面席位上，移到了左面席位上去，這一夜之間變化，竟是如此之大。

馬文飛暗數右面席位上之人，總共還不足十人之數，心中大是駭異，暗道：群豪濟濟一堂時，還不覺得什麼，這等一分敵我，反而顯得是這般人單勢孤。

只聽鳳竹低聲說道：「沈木風改了主意，想是因爲那假冒蕭翎之人的傷死，大出了他意料之外的緣故，把暗襲的做法，改作了速戰速決。」

馬文飛點頭應道：「不錯，首當其衝只怕是咱們這一桌。」

蕭翎暗作盤算道：如是沈木風明目張膽的下令，向我們進攻過來，我這僕從的身分，是勢難保存得住了……

馬文飛等人正在商議如何應付沈木風的進攻，突聽一陣虎嘯龍吟般的大喝，道：「沈莊主，老要飯的一直就坐在左面，可是又不想和沈大莊主交朋友，不知該如何是好？」

蕭翎凝目望去，發覺那說話之人，正是飯丐。

沈木風淡淡一笑，道：「如是想和我沈木風爲敵，那就請到右面席位上坐。」

飯丐冷冷說道：「當真是費事得很。」站了起來，直向右面席位上走去。

酒僧半戒，也緊隨飯丐之後，站起身來，行了過來。

兩人挺胸抬頭，大步行到右面席位之上，坐了下去。

雖只是酒僧、飯丐兩個人，但給予馬文飛等精神上的慰藉，卻是很大，但見左面席位突然站起了七、八個人，一語不發地走到了右面席位上來。

馬文飛細看來人都是素不相識。

沈木風眉頭微微聳揚，哈哈大笑，道：「還有要和我沈木風爲敵之人嗎？快請到右面席位上去。」

只聽一人大聲喝道：「生死有命，就算和沈木風交上朋友，也未必就有什麼好處。」隨著那大喝之聲，又有兩個五旬左右大漢，走入右面席位之上。

這兩人馬文飛倒是識得，乃是泰山二虎宋氏兄弟。

沈木風目光一掠左面席位上的群豪，哈哈一笑，道：「就兄弟想來，這左面席位之上，恐怕還有想和兄弟爲敵之人，那就請過右面如何？」

果然，左面席位上，又響起一聲冷笑，道：「人家沈大莊主既是無意和咱們交友，咱們這等高攀，豈不是比死了更爲難過嗎？」

語聲甫落，又站起四條大漢，直向右面席位上行來。

蕭翎心中暗道：眼下所有的人，大都相信如是和那沈木風爲敵，十九是難以活命，眼下要

想個什麼辦法，使他們心中瞭然，縱然和那沈木風爲敵，也未必死得了。

但見沈木風臉上一片肅穆之色，緩緩道：「還有嗎？」

他一連喝問數聲，左面席位再無行動之人。

蕭翎暗中留神那紫袍老人的舉動，但見他仍靜坐不動，心中好生奇怪，暗道：他如是沈木風的朋友，就該行入沈木風身後另一座篷帳中才是，如是那沈木風的敵人，那就該坐到右面席位上來，以他身分，難道竟也是不敵不友，坐觀虎鬥的人物不成。

但見沈木風目光一轉，望著左面席位上的群豪，冷笑道：「諸位雖不肯折節和我沈某下交，但能不和我沈木風爲敵，我沈某人仍是照樣感激……」

語聲微微一頓，接道：「既然是彼此之間，已叫明了，互相爲敵，那就是說，彼此勢同水火，決難兩立……」

只聽酒僧半戒高聲接道：「沈大莊主，也不用講這些大道理了，和尚時限已到，有些等得不耐煩了，還是請沈大莊主早些超度我和尚到西方極樂世界吧！」

他終日裏帶著七分醉意，講起話來，口沒遮攔，別人只道他是講的醉話，其實此人心細如髮，早已留神到沈木風在借說話時機，分散群豪心神，準備暗中施展手腳。

只聽飯丐冷笑一聲，接道：「沈大莊主也不用口是心非，只說冠冕堂皇的話了，還是堂堂的劃下道兒，大家一刀一槍的比個生死出來。」

沈木風道：「兩位好像是心中很急？」

飯丐冷冷應道：「沈大莊主詭計多端，咱們是不得不防。」

沈木風道：「好！諸位遠來是客，如何比試，還望諸位出題，文比武打，拳掌兵刃，只要諸位說得出口，我沈某一定奉陪。」

半晌不講話的孫不邪，突然接口說道：「老叫化倒有個主意。」

沈木風道：「領教高見。」

孫不邪目光一掠右首席位上的群豪，只不過寥寥十幾個人，微微一笑，接道：「敵我之間的人手，相差十分懸殊，可說是一場勢不均、力不敵的搏鬥，你沈大莊主如若是自負英雄人物，咱們就訂下三陣決勝負的東道。」

沈木風搖頭笑道：「打賭的事，兄弟是素不願爲，孫兄之請，實是歉難照辦。」

孫不邪哈哈一笑，道：「你沈大莊主之意，可是倚多爲勝嗎？」

沈木風淡然一笑，道：「兄弟之意，是力求公平，與會英雄不下數百人，如若只以區區三陣，判定勝負，那未免太過草率，也不知要埋沒多少人材，兄弟之意，你們有幾個人，咱們就比試幾陣，生死勿論。」

孫不邪心知他想借這一戰，全殲爲敵之人，縱然是不能如願，至少可剪除大半，一時間甚難答覆，沉吟不語。

要知這孫不邪不但在丐幫中是一位碩果僅存的長老，就整個江湖而言，亦可當德高望重、功強輩尊之稱，只是目下群豪，身分龐雜，肯否聽他之言，還難預料，是以並不敢擅作主意。

沈木風目光轉動，接道：「連同孫兄在內，貴方共有一十五人，咱們就以十五陣分決勝負如何？」

孫不邪掃視了群豪一眼，道：「這個老叫化也是難作主意。」

只聽泰山二虎叫道：「咱們公推孫老前輩主持大局。」

群豪齊聲相應。

孫不邪哈哈一笑，道：「老叫化是恭敬不如從命了……」

目光轉注到沈木風的身上，道：「貴方人多，這等打法，亦非公平之論。」

沈木風道：「孫兄意欲何爲呢？」

孫不邪道：「咱們人數少，如是有所傷亡，也就是傷亡一個少一個，不像你們百花山莊有的是武林高手、效命徒兒，死上百兒八十個人，不當他一回事。」

沈木風冷冷接道：「孫兄意欲如何？快請決定，兄弟已然等得不耐煩了。」

孫不邪道：「既是不能分由三陣以決勝負，咱們乾脆來一個群打群戰算了。」

沈木風道：「混戰嗎？」

孫不邪道：「咱們旨在衝出你這百花山莊。」

沈木風冷笑一聲，道：「怕的是諸位來時容易去時難。」

孫不邪道：「老叫化一生中就不信邪。」

蕭翎心中暗打主意，道：我套上蛟皮手套，暗中想辦法接應群豪就是。

突然沈木風一聲長嘯，道：「諸位想走就走，也未免太小看我沈木風了。」

餘音未落，敞廳四周的門口，突然湧現無數黑衣武士，手中兵刃，閃閃生光。

孫不邪目光一掠酒僧、飯丐，說道：「兩位請跟著老叫化，當先開路。」

那酒僧立刻起身說道：「老前輩居後接應，我和尚和飯丐沈鐵鍋共打頭陣。」

沈鐵鍋應聲而起，和酒僧連袂飛躍，搶在那孫不邪的前面，昂首挺胸，直向廳外行去。

蕭翎默察形勢，一場激烈的惡戰，即將展開，似乎沈木風已然變更了原來計劃，準備硬以武功，力拚群豪，這一來，他和那馬文飛原先預定的計劃，勢難再用，於是趁混亂的局勢，暗施傳音之術，低聲說道：「馬兄，情勢演變，似是已快過了咱們預計的時限。」

馬文飛道：「不錯，看情形已然難以等到晚上，奇怪的是，中州二賈和那彭雲、向飛等，始終不見露面。」

蕭翎道：「也許他們還沒有混進百花山莊。」

馬文飛道：「中州二賈，已非易與人物，那神偷向飛，更是智謀百出，說他們混不進百花山莊，實是有些叫人難信。」

蕭翎道：「可是目下形勢，已難再作等候，如不趁此動手，只怕難再有動手的機會了。」

馬文飛道：「兄弟之意，不宜操之過急，無論如何，先要和向飛等聯絡上之後再說。」

蕭翎心中一片紊亂，拿不定主意該如何才好。

抬頭看去，只見酒僧、飯丐已然逼近了敞廳門口，廳門外兵刃閃光，早已佈滿了黑衣武士。

看情勢，只要酒僧、飯丐衝出廳門，立時即將展開一場大戰。

孫不邪突然停下身子，低聲說道：「停下！」

酒僧已跨出廳門，飯丐也取過背後的大鐵鍋，即將準備出手，聽得孫不邪呼叫之聲，立時停了下來。

但見孫不邪黑瘦的面容上，泛起了一陣紅色光彩，兩道森寒的目光，緩緩由廳中右席群豪臉上掃過，道：「諸位如是跟著老叫化走，至少是多有幾分生機，如等待老叫化子去後，諸位再想破圍而出，只怕其間的艱難，尤過此刻許多。」

果然，這幾句話，發生了效用，右面席邊之人，突然又站起三人，大步行了過來。

蕭翎心中一直猶豫難決，是否該立刻動手，但眼見廳中群豪盡是些氣喪膽怯之輩，不禁激起豪壯之心，低聲說道：「馬兄，咱們去為那孫不邪壯壯行色吧！」

馬文飛道：「以那孫不邪在武林輩份之尊，聲望之重，竟然號召不起與沈木風抗拒的武林同道，如是咱不幫幫場，那孫不邪實也無法下台了。」霍然站起了身子。

司馬乾點點頭，自言自語地說道：「毛病就出在昨晚一夜之中了！」撩起長衫，取出金輪。

鳳竹低聲說道：「賤妾自知武功不濟，但也不願坐以待斃。」

馬文飛笑道：「好！這個給你。」右手在長靴之上一探，摸出來兩把鋒利的匕首。

鳳竹接過匕首，嫣然一笑，道：「馬爺厚愛，賤妾來生願爲雞犬以報。」

司馬乾雙輪一振，高聲說道：「畏刀避劍，苟生一時，只怕終生一世，都將永受奴役，豈不是生不如死！可笑武林道中，就有著這麼多貪生怕死的人！」

他這番話自言自語，但卻聲如宏鐘，全場可聞。

右面席位上排坐的大部群豪，都聽得聳然動容，面現愧色。

馬文飛搶行離座，昂首挺胸，直向敞廳的門口行去。

蕭翎緊隨在馬文飛的身後，鳳竹緊依蕭翎身後而行，司馬乾手執金輪，殿後而行。

孫不邪哈哈一笑，道：「咱們共有十幾人，抗拒百花山莊的數百高手，不論這一戰的勝負如何，這份豪壯之氣，也足以震動武林了！」

這當兒，突聞一人大喝道：「大丈夫生得光明磊落，死也該轟轟烈烈，天下難道還有比死亡更難的事，在下也算一份。」

只見右面席位上又站起一條大漢，奔了過來。

這一來，立時激起了一股奮發之聲，右面席位上，餘下七、八個人，一齊站起，拔出兵刃，行了過來。

孫不邪縱聲大笑一陣，道：「今日咱們如能衝出百花山莊，諸位英雄之名，從此將震動江湖，如是不幸埋骨於斯，江湖上亦將長留下諸位勇士之氣。」

這幾句話，自蘊著一股激厲豪壯之氣，只聽得群豪意氣飛揚。

馬文飛沉聲說道：「孫老前輩德高望重，還望能主持大局。」

孫不邪道：「老叫化義不容辭……」語聲微微一頓，道：「對方人多，咱們既不能和他們單打獨鬥，亦不能和他們一對一的硬拚，因此老叫化想出了一個拒敵之陣，咱們以兩人爲陣之軸，接應四面八方，東、南、西、北四面，各以兩人聯手拒敵，合計八人，另外之人，布作內陣，隨時塡空補隙。」

司馬乾道：「好辦法，這叫作輪轉大陣，正適合今日之局。」

孫不邪望著司馬乾，道：「那就勞請閣下爲左翼之主。」

司馬乾道：「在下全力以赴。」

孫不邪轉望馬文飛，道：「久聞馬總瓢把子爲江湖後起之秀，今日一見，氣度果是不凡。」

馬文飛道：「老前輩過獎了。」

孫不邪道：「那就勞請馬總瓢把子爲右翼之主。」

馬文飛道：「敬領大命。」

孫不邪目光一掠酒僧牛戒和飯丐沈鐵鍋，道：「兩位爲前陣之主，首當鋒銳。」

酒僧、飯丐齊聲應道：「敬謹領命。」

孫不邪道：「老叫化和這位鳳姑娘，居中接應各位。」

司馬乾望了蕭翎一眼，心中暗道：這大大有名的丐幫一老，竟然是看走眼了嗎？這樣一位

了不起的人物，竟然未能瞧得出來嗎……

要知蕭翎伴做馬文飛的僕從之人，爲了配合身分，不敢過露鋒芒，一直把雙目中神光隱去，孫不邪雖是老江湖，竟然也未瞧出來。

孫不邪目光轉注兩個身體魁梧的大漢身上，說道：「勞請兩位爲後陣之主。」

那兩個齊齊應了一聲，拔出兵刃，站了方位。

孫不邪就餘下之人中，又選了兩個武功高強之人，去補助那左、右二翼，然後高聲說道：「尚未經老叫化分派職位的，請自行分成小組，二人一組，分佈在四面，外陣如有傷亡，立時自動遞補。」

沈木風一直冷冷看著孫不邪派遣人手，組成突圍拒敵的方陣，口中雖然不言，心中卻是暗暗地讚佩道：這老叫化不但武功超人，而且深諸謀略，虧他想得這等一個輪轉陣來，使武功強弱不同的人，能夠彼此平均起來，由他居中接應，倒是人盡其能的一種打法。

這時，整個輪轉大陣，已然布成，各處方位上的群豪，已拔出兵刃，準備廝殺。

蕭翎估計了一下四方實力，悄然行到陣後的遞補方位上。

在他想來，那孫不邪能夠照應前面和左、右二面，已是大不容易，這後陣定然是全陣最弱的一環，自己如若單獨照應後陣，找機會暗中施展手腳，或能保持身分不洩。

孫不邪只待內陣群豪選定方位之後，才高聲說道：「今日之戰，不止是榮辱所關，而且更是生死所繫，尚望諸位能各盡全力以赴……」

右手一揮，當先發出一掌，接道：「全陣緩行，闖出廳去。」

只聽掌力隨著呼嘯之聲，直撞過去，攔在門口最先一個黑衣武士，首先遭殃，吃孫不邪掌力擊中，慘叫一聲，鮮血噴出，摔倒在地上。

他心想先樹威勢，來一個先聲奪人，是以，劈出的一掌，用出了八成以上功力，那人自是當受不起。

酒僧半戒大袖一揮，緊隨著發出內家真力，橫裏掃了出去。

飯丐早已取過了背後的大鐵鍋，舉鍋一擋，一片叮叮咚咚之聲，把攻向酒僧的兵刃盡數接了下來。

酒僧雙掌迭施，連發八掌，衝開一條血路，出了敞廳。

這時，敞廳外的黑衣武士，除了組成一片刀光劍影，阻擋酒僧、飯丐之外，另外分出了一部分，分由兩側，攻了過去。

司馬乾揮動金輪，嚴守左翼門戶，不求有功，先保無過。

馬文飛守右翼，也是以守爲主，力求穩住全陣。

主守後陣的兩個大漢，武功雖然較差，但只守不攻，亦可勉強對付。

孫不邪運功蓄勢，目光炯炯的四下掃射，只要發覺哪一方不支之狀，立時將出手施援。

陣中群豪，大都把精神集中在對敵之上，只有蕭翎超然事外，放目於四周，觀大勢變化。

這一留心觀察，立即發覺了情勢不對，那些環繞於四周的黑衣武士，似是並未全力搶攻，

只是邊戰邊退，分明在誘敵深入，不禁心中大急，暗施傳音之術，說道：「孫老前輩，情勢有些不對，敵人似在誘我深入，咱們不能隨他們進入埋伏。」

孫不邪霍然警覺，抬頭打量了一下四周形勢，果然發覺那些黑衣武士，似是存心誘群豪進入正東方一片花樹林中，不禁吃了一驚，暗道：如非此人暗施警告，老叫化將在不知不覺下，中了沈木風的詭計。

心中念頭轉動，不自禁地回顧蕭翎一眼。

蕭翎卻已把精神貫注在激戰之上，生似適才的警告之言，並非是出自他的口中。

這時，孫不邪已發覺蕭翎星目中不時閃出冷電一般的神芒，心中暗道了一聲：慚愧，這樣一位身懷絕技之人，我竟然沒有發覺……

只聽一聲厲嘯傳來，四面的黑衣武士，突然加強了壓力攻勢，刀、劍交織，有如重波疊浪，洶湧而來。

蕭翎目光轉動，只見四面圍攻的黑衣武士，層層重重，不下二百，心中亦是暗自驚駭。

孫不邪右掌遙遙擊出，發出一記劈空掌力，一阻左翼敵勢，沉聲說道：「轉向正西衝出。」

酒僧、飯丐似亦早就覺出了不對，雙雙大喝一聲，帶轉陣勢，向西衝去。

飯丐鐵鍋揮舞開來，有如一片烏雲，只聽叮叮噹噹之聲，不絕於耳，排山而來的刀山劍林，盡為震盪開去。

酒僧運掌如風，配合著飯丐的鐵鍋，連續發出拳風掌力。

兩人攻勢雖然猛烈，但那些黑衣武士剽悍絕倫，寧死不退，雖被酒僧、飯丐傷了三人，仍是無法向前衝進一步。

這時，左、右二翼和殿後，同時受到那些黑衣武士的瘋狂猛攻，司馬乾、馬文飛盡展所能的輪擊、扇削，勉強穩住兩翼陣角。

但衛守後陣的泰山二虎，卻已是應接不暇，中劍受傷。

但兩人強忍傷疼，浴血苦戰，傷而不退。

這時，那內陣中準備遞補的大漢，已然揮動兵刃出手，以補泰山二虎的不足，這輪轉大陣，雖非什麼奇異大陣，但用以少拒多，倒是恰當得很。

蕭翎眼看四周壓力強大，那些黑衣武士中，竟有著不少武功奇高之人，如非孫不邪隨時出手相救，這輪轉大陣，只怕是早已傷亡殆盡，為人破去了。

孫不邪似是未料到這百花山莊之中，竟然潛有著如許之多的武林高手，心中暗暗震驚，忖道：看將起來，今日如想衝出這百花山莊，實非一件容易的事！

但覺四周的壓力，愈來愈是強大，全陣已難再移動分毫，而且陣勢也逐漸地開始縮小。

突然間響起了一陣悶哼！和馬文飛搭檔，護守側翼的一個武林同道，中了一劍，傷及要害，當場倒了下去。

那守候內陣上的大漢，立時衝上一步，填補了空下的位置。

這是一場武林中罕見的群打惡戰，看得人觸目驚心！

在這等險惡的情勢之下，蕭翎不得不出手相助泰山二虎了，於是暗中連發修羅指，擊斃了七、八個黑衣衛士。

原來最爲緊急的後陣，在蕭翎全力維護之下，反而穩定了下來，兩翼壓力反告漸呈緊急。只聽兩聲慘叫傳來，兩翼副手，又受了重創倒下。

鳳竹和另一個黑衣大漢，立時遞補了上去。

這慘烈的激戰，又延續一個時辰，四面圍攻的黑衣武士，雖已有了很大的傷亡，但孫不邪這輪轉大陣，也已殘破不全。

泰山二虎雖然得蕭翎全力相助，但兩人打到後來，已是內力不支，再加上失血過多，已是無再戰之能，只好退了下來。

蕭翎不得不和另外一個副手，遞補上去，正面出手。

他爲了要隱蔽自己的身分，不能鋒芒太露，從那黑衣武士手中奪過一柄劍，揮展劍勢拒敵，但只求擋住敵人攻勢，卻不再施展辣手傷人。

又纏鬥頓飯工夫，和蕭翎並肩拒敵的大漢，突然被斜裏刺來一劍，中了要害，當場死亡，蕭翎警覺要待救援，已自不及！

輪轉大陣因群豪的傷亡過重，已呈殘破不全之狀，鳳竹受傷，馬文飛、司馬乾、沈鐵鍋也都各中一劍，一則因三人內功深厚，及時運氣止血，二則傷勢不重，都還有再戰之能，但功力、招術上，都已打了折扣。

全身未傷的，只餘下孫不邪、酒僧㸦戒和蕭翎。

孫不邪雖然連出絕技，傷了二十餘名黑衣武士，但對方人數，卻是愈打愈多，傷亡者立被抬下，生力軍立刻補上。

孫不邪長嘯一聲，高聲說道：「咱們今日雖是戰死此地，但卻使英名長存武林，老叫化當先開路，馬兄和司馬兄，請全力保護重傷的人。」

正待飛躍出陣，突聞鳳竹柔弱的聲音說道：「老前輩，前面有花樹奇陣阻路，內藏機關，縱然能衝破這黑衣武士，也難出百花山莊。」

她急急喘息了兩聲，接道：「眼下之策，只有先行佔據一處可以堅守之地，暫作休息，再行設法衝出去。」

孫不邪怔了一怔，暗道：不錯啊！如是強行衝出百花山莊，只怕難以留下一條性命！當下問道：「姑娘可知何處有可守之地嗎？」

鳳竹突然圓睜雙目，四顧了一眼，道：「向東面衝出五丈外，一片花樹林中，有一座青石砌成的石堡，咱們如若能夠佔得了那石堡，就可以憑險相抗了。」

她一口氣，說完了胸中之言，只累得連聲喘息，傷口處鮮血泉湧。

原來，她只顧說話，無能再運氣止血。

蕭翎疾出，點了鳳竹兩處穴道，止住她傷口處泉湧的鮮血。

右掌閃電一般劈出八掌，擊傷了兩個黑衣武士。

幸好，四周的黑衣武士，層層重重圍得甚密，沈木風無法看到蕭翎，如是被沈木風看到蕭翎這連環閃電掌法，定可認出他的身分。

四周群擁而上的黑衣武士，雖然傷亡很重，但他們人數眾多，而且個個剽悍絕倫，奮勇爭先，前仆後繼，不肯稍息。

馬文飛、司馬乾，連同酒僧、飯丐，都成了勉可自保的形勢，保護泰山二虎和鳳竹的責任，全落在蕭翎和孫不邪的身上。

好在那孫不邪武功高強，內力深厚，發出的掌力，一掌強過一掌，迫得那些黑衣武士不能近身。

蕭翎雙手都套上了千年蛟皮手套，不畏刀劍，一面發掌拒敵，不時又暗發修羅指力，看上去雖不似孫不邪那般掌力雄渾，威風八面，但卻以他傷人最多。

激鬥之中，突聞孫不邪大喝一聲，雙掌平胸推出，一股強大無比的潛力，排山倒海地湧了過去，四個逼近身前的黑衣武士，吃他這強大的掌力，震得向後面倒下。

凶猛的攻勢，頓時一緩。

孫不邪藉機大聲喝道：「咱們衝向正東，老叫化子開路！」

他經過一番思索之後，亦覺出只有先行佔領一處堅牢可守之地，才可得幾分生機，突然轉向正東衝了過去。

馬文飛、司馬乾齊齊大喝一聲，奮盡餘力，長劍、金輪威勢大增，分護孫不邪左、右二翼，向前闖去。

泰山二虎，受傷最重，眼看群豪浴血苦戰，忍不住長歎一聲，道：「諸位不用管我們兄弟了，自己走吧！」

酒僧縱聲長笑，道：「我和尚大半輩子，和人動手不下數百次，可是從沒有今日打得這般痛快。」

右手發掌，左手取過酒葫蘆，以數十年渾厚的內力，噴酒傷人。

只聽幾聲慘呼，四、五個黑衣武士，左手掩面，倒拖長劍而退。

這一來，後面擁上的黑衣武士，反被後退之勢阻攔。

酒僧狂笑聲中，探手一把，抱過了泰山二虎中的老大。

飯丐右手掄動鐵鍋，震盪五柄攻來長劍，左手一伸，抱起了泰山二虎中的老二，緊隨在孫不邪、司馬乾、馬文飛三人布成的三角陣式之後。

蕭翎一皺眉頭，低聲問道：「姑娘可以走嗎？」

鳳竹這時已瞧出蕭翎雖穿僕從衣服，實是一位身懷絕技的高人，當下應道：「不要爲小婢拖累，請不用管我了。」

蕭翎道：「豈可不管。」左手一探，抱起鳳竹的嬌軀，右手卻施展空手入白刃的絕技，奪過一柄長劍，冷哼一聲，長劍推出，有如白雲舒展，長虹經天，血雨濺飛中，生生把兩個逼近

身側的黑衣武士攔腰斬做兩段。

這一陣工夫，蕭翎掌劈指點，連傷二十餘人，那些黑衣武士，雖然勇猛，但眼看蕭翎出手一擊，不死必傷的威勢，亦不禁有些害怕，再加上這揮劍一擊，橫斬兩人的氣勢，使前面一排黑衣武士，頓生寒意，不敢再向前迫攻。

孫不邪當先開道，雙掌連環劈出，內力有如重浪疊波一般，綿綿不絕地湧了過去，那些阻攔去路的黑衣武士，硬被他強猛的掌力，給震盪開去，開出了一條路來。

司馬乾、馬文飛護守兩翼，但因孫不邪的掌力，過於強猛，連兩側的敵人，也被他掌力震退。

鳳竹強打精神，不停地指明去路。

不過一盞熱茶工夫，果然衝到一片花樹林前，已然可瞧見林中石堡。

孫不邪以快速掌勢，挾著強猛無匹的雄渾內力，一路猛攻，這數丈距離中，少說點，也劈出一百餘掌。

他內功雖然深厚，但究是血肉之軀，連發一百餘掌之後，亦有些氣力不繼之感。

但見那些黑衣武士，重重集結於那片花樹陣前，似是要編整陣式，全力阻攔幾人衝進之勢。

孫不邪心知，如若讓這些人陣勢編成，力量亦必大爲增強，當下一提真氣，大喝一聲：「擋我者死！」雙掌齊揮，直衝過去。

一股強猛絕倫的內力，直撞過去，先擋鋒銳的兩個黑衣武士，慘叫一聲，口噴鮮血，倒地不起！

孫不邪有如中了瘋魔一般，鬚髮怒張，雙目盡赤，緊隨劈出的掌力，疾躍而上，右手揮出，抓住了一個黑衣武士，倒提雙腿，長嘯一聲，當做鐵棍，掄掃而出。

隨著那掄動之勢，帶起一股呼嘯的風聲。

那些黑衣武士，雖然剽悍，但眼看孫不邪這等武功，把自己同伴當做兵刃施用，不敢用手中兵刃封架，紛紛向後退去。

孫不邪連連掄動手中的黑衣人，迅快地衝近了石堡，飛起一腳，踢在石堡木門之上。

只聽砰的一聲大震，兩扇牢固的木門，竟然被孫不邪一腳踢開。

回頭望去，只見酒僧、飯丐等人，卻被黑衣武士擋在一丈左右處，衝不進來。

這當兒，已有十幾個仗劍的黑衣武士，飛奔而來，顯然是想奪回石堡。

孫不邪這一陣急衝猛打，人已然有著疲累之感，而且心知只要自己離開石堡，這石堡立時將被黑衣武士佔據，那時別人憑堅拒敵，再想攻入石堡，實非易事，但如自己不衝回相救，雖只有丈餘距離，但酒僧、飯丐，和那重傷之人，只怕是很難衝得過來。

正自猶豫難決之間，突見阻攔去路的黑衣武士，紛紛向兩側退讓開來。

凝目望去，只見一個黃面少年，懷中抱著重傷的鳳竹，一手執劍，殺出了一條血路，手中劍光如輪，擋者不死必傷，只瞧得孫不邪大爲驚服。

那執劍開路的少年，正是蕭翎。

原來，他眼看孫不邪衝近石堡之後，酒僧、飯丐都被截斷攔住，難再突破重圍，而且就觀察所得，群豪都已經戰至精疲力竭，再要支撐下去，只怕要有更大的傷亡，不禁心頭大急，長劍一振，全力施爲。

蕭翎在大急之下，出手劍招，又快又辣，劍光到處，殘肢共血肉橫飛，擋者披靡，片刻間，長劍下連死帶傷，已不下三十餘人。

酒僧、飯丐、馬文飛等，亦不禁精神一振，緊隨在蕭翎身後，衝近石堡。

孫不邪大喝一聲，一招「排山掌」，內力山湧，震退了左面之敵。

蕭翎劍施「八方風雨」，劍光閃轉中，連傷三人，駭退右面的黑衣武士。

孫不邪身子一側，讓開了去路，蕭翎翻身橫劍，以備拒敵，酒僧、飯丐等，都魚貫擁入了石堡，孫不邪哈哈一笑，道：「小兄弟快請進入石堡中，休息一下，老叫化一個人守此門戶足矣！」

蕭翎道：「那就有勞前輩了。」翻身奔入了石堡之中。

只見馬文飛棄去手中摺扇，倚壁而坐，面上一片慘白，身上鮮血仍不停地滴下來。

司馬乾雙輪放在地上，閉目而坐，左臂上亦是鮮血淋漓。

飯丐亦受了兩處創傷，閉目而坐，運氣調息。

酒僧半戒一向是滿臉酒光，一片赤紅，但此刻，卻變成一片青黃。

泰山二虎，靜靜地躺在地上，閉目調息。

總之，這是一場激烈凶惡的大戰，每人都似用盡了全身氣力。

蕭翎打量了群豪疲累的神情一眼，心中暗暗忖道：如若這激戰多延續半個時辰，再沒有這樣一座堅牢的石堡，只怕今日一戰，群豪都將死在那黑衣武士的劍下。

他長長吸一口氣，只覺精神百倍，毫無疲倦之感，心中暗暗奇怪道：怎麼人人都疲倦不堪，我卻是毫無感覺。

只聽一陣鑼聲，傳了過來，石堡外的黑衣武士，突然停下攻勢。

攻勢雖停，但卻不肯撤退，團團把石堡圍了起來。

蕭翎緩緩放下懷抱中的鳳竹，轉身行至石堡門前，低聲道：「前輩可要休息一會兒嗎？」

孫不邪轉過身來，只見蕭翎雙目中神光隱現，果是毫無睏倦之容，不禁低聲讚道：「老叫化看走了眼，小兄弟武功絕倫，實乃武林中千百年難見的奇才。」

蕭翎看那孫不邪，除了眉宇間略現睏倦之容外，精神仍甚充沛，心中不由暗暗佩服，說道：「前輩功力深厚，晚輩好生佩服。」

孫不邪笑道：「老叫化適才亦有著不支之感，但只要能夠有讓我喘上幾口氣的工夫，老叫化就可以使體力恢復大半。」

原來這孫不邪練的是混元童子功，基礎紮實，精力充沛，掌勢雄渾，疲勞極易恢復。

蕭翎道：「酒僧、飯丐，和馬總瓢把子，傷的似都不輕，恐非個把時辰內，能夠復元。」

孫不邪道：「不妨事，這石堡堅牢無比，只有這一處門戶，勞請小兄弟登上堡頂，查看一下是否有出入之門，縱然是有，咱們各守一處，門戶狹小，沈木風縱能調來千軍萬馬，也難以攻入堡中。」

蕭翎應了一聲，奔向堡頂。

這是一座青石砌成的石堡，佔地有兩丈方圓，高不過二丈有餘，一共兩層，不知沈木風建築這座石堡，有何作用？堡中卻打掃的十分乾淨。

蕭翎一面運氣戒備，緩步行上了第二層。

只見四面堅壁上，各留著一個小窗，而且那小窗上都有鐵板封閉，只留著很小的氣孔，心中大感奇怪，暗道：沈木風建築這座石堡，不知做什麼用？

蕭翎下了底層，隨手把鐵門扣上。

原來他暗自盤算，縱然是那第二層上，別有暗門，被他們混了進來，也必得經過這個鐵門，才能到底層中來。

抬頭看去，只見孫不邪倚在石壁旁側，這時，那些黑衣武士，都已撤走，幽靜的花樹中，不見一點異樣。

適才激戰留下的斷肢、殘骸，此刻全都被清掃而去。

四周一片寂靜，靜得使人頓生恐怖之感。

卅九　力抗群梟

太陽沉下西山，落日餘暉，幻起了一片晚霞。

蕭翎默算時間，不知不覺間，已在這石堡中度過了兩個時辰。

奇怪的是，在這段時間內，竟然不見敵蹤出現，生似沈木風已經忘去了石堡中還有敵人。

轉眼望群豪，臉色大都恢復正常，顯然經過這一陣長時間的調息之後，群豪都已漸漸恢復體能。

酒僧半戒首先醒了過來，啓開雙目，四下打量了一眼，然後低聲問道：「那些黑衣武士，可曾攻過石堡？」

蕭翎搖搖頭道：「沒有。」

緊接著飯丐沈鐵鍋、司馬乾，相繼醒來。

馬文飛扯下一片衣襟，把幾處創傷包了起來。

蕭翎低聲問道：「馬總瓢把子傷勢如何？」

馬文飛笑道：「內力已復大部，外傷都是皮肉小傷，不足礙事。」

言下之意，是說已有了再戰之能。

司馬乾撿起地上金輪，笑道：「當真是陣慘烈絕倫的惡戰。」

酒僧取過身後的酒葫蘆，搖了幾搖，已是空無一滴，歎道：「酒和尙沒有了酒，那是叫化子丟了碗，沒有要的啦。」

飯丐敲敲身前的鐵鍋，道：「可惜難爲無米之炊。」

要知這幾人在敞廳中，擔心那酒菜之中有毒，不敢食用，再經這一番惡戰之後，人人都已覺飢餓難忍。

這時泰山二虎人也清醒過來，但因兩人傷勢較重，失血過多，神智雖然清醒，人卻仍然不能掙動。

鳳竹低聲對馬文飛道：「馬爺，請那孫老前輩退回來調息一下，在一時半刻之中，沈木風決不會再遣人手攻這石堡。」

蕭翎起身說道：「我去替他回來。」

鳳竹道：「不用了，小婢有要事奉告諸位。」

馬文飛正起身去請過孫不邪，孫不邪已大步行了過來，道：「姑娘找老叫化來，不知有何話說？」

鳳竹服過一粒藥物之後，精神大見好轉，支撐著掙扎起來，道：「小婢有幾句重要之言，尙望諸位能夠牢記心頭……」

她喘了兩口大氣，接道：「沈木風可能會施展火攻，把咱們活活燒死！亦可能施放毒物，

把咱們毒死！或是緊緊圍困，把咱們活活餓斃！」

她一連說了幾條死路，只聽得群豪個個臉色肅穆，默然不言。

鳳竹淒涼一笑，接道：「不論如何，咱們務須今夜突圍而去，不是小婢長他人的志氣，咱們能夠有三人活著離此，那已是難能可貴了。」

蕭翎一皺眉頭，道：「那倒未必見得。」

鳳竹道：「唉！小婢說的是句句實話，諸位信與不信，小婢不能相強，但我仍然要盡我所知，告訴諸位，突圍之後，直向正東，因為正東臨山，只要能夠進入山中，那就算逃得了一半的性命……」

她長長歎息一聲，接道：「據小婢所知，每日三更，沈木風必有半個時辰以上的坐息，這是最好一段突圍時機，小婢自知已然難有生望，追隨諸位，徒增拖累……」

頓了一頓，又道：「沈木風不知用什麼方法，教出了八大血影化身，人人武功奇高，那些化身身著紅衣，諸位遇上時，要多多小心一些，唉！小婢身分低下，能夠知道的機密，只此而已，諸位要多多保重，小婢要先走一步了。」

突然舉起右掌，直向天靈要穴擊了下去。

那孫不邪久走江湖，見聞廣博，一聽那鳳竹的口氣，已知她有自盡之心，早已暗中留神，是以，鳳竹抬起右手，孫不邪已搶先一步點出了一指。

鳳竹右掌還未觸及天靈穴，孫不邪指力已到，鳳竹抬起的右手，軟軟垂了下來。

孫不邪面色肅穆地說道：「鳳姑娘，你爲何尋死？」
鳳竹道：「小婢武功不濟，活著也是難以幫得上諸位的忙，反而拖累諸位，倒不如一死了之！」
突見人影一閃，一個黑衣武士，疾快地躍入了石堡。
孫不邪右手疾揮，拍出一股潛力，先把那石堡大門封住，沉聲說道：「不要殺死了，捉活的。」說著話，人已躍回到石堡門口，守住了門戶。
馬文飛停身之處，和那黑衣武士較近，摺扇一張，削了過去。
那黑衣武士疾發一掌，擋開了馬文飛手中扇勢，人卻趁機躍避開去，低聲說道：「馬兄……」
馬文飛微微一怔，摺扇收回，低聲說道：「閣下什麼人？」
那黑衣武士道：「兄弟向飛。」
馬文飛道：「你是向兄？兄弟多有得罪了。」
向飛道：「兄弟冒險衝入這石堡中來，是要和馬兄相約一件要事。」
馬文飛道：「這些人都和我等志同相合，向兄有何高見，儘管請說不妨。」
向飛低聲說道：「兄弟和中州二賈，在金蘭、玉蘭相助之下，已約好了動手的時間，特地趕來通知馬總瓢把子一聲。」
蕭翎接口說道：「諸位混在何處，怎的竟瞧不出一點痕跡？」

向飛道：「如是你能瞧得出，那沈木風亦可瞧得出來了！」

鳳竹精神突然一振，道：「怎麼？金蘭、玉蘭兩位姊姊，也來了嗎？」

向飛望了鳳竹一眼，道：「來了，和老偷兒一塊混跡在黑衣武士群中。」

蕭翎道：「那位小叫化，和中州二賈呢？」

向飛道：「都在那裏……」

突聽孫不邪一聲大喝，緊接著響起了兩聲悶哼，想必是又有兩個逼近石堡的黑衣武士，被他掌力震傷。

馬文飛道：「不要傷了自己人。」

向飛道：「不要緊，老偷兒沒有消息傳出之前，他們決不會輕舉妄動。」

馬文飛一皺眉頭，道：「你還要出去嗎？」

向飛搖搖頭，道：「不行，我如出去，不是被殺，就得裝傷，使他們對我懷疑之心，減少一些。」

馬文飛道：「向兄如肯留此，那是最好不過，亦可增加了我等不少實力。」

向飛伸手從懷中摸出一張圖來，攤在地上，道：「這裏有一張詳盡的圖，而且標明了去路，和他們伏樁較多之處。」

群豪齊齊轉過頭來，望著那幅詳圖。

只見那幅圖上，完全以寫景的方式畫成，以望花樓爲中心，擴及四周，有很多地方，都是

群豪見過之處。

向飛指著望花樓後，一片花叢環繞的黑色房屋，道：「根據玉蘭探得的消息，兩位老人家就囚禁於此。」

蕭翎只覺心頭一陣跳動，但卻強自忍下，沒有出聲，心中暗暗忖道：看來如非那金蘭、玉蘭同來，只怕很難探得這四人所在了。

但聞向飛接道：「在這座黑房的四周，守衛十分森嚴，其實這張寫景的圖畫上，所畫之處，都是這百花山莊的心臟要害，無處不是戒備森嚴。」

這時，石堡中人，除了馬文飛、向飛和蕭翎之外，大都不知蕭翎父母被囚於百花山莊的事，大家都聽得茫然不知所云。

酒僧半戒突然插口說道：「你們在研討什麼事？」

向飛抬頭瞧了酒僧一眼，道：「怎麼？你還不知道嗎？」

酒僧道：「沒有人對我和尙說，我自然是不知道了。」

馬文飛想到此事關係重大，此刻是人人求生的當兒，急於衝出百花山莊，豈肯再冒萬死之險，衝入莊中要地，必得先行說明，去與不去，由各人自行選擇才是。

但一時間，又覺無從說起。

正自沉吟當兒，蕭翎自己起身，說道：「在下父母，被那百花山莊的莊主沈木風擄了來，囚於那望花樓後黑屋之中……」

目光一掠馬文飛，接道：「承蒙馬總瓢把子和向兄仗義賜助，混入這百花山莊中來，相助在下救助雙親脫險，諸位原均和此事無關，我等救人之時，諸位可藉機衝出百花山莊就是。」

飯丐沈鐵鍋道：「閣下究竟是誰？」

蕭翎道：「兄弟蕭翎。」

此言一出，飯丐、酒僧等，無不震驚，齊齊把目光投注蕭翎的臉上。

酒僧長長吁一口氣，道：「你是哪一個蕭翎，唉！這世間又有幾個蕭翎呢？我和尚已經見過兩個蕭翎了，但還有一個久聞其名，未曾晤面的蕭翎。」

蕭翎道：「在下是真正的蕭翎。」

馬文飛接道：「這事情說來話長，這位蕭兄，才是真正的蕭翎，而且也曾一度是百花山莊的三莊主……」當下就把其所知的經過之情，仔細地說了一遍。

飯丐望了蕭翎一眼，道：「果是土裏難藏夜明珠，你可還記得和老叫化初次見面的往事嗎？」

蕭翎道：「自然記得了。」

飯丐道：「那岳姑娘現在何處？」

蕭翎道：「這個在下亦是不知。」

飯丐抬頭望著馬文飛，道：「總瓢把子，救人的事，老要飯的也有一份。」

酒僧哈哈一笑，道：「事已至此，酒和尚也只好算一份了。」

司馬乾一拱手，道：「蕭兄，兄弟自負神卜，這次卻未算出你蕭兄是身懷絕技的高人，就是說罰也該罰我參加。」

蕭翎抱拳一揖，道：「諸位盛情，兄弟感激不盡。」

泰山二虎道：「我兄弟傷勢雖未痊癒，但亦願竭盡綿薄，略爲助力。」

蕭翎正待起身相謝，那鳳竹突然站了起來，道：「三爺大人不見小人怪，恕小婢有眼無珠，不識三爺的大駕。」

蕭翎欠身說道：「不敢當，鳳姑娘，自此之後，咱們是彼此相重，情同兄妹。」

只聽孫不邪長長吁了一口氣，道：「馬總瓢把子，把老叫化也算上一份吧！」

蕭翎親眼看到他的武功，此人如肯相助，那可是難得得很，當下又抱拳道：「多謝老前輩。」

馬文飛料不到滿室英雄，竟然是全都肯出手相助，增強了不少實力，當下說道：「諸位仗義勇爲，兄弟這裏再代蕭兄謝過。」

一個羅圈揖，接道：「我們在未入百花山莊之前，已經擬定好了救人之策，決定今夜中二更左右動手……」

伸手探入懷中，摸出一方白絹，道：「諸位如若有白色絹帕，那就取出纏在左臂之上，以資行動時鑒別……」回目望了向飛一眼，道：「向兄有話說嗎？」

向飛微微一笑，道：「諸位腹中，想必早感飢餓，老偷兒致送諸位一點食用之物。」

他不提起，也還罷了，這一提，全室群豪無不感覺餓腸轆轆，連那孫不邪和蕭翎，也有著飢餓難忍之感。

向飛伸手從懷中取出一個白色布袋，從袋中取出一包白紙封包之物，分送群豪，人手一包，另外又每人送了一條白色絹帶，用作勒臂鑒別之用。

馬文飛打開白紙封包，立時有一股撲鼻的肉香襲來，笑道：「牛肉粉。」

向飛道：「老偷兒這牛肉粉，是由百花山莊外面帶來，區區微量，只能使諸位暫時一充飢腸。」說著話，探手取出一包，先行吃下。

群豪食過一包牛肉粉後，精神大見好轉。

馬文飛悄然把室中群豪，編作了救人、拒敵兩隊，當先閉目調息。

天色漸入夜暗，石堡外風吹花樹，響起了一陣陣呼嘯之聲。

孫不邪探出頭去，望著夜色，只見天空濃雲掩遮，不見星月，四周寂然，不見敵蹤，亦無燈火。

這是個月黑風高之夜！

神偷向飛估計時刻，已是初更過後，突然挺身而起，道：「咱們該動身了。」

群豪進過了食用之物，又經過一陣調息，一個個精神大振。

孫不邪眼看群豪全部站起，微微一笑，道：「老叫化子開路。」

向飛快行兩步，追到孫不邪的身邊，道：「老偷兒做孫兒的副手如何？」

說著話，雙手突然一揚，兩團拳頭大小的黑影，突然飛了出去。

但聞砰砰兩聲大震，那兩個拳頭大小的黑影飛到兩丈外處，撞在花樹上，立時暴射開來，化成了兩團藍色的火焰，熊熊燃燒起來。

那火焰十分強烈，引燒起四周的花樹。

群豪藉著那火光望去，竟是不見一個敵蹤，似乎那些黑衣人，都在夜色掩護之下，走得沒有影兒。

蕭翎四下瞧了一眼，心中暗暗忖道：難道這些人當真撤走了不成……

心念未絕，突聞弦聲破空，兩支弩箭，疾射而來。

一支射向那當先開路的孫不邪，另一支弩箭，卻飛向馬文飛。

孫不邪右手一抬，接下了弩箭，只覺箭上力道異常強大，幾乎要脫手飛去，不禁心中一動，立即高聲道：「這箭上蓄力極強，諸位請各自小心。」

這時，那後來的一箭已經飛到了馬文飛的身前，馬文飛揚起手中摺扇，斜裏劈了出去，正擊在那弩箭之上，弩箭應手而落。

那燃燒的花樹，火勢逐漸擴大，也不見有人來救。

向飛辨別了一下方向，道：「在下帶路。」折向左面行去。

那兩支弩箭射來之後，又是久久不見了動靜。

向飛帶路而去，走出了四、五丈遠，竟是無人攔阻或喝問一聲。回頭望去，那蔓延的火勢，竟然熄去，顯然，適才那火勢燃燒的花樹附近，並非無人，只不過沒有出手攔阻而已。

濃雲欲雨，黑得伸手不見五指，群豪雖然有著異於常人的目力，但在這等陰暗的花樹林下，也難見及五尺以外的景物。

向飛低聲說道：「要他們各自伸出左手，牽住前面之人的衣角，右手可蓄力戒備，遇上警兆，或是敵人時，各自拒敵，盡展所能。」

孫不邪道：「好！老叫化走在前面一些，替你們清道，如遇有什麼警兆危險，老叫化就立時回身相告。」言罷舉步向前行去。

向飛道：「有勞孫兄。」

群豪依言而行，緩步向前走去。

行走之間，突然聞到一股腥氣，撲面而來。

向飛還未來得及應變，孫不邪已沉聲說道：「大批毒蛇即將擁來，要他們各出兵刃，小心應付。」說話之間，當先劈出了兩掌，擊斃了十幾條近身的毒蛇。

向飛正待轉告群豪暫行布成一個圓圈，合力拒蛇，哪知話還未說出口，群豪已然自行施爲，自動布成了一個圓圈。

要知這些人，都是久走江湖之人，經驗廣博，一聞得毒蛇擁來，心中拒蛇之計，不約而

同，布成一個圓陣。

向飛探手入懷，摸出一個火摺子，迎風一晃而燃。

藉著火光望去，只見丈餘外，兩條四尺餘長的大蛇，當先而行，後面緊隨著無法數計的蛇群。

這時，孫不邪已然退了回來，和群豪守在一起。

馬文飛道：「這麼多毒蛇打不勝打，不如放火燒吧！」

餘音甫落，向飛手中的火摺子一晃而熄。

以這些人身手，如是在青天白日之下，縱然有無數毒蛇，那也不放心上，但此刻夜暗如漆，伸手不見五指，群豪雖是身手矯健，也有防不勝防之感。

向飛突然疾快地又晃燃一支火摺子，凝神望去，就這一會兒工夫，蛇群已逼到了七、八尺處。一股奇腥之氣，迎面撲來，令人欲嘔。

遙遠處，傳過來一個宏亮的聲音，道：「眼下你們已被蛇群圍困，只要我一聲令下，蛇群即將由四面八方，一擁而上，夜色幽暗，視線不清，你們縱然有著一身武功，也難拒擋這四面八方蜂擁而攻的蛇群……」

語聲微微一頓，接道：「上天有好生之德，老夫亦不願做趕盡殺絕之人，現在給你們半炷香的工夫思慮，來決定是死於毒蛇之吻，還是棄劍投降，老夫擊鼓爲號，十聲鼓響，諸位如仍是不肯解劍，老夫即將發動蛇陣了。」

語音甫畢，一聲鼓鳴！

孫不邪流目四顧，只見四周蛇頭攢動，已然把群豪團團圍困了起來，而且停止不進，似是在待命一般。他經驗廣博，一望之下，立時已瞧出這無數毒蛇，都是經過馴蛇能手調教過的，不禁一皺眉頭，暗道：這片花樹林中，不知聚集了多少毒蛇，如想衝出蛇陣，實非易事。

一時間，只覺良策難求，亦不知如何才好。

馬文飛低聲說道：「向兄，是否可放火？」

他忖思了良久，覺除了放火之外，實難再有驅蛇良策。

向飛手中火摺子又已燃盡，最後一閃而熄，低聲說道：「咱們能夠想到放火，百花山莊的人，自然早已想到，也許是早有準備了。」

孫不邪道：「這四周花樹稀疏，草亦不長，就算放起火來，也未必真能逼退蛇群。」

馬文飛道：「那咱們也不能坐以待斃呀？」

但聞咚的一聲，鼓聲二響。

蕭翎心中暗道：這般拖延下去，終非良策，必得早些想出個辦法才是……

心中忖思，人卻舉步向蛇群行去。

原來他忽發奇想，想到兩個帶路而來的大蛇，也許是這群蛇中的首領，何不先把兩條大蛇擊斃再說。他目光雖是敏銳，但在萬蛇擁集中，亦無法找出那適才帶路的兩條毒蛇。

撲鼻的腥氣中，只見各種類形的蛇頭攢動，別說被蛇咬到了，單是瞧去，就不禁心驚膽

戰，頭皮發麻。

群蛇們似是受到了一種控制，雖是昂首吐信，作勢欲撲，但卻均停留在原地不動，任他蕭翎的武功絕世，面對著滿地聚集的毒蛇，亦有著茫然無措之感。

但聞身後步履聲響，司馬乾悄然走了過來，低聲對蕭翎說道：「兄弟在東海之時，亦曾習過逐使毒物之法，捉蛇原是拿手傑作，但目下毒蛇如此之眾，叫兄弟也有著無從下手之感，但咱們也不能就這般被困蛇陣之中，總得想個法子破去這蛇陣才是。」

蕭翎道：「司馬兄說得不錯，但兄弟卻是有著無從下手之感，千軍萬馬，衝鋒陷陣，兄弟心無所懼，但對付這等蛇群，卻是自感無能。」

只聽咚的一聲，又是一聲鼓響傳來。

蕭翎暗暗計算鼓聲，已然敲過七響，再有三聲響過，四周的蛇群，即蜂擁而上了，夜暗如漆，花樹重阻，如要躲過群蛇襲擊，只怕勢比登天還難。

回目望去，只見群豪排成一圈而立，個個默不作聲，顯然對目下之局，都無法想出良策。

咚的一聲，鼓聲八響。

蕭翎心頭一震，忖道：群豪被困於此，都是爲我蕭翎，我豈能坐而不動，不論如何，總該當先涉險才是。心念一轉，低聲說道：「眼下情勢緊急，只有冒險一試了。」

隨手折了一棵小樹，握在手中，高聲說道：「咱們如是坐待蛇陣發動，倒不如搶先動手的好，在下開道。」掄動手中花樹，當先掃出。

只聽勁風呼嘯，一擊之下，傷死毒蛇，不下百條。

司馬乾收起金輪，縱聲大歎，道：「用花樹做兵刃，倒也是對付蛇群的好辦法。」當下也拔了一根花樹。

這一來群豪齊齊仿效，每人手中，都折了一根花樹。

那些花樹雖然不大，但枝葉橫生，掄動擊出，掃過的空間甚大，在群豪手中，傳注內勁擊出，雖是一枝一葉，亦有很強的力道，區區蛇兒，自是禁受不起，一被擊中，不是被打做兩段，就是活活震死。

這十餘株花樹，施展開來，威勢十分驚人，片刻工夫，已然擊斃了千條以上毒蛇。

突然間響起一陣尖厲的怪哨聲，悠長刺耳，歷久不絕。

司馬乾高聲說道：「這似是一種役使猛獸毒蛇的哨聲，諸位要多多小心。」

語聲甫落，突然兩點碧光，直向群豪衝了過來，距離愈近，碧光愈強，片刻間，那團碧光，已到了距群豪兩丈左右之處。

蕭翎目光銳利，最先看出那是一條巨蟒，不禁一怔，低聲向司馬乾道：「司馬兄，那是一條巨蟒，咱們要如何對付？」

司馬乾道：「最好用淬毒的暗器，先射牠雙目。」

蕭翎道：「多承指教。」

兩人口中說話，手中的花樹，卻是不停地飛舞。

四十　勇救雙親

這當兒，忽見正北方的蛇群，紛紛向兩側讓避，閃出一條路來。

凝目望去，只見一個黑衣武士，急奔而至。

行蹤所及，群蛇紛紛讓道。

蕭翎大吃一驚，暗道：這是什麼武功，如此厲害，連群蛇都不敢近他之身。

這時，他手中已扣了兩節樹枝，準備當暗器，打那巨蟒雙目，但見那人如此威勢，心念突轉，準備先對付來人。

正待揚手打出時，突聽一個熟悉的聲音傳了過來，道：「大哥，小弟救應來遲，多多恕罪。」

這聲音一入蕭翎之耳，立時聽出是金算盤商八的聲音：好險啊！幾乎鑄下大錯。

當下施展傳音之術，道：「小兄在此。」

那黑衣武士，聞聲轉向，直向蕭翎停身所在行來。

但見蛇群紛紛退避，自動讓出了一條路來。

蕭翎手中花樹，留下一個空隙，那黑衣武士縱身一躍，已到了蕭翎的身側。

來人正是金算盤商八。

只見他手中托著一個形如鴨蛋大小之物，一股濃重的雄黃氣息，撲入鼻中。

這時，四周的蛇群，已然紛紛退開，昂首吐信，不敢再向前撲進。

連那巨蟒也停滯不前。

蕭翎低聲問道：「你手中拿的是什麼東西，這等厲害，蛇群畏懼如斯？」

商八笑道：「這是雄精膽，專以剋制毒物，此物在手，可驅使百毒，讓他們停下手，不用再費氣力了。」

蕭翎高聲道：「諸位快請停手。」

群豪這一陣舞樹逐蛇，武功稍差之人，早已覺氣力不濟，聽得蕭翎呼叫之聲，一齊停下手來。只見蕭翎身側站著一個黑衣武士，突然揮手一掄，四周的群蛇突然間向後退去。

只聽那黑衣武士低聲說道：「諸位請隨我身後。」轉身大步而去。

只見他行蹤所至，群蛇紛紛向後退去，自行的讓出一條路來。

尖銳哨聲，一陣緊過一陣，四周的蛇群，隨著那尖銳的哨聲，遊行波動，但卻不敢撲向群豪。

商八帶頭穿行在花樹林中，片刻工夫，已脫出了蛇陣。

抬頭看，夜色中兀立著一座高矗的巨樓。

商八指著一叢黑影，道：「那地方，就是囚禁兩位老人家的所在了，小叫化、杜九、金

蘭、玉蘭等，都守在那座黑屋附近，沈木風千慮一失，萬沒料到，我們混在黑衣武士之中，玉蘭姑娘地勢熟悉，人緣亦好，百花山莊有很多好姊妹暗中助她，事情進行得十分順利。」

蕭翎心情激動，沉聲問道：「家父母確在那黑屋中嗎？」

啇八道：「據那玉蘭姑娘探得的消息，兩位老人家確在那裏。」

蕭翎道：「室中可有看守之人？」

啇八道：「這個就不清楚了，那黑屋之門，一直是緊緊的關閉著，咱們既不敢逼得太近，亦不便破門探視，是否還有守衛之人，實難預知。」

蕭翎鎮靜了一下心神，道：「好，咱們進去瞧瞧。」

啇八道：「據玉蘭姑娘所言，黑屋堅牢異常，不論何等武功，也無法破門而入。」

蕭翎道：「難道就沒有進去的辦法了嗎？」

啇八道：「最好是能設法找出那啓門之鑰，要不然就得施用寶刀、寶劍，斬去那鐵門的橫柱。」

蕭翎略一沉吟，道：「此地一片平坦，不利防守，咱們不能久停，先到那黑屋外面瞧瞧。」

啇八帶路，兩人行近了黑屋。

只見兩個身著黑衣的武士，守在門前。

蕭翎運起了修羅指力，正待施下毒手，一舉間擊斃兩人，啇八已低聲叫道：「杜兄弟？」

只見左面那黑衣武士，應了一聲，急行而來，一面說道：「老大嗎？可曾見到龍頭大哥？」

原來這人正是冷面鐵筆杜九所扮。

啇八低聲問道：「那幾個黑衣武士呢？」

杜九道：「那幾個小子似是動了懷疑，被兄弟和小叫化子給宰了。」

啇八道：「玉蘭姑娘可曾回來過？」

杜九道：「沒有。」

蕭翎低聲說道：「杜兄弟！」

杜九一轉臉，打量了蕭翎一眼，抱拳說道：「大哥改裝之後，兄弟幾乎認不出來了。」

蕭翎微微一笑，道：「咱們瞧瞧有沒有其他辦法，打開那黑屋之門。」大步直向那黑屋走去。

凝目望去，只見這座黑屋，通體一色，看不出什麼東西做成。

蕭翎暗運功力，右手在那黑門之上用力一推。

只覺那黑屋之門，堅牢無比，這一推竟是毫釐未動。

蕭翎一皺眉頭，心中大不服氣，暗中運集內功，一腳踏在那石門之上，用力踢出。

那黑屋仍是動也未動一下。

蕭翎心道：看將起來，只有設法取來這黑屋之鑰才能開得了。

忖思之間，瞥見一個身材矮小的黑衣武士，直向自己停身之處奔來。

蕭翎一提氣，運足了掌力，正待推擊出手，心中突然一動，又停了下來。

只見那黑衣武士先對馬文飛一揮手，道：「馬爺，奴婢玉蘭，蕭爺現在何處？」

馬文飛一指蕭翎，道：「這位就是。」

玉蘭緩緩把目光凝注在蕭翎臉上，欠身一禮，道：「小婢請蕭爺……」

突然想到，蕭翎早已禁止她們這等稱呼，趕忙住口不言。

蕭翎道：「適才向兄和商兄告訴我，此刻成就得姑娘之力甚多。」

玉蘭道：「蕭爺的神威，小婢何敢居功……」微微一頓，接道：「小婢取得了一把鐵鑰，只不知是否可開得這黑屋之門。」說話之間，伸手從懷中取出一把黑色鐵鑰，遞了過去。

蕭翎接過鐵鑰，仔細瞧瞧，果然在那鐵門之上，發現了一個鑰孔。

只聽向飛低聲說道：「這一個讓老偷兒來。」

蕭翎應了一聲，緩緩把鐵鑰遞了過去。

向飛接過鐵鑰，瞧了一陣，又瞧瞧那屋上的鑰孔，搖搖頭，道：「玉蘭姑娘弄錯了，並不是這一把。」

玉蘭揮手入懷，又摸出兩把鑰匙遞了過去，道：「這裏還有兩把，如是也錯了，那就白費我一番心機了。」

向飛仔細瞧了兩把鑰匙一眼，舉起了其中一把，探入鑰孔之中。

只見他左轉右扭地轉了幾轉，那鐵門突的呀然一聲大開。

蕭翎喜道：「向兄神技，兄弟佩服至極。」

口中在和向飛說話，身子一側，當先衝入了黑屋之中。

玉蘭急急說道：「蕭爺小心。」

餘音未落，蕭翎衝入的身子忽的倒退出來。

啇八道：「怎麼樣？」

蕭翎道：「裏面又是堅牢無比的鐵門，唉！只怕咱們這場心機，白費了……」

玉蘭身子一側，當先衝入了第一道鐵門之內，伸手摸去，果然裏面又是一道堅牢的鐵門。

向飛緊隨著而入，一晃手中火摺子，亮起了一道火光。

他素有神偷之稱，這啓門開鎖之能，可算天下第一，瞧了那鎖孔一眼，突然微微一笑，道：「這點事，還難不倒老偷兒。」

玉蘭道：「向老前輩有能開得這道鐵門嗎？」

向飛道：「試試看吧！」

探手從懷中摸出一把萬能鑰來，探入鎖孔之中，攪動了一陣，然後一掌擊在那鐵鎖之上。

只聽咔嚓一聲，鐵鎖突然大開。

原來，向飛一瞧那鎖孔形狀，已知是普通的鐵鎖，並非特製之物，心中已然大有把握。

蕭翎側身而入，低聲問道：「開了嗎？」

向飛道：「幸未辱命。」

蕭翎飛起一腳，踢了過去，砰然大震聲中，鐵門大開。

玉蘭疾快地晃燃了火摺子，點起一個小型火把。

這火把只不過一尺左右，乃松油合以棉紗製成，光度甚是強烈，整個的黑屋，立時被照耀得如同白晝。

火光映照處，只見屋角之處，坐著一個褸衣亂髮的老者。

緊傍那老者身邊，坐了一個亂髮蓬飛的中年婦人。

在兩人身側，棄置著一堆新衣。

蕭翎目光一轉，已認出正是自己父母，突然撲上前去，拜伏於地，道：「不孝兒蕭翎，叩見雙親大人。」

那老者雖然是褸衣亂鬚，但神態卻是鎮靜、沉著，隱隱間，有一股威武不屈之氣。

只見他緩緩睜開眼睛，打量了蕭翎一眼，道：「你是翎兒嗎？」

蕭翎急急說道：「正是孩兒，不肖子未能報償父母養育大恩，反累父母受苦，其罪滔天，爹爹只管責打……」

那亂髮老者輕輕歎息一聲，道：「你變了很多，連爹爹也認不出來了。」

原來蕭翎幼小之時，身體多病、柔弱，此刻又經過易容、改裝，雖是親生父母，也難認得出來。

只見亂髮蓬飛的中年婦人叫道：「他不是翎兒，咱們不要上了他的當。」

蕭翎以頭觸地，沉聲說道：「母親難道連孩兒聲音也聽不出來嗎？」

那蓬髮婦人，眨動了一下眼睛，沉思良久，道：「聲音雖然有點相同，但我兒膚色瑩白，豈是你這般枯黃的臉色。」

蕭翎抬起手來，說道：「孩兒臉色塗過了易容藥物。」

那蓬髮婦人道：「我不信。」

只聽黑屋之外，傳進來幾聲厲喝，夾雜著兵刃相擊之聲，想是外面已動上了手。

蕭翎黯然垂淚，叫道：「娘啊！孩兒真是蕭翎，娘從小把兒抱大……」

那蓬髮婦人厲聲說道：「你們就是再餓我幾天，折磨我一些時日，我也不會神志暈迷。」

蕭翎忽然心中一動，暗道：我離家之時，不過十二、三歲，體弱多病，身罹絕症，隨時都有著死亡之虞，此刻，我不但體格健壯，而且身懷著三位師長合授絕世武功，再加上易容藥物，掩去本來面目，就算是兩位老人家未遭囚禁折磨，也是難以認得出來，眼下最要緊的一件事，是先要把兩位老人家救出險地，然後洗去臉上易容藥物，不用辯說，也認出是我了。

心念一轉，主意隨變，低聲對玉蘭說道：「有勞姑娘和金蘭，保護我母親……」

玉蘭急急接道：「小婢遵命。」

只聽室外傳過來孫不邪的聲音，道：「此刻寸陰如金，不宜多停，咱們得快些衝出去了。」

蕭翎一伏身子，道：「爹爹請讓孩兒揹著趕路如何？」

向飛突然欺進兩步，揮動手中的匕首，割斷兩人身上捆綁的繩索，道：「蕭兄，就老偷兒的看法，最好是點了兩位老人家的穴道，需知闖出百花山莊，難免要一番惡鬥，兩位老人家既是不會武功，還不如點了穴道來得安全。」

蕭翎道：「向兄說得是。」

玉蘭突然向前衝進兩步，右手探出，先點了蕭夫人的穴道。

玉蘭就腰間解下一條絲帶，把蕭夫人捆在背上。

蕭翎輕輕歎息一聲，自言自語地說道：「情勢迫人，事非得已，爹娘請恕孩兒放肆了。」

正待仿效玉蘭，把父親捆在背上，突然杜九喝道：「大哥且慢。」

蕭翎道：「什麼事？」

杜九道：「大哥武功絕倫，衝鋒突圍，仰仗甚多，倒不如由小弟揹著老伯父，免得大哥心中受制，手腳受礙。」

蕭翎暗道：這話說得不錯。當下說道：「那就有勞兄弟了！」

杜九側身而入，揹起蕭大人。

蕭翎道：「杜兄弟、玉蘭姑娘，請隨我蕭翎身後。」

杜九道：「不用大哥費心。」

商八探手從懷中摸出一把金算盤，搶在杜九前面而行。

馬文飛、司馬乾雙雙走向左邊，護住了左翼。

酒僧、飯丐，護住了右翼。

向飛緊隨在杜九身後，金蘭卻爲玉蘭開道，鳳竹又隨在玉蘭身後。

泰山二虎也振起了精神，舉起兵刃，準備拒敵。

這時，黑屋四周的花樹林中，燈火明滅，人影閃動，似是正在調集人手。

蕭翎暗中查點人數，竟不見一陣風彭雲，忍不住低聲問道：「杜兄弟，彭雲哪裏去了？」

杜九道：「小要飯的爲人機靈不過，他已學會了黑衣武士之間聯絡密號，來往自如，大哥不用替他擔憂。」

這當兒，那攔阻去路的十餘個黑衣武士，受不住孫不邪強猛掌力的迫擊，已然紛紛退去。

這時，除了數丈外花樹林中，閃動明滅的燈火，和那流轉的人影之外，四周已無敵蹤。

那高插雲霄的望花樓，也不見一點燈火，有如聳立在夜色中的一條巨蟒。

蕭翎匆匆行近孫不邪的身側，低聲說道：「前輩連番拒敵，一直沒有好好的休息一下，此刻請退後稍息，這開道的事，由兄弟接充。」

孫不邪已知他身懷絕技，說到武功的奧奇，出手的凌厲，實尤在自己之上，當下說道：「蕭兄力足勝任……」

目光流顧了四面的花樹林一眼，接道：「如論實力，百花山莊主人決不致就此罷手，停手不攻，必然是別有陰謀。」

蕭翎道：「兄弟亦有此感，也許他們要在花樹林的四周，布設下什麼惡毒之陣。」

孫不邪道：「如若咱們能以迅雷不及掩耳的快速行動，趁他們尚未佈置就緒，一舉間破圍而出，情況……」

蕭翎道：「兄弟亦是作此打算。」

孫不邪道：「那就事不宜遲。」

蕭翎道：「還得前輩居中接應各面，督促全隊銜接，免為敵人從中截斷。」

孫不邪道：「老叫化全力施為。」

蕭翎道：「仰仗了。」加快腳步，直向花樹林中衝去。

孫不邪沉聲說道：「強敵人多，眾寡懸殊，我等必須速戰速決，諸位請各出全力，只要咱們一鼓作氣，衝出百花山莊，那就算脫離了險境。」

金蘭突然加快了腳步，奔近了蕭翎身邊，低聲說道：「相公，向西衝。」

蕭翎應了一聲，轉向正西衝去。

奔行約三、四丈遠，突然弦聲破空，一排弩箭疾飛而來。

群豪一齊揮動兵刃，射來弩箭，盡為擊落。

但聞花樹林中，傳出來周兆龍的聲音，道：「爾等已被重重圍困，如若還不棄去手中兵刃，那是自尋死路了……」

蕭翎估計那周兆龍講話所在，相距約四丈開外，但卻為那聳起的花樹掩去了身形，無法瞧出他停身所在。

那飛蝗一般的弩箭，也不過微微一擋群豪的衝進之勢，蕭翎一馬當先，衝進了花樹林中。

只聽周兆龍的聲音接道：「諸位不肯聽在下良言相勸，別怪我百花山莊手段毒辣了。」

周兆龍語聲甫落，突然響起來一聲急促的梆子之聲。

眨眼間，花樹林中盡都是急促的梆子聲。

蕭翎停下腳步，目中神凝，四下搜望。

他一停下，群豪都停了下來。

孫不邪突然喝道：「咱們不能中了他們的疑兵之計。」呼的一記劈空掌力，遙擊向丈餘外一片花樹叢中。

這孫不邪內功深厚，一掌擊出，力道奇猛，掌力到處，花葉紛飛。

蕭翎疾如閃電一般，隨著孫不邪擊出的一掌，躍落那花叢之中。

凝目望去，只見兩個黑衣武士仰臥地上，早已氣絕而死！原來兩人吃孫不邪掌力活活震斃。

這時，四周梆子聲，突然靜止下來，幽暗的花樹林中，一片死寂，靜得使人陡生恐怖之感。

突聽孫不邪高聲說道：「脫下外衣，準備撥擋暗器。」

語聲甫落，弓弦聲動，一支響箭，挾風而來。

隨著那響箭之後，響起了一片弦聲。

剎那間箭如飛蝗，分由四面八方的射了過來。夜色幽暗，亂箭如雨，群豪雖有著一身武功，也有著應接不暇之感。

箭風弦聲中，響起了兩聲悶哼。

泰山二虎，首先中箭！

這兩人原本傷勢未癒，再遭箭傷，運轉更是不靈，在空隙而入的箭雨中，如何能夠支撐得住，眨眼間，連中數十箭倒地死去。

蕭翎目光銳利，眼看泰山二虎中箭而死，不禁心中一動，暗道：似此夜暗，視線不清，如何能夠長時和這箭雨對抗，必得設法傷得他們一些弓箭手，才可脫此刻之困。

但見飯丐掄動鐵鍋，呼呼風聲中，長箭紛紛落地。

這時，適見飯丐手中兵刃的妙用，左面來箭本就稀疏，再加上飯丐鐵鍋，是專門對付暗器的兵刃，估計左翼再撐上半個時辰，亦不要緊。

但見右側的馬文飛和司馬乾，在密如蝗飛的箭雨中，已顯得有些吃力，輪轉扇舞，結成了一片光幕。

杜九、玉蘭，爲了維護蕭大人和蕭夫人的安全，全都蹲下身子，揮動手中鐵筆、長劍，撥打漏過扇影、輪光的弩箭。

蕭翎迅快地打量了一下敵我形勢，心知這般對耗下去，定將大增傷亡，一咬牙，低聲對

孫不邪說道：「恭請前輩下令讓他們固守原地，不可妄動，在下奉陪老前輩，清除四周的弓箭手，不知老前輩意下如何？」

孫不邪哈哈一笑，道：「好啊！你如有此豪氣，老叫化捨命奉陪。」

蕭翎道：「在下開道。」

喝聲中拔身而起，左手掄動就地取過的一條樹枝撥打箭雨，右手卻把手中接得的一把長箭，用甩手箭的腕勁，拋了出去。

孫不邪緊隨而起，施展開「八步趕蟬」的輕功，直向右側花樹叢中衝去，一面高聲喝道：「諸位請守住原地別動，老叫化先去清道。」

這兩人各出平生之力，有如虹飛電射，快速絕倫地衝近花樹叢！

突然間，火光一閃，花樹叢中，陡的亮起了一支火把！

火光中看得清楚，只見數十個弓箭手，正在搭箭射出。

孫不邪雙掌齊出，內力疾湧而出，人還未至，掌力先到，砰砰兩聲，最前面兩個弓箭手，一齊倒了下去。

蕭翎左手疾揮，劈出一股掌力開道，人已隨著衝力過去，掌劈腳踢，片刻間，連傷四人。

那一支突然亮起的火把，幫了兩人大忙，明亮的火光下，兩人大展神威，拳打指點片刻間，竟使數十個弓箭手，傷亡逾半。

餘下的人，眼看兩人的神武勇猛，哪裏還敢戀戰，分向四下竄去。

和。

就在那些弓箭手潰逃之後，那高高燃起的火把，也一閃而熄。

這一群弓箭手，乃施展箭攻群豪的主力，被蕭翎和孫不邪擊潰之後，弩箭攻勢，大見緩

飯丐沈鐵鍋，手中舞著大鐵鍋，當先開道，遵循著蕭翎等奔行的路線衝去。

孫不邪和蕭翎擊潰了弓箭手後，立時和群豪聚會在一處，直向正西衝去。

突聞一聲尖厲的長嘯聲，傳了過來。

孫不邪陡然停下身子，沉聲說道：「諸位先請隱住身子，老叫化去瞧瞧風頭再說，這沈木風險惡多端，不知又埋伏下什麼。」

話還未完，突然火光一閃，三丈外，亮起了一支火把。

只見那高舉的火把，不停地繞轉晃動，四面的花樹林中，火光亂閃，眨眼間，亮起了數十條火把，整齊地排成了一個半圓形，攔住了群豪去路。

孫不邪右手一揮，群豪齊齊蹲下了身子。

蕭翎凝目望去，只見那亮起的火把，不停地晃動，似是在和什麼人聯絡一般。

蕭翎仰臉望望天上星辰，已是三更時分，心中突然一動，暗道：如若不在那沈木風醒來之前，衝出百花山莊，等他醒來之後，只怕要難上千倍萬倍了……

心念一轉，低聲說道：「前輩請率領大隊，在下先到前面瞧瞧。」

孫不邪已知他武功，也不攔阻。

蕭翎長身疾躍，越過花叢，兩個縱身，已然衝到了一支火把前面。

正待伸手去抓那火把，突然刀光一閃，左側花樹叢中，伸出一柄單刀，劈向手腕。

蕭翎手上套了千年蛟皮手套，不畏刀劍，右手五指一翻，抓住了單刀，用力一拖，把那執刀的黑衣武士，硬從花叢中拖了出來，左手一抬，迎胸劈了過去。

此時，他心中十分焦急，出手又快又重，那黑衣武士，連驚叫也未來得及，前胸已經中掌，口中噴出鮮血，氣絕而死。

蕭翎一掌結果了那黑衣武士，正待伸手抓那火把，突聞一聲厲嘯，身側花樹叢中突然躍起了一條黑影，疾撲過來，蕭翎頭也來不及轉，左手疾快地劈出了一掌。

只聽砰的一聲，如擊在敗革之上，那黑影尖叫一聲，被震得倒飛出去。

蕭翎聽那聲音，不似由人發出，心中大是奇怪，轉目望去只見一團黑影，飛躍出兩丈開外，落入了花樹中，竟是未瞧清楚。

就這一怔神，左面又是一團黑影，撲了過來。

蕭翎這次有了準備，一吸氣，身子陡然向後退出三尺，右手一伸，抓住了那黑影。

只覺左手微微一麻，竟被那黑影咬了一口。

仔細看去，手中抓住的竟然是一頭全身黑毛的猴子，當下一振左臂，拋了出去，心中暗暗罵道：黔驢技窮，連猴子也用出來了。

金蘭疾快地奔了過來，低聲說道：「相公，快請退下。」

蕭翎心中雖是不願，但知言中必有作用，依言退了回去。

只聽金蘭說道：「相公剛剛抓到的，可是一隻黑毛猴子嗎？」

蕭翎道：「不錯，百花山莊中伎倆，大概快用盡了。」

金蘭道：「你可曾被牠咬中？」

蕭翎道：「我驟不及防，被牠在左手上咬了一口。」

金蘭急道：「咬在何處，快些運氣閉住血脈，把左手斬掉。」

蕭翎奇道：「爲什麼？」

金蘭道：「那猴子身上、口中，都是劇毒，你如不斬去左手，毒性發作，形同瘋狂，那時別說是小婢，就是連老爺、夫人也不認識了。」

蕭翎道：「有這等事？」

蕭翎暗中運氣查看，毫無中毒之徵，當下說道：「我很好啊！」

金蘭道：「這就奇怪了，那猿猴身上之毒，強烈無比，別說被牠咬中，就是和牠皮毛相觸，亦有著中毒之險，而且發作甚快，但相公……」

蕭翎心知戴了蛟皮手套之故，劇毒無法侵入，心中暗叫一聲：僥倖！

低聲說道：「快去告訴他們，小心那猴子身上之毒。」

金蘭欲言又止，轉身奔向孫不邪，轉告了蕭翎之言。

就這一陣工夫，場中的形勢已變，只見那花樹叢中，緩緩走出數十個黑衣武士，左手舉著

劍盾，右手卻握著一個尺許長短，桃核粗細的鐵筒。

金蘭低聲叫道：「啊！十八金剛！」

孫不邪道：「何謂十八金剛？」

金蘭道：「那執劍盾的武士，共有一十八人，他們都是沈木風千中選一的高手，編組而成，不但盾牌上五支短劍淬有劇毒，而且右手鐵筒中，藏有絕毒淬鍊的飛針，一筒十二枚，借劍盾掩護，和人近身相搏時，施放出來的毒針細如牛毛，實叫人防不勝防……」

馬文飛道：「少林寺八大金剛，譽滿江湖，沈木風竟然東施效顰，來一個十八金剛，縱然再加一倍人數，又有何懼之處。」

孫不邪口雖不言，心中卻是未低估來人，他胸羅武功淵博，心知劍盾是一種很難施用的兵刃，這幾個人能夠使用劍盾，自是不可輕敵，再加那筒中配合毒針，這一戰真難料勝負之數。

回頭望去，只見群豪一個個面色肅然，顯是都知道遇上了勁敵。

孫不邪心中暗道：沈木風以數百訓練有素，武功高強，悍不畏死的黑衣武士，圍攻我等，血戰近半日傷亡數十人，均未能使我戰敗，群豪武功高強，自是原因之一，但那高昂的戰志，必死的決心，亦是久戰不潰的要素之一。此刻，老叫化如若失洩了氣，影響所及，只怕群豪都將要喪失去高昂的戰志了。

心念一轉，突然縱聲而笑，道：「馬總瓢把子說得不錯，數百黑衣武士，都無能困得住咱們，何況這區區一十八人，諸位暫守原地，老叫化先去試他們一陣看看！」

他爲人表面上豪邁不羈，其實老謀持重，不肯先讓群豪涉險。

神偷向飛突然接口說道：「孫老前輩的盛名，咱們是早有所聞，武功高強，那更是有目共睹，但對付此類人物，那也不用講什麼君子氣度，以老偷兒的看法，老前輩最好是能用兵刃。」

孫不邪哈哈一笑，道：「向兄說得是！」

目光一轉，只見身前四、五尺處，挺立著一棵碗口粗細的大樹，當下大邁一步，欺近大樹，雙手抱住樹身，大喝一聲，生生把一棵大花樹給拔了起來。

金蘭飛身一躍，落在孫不邪的身側，揮動手中利劍，一陣猛削，片刻之間，已把那大花樹上的枝葉削了下去。

孫不邪高舉起一丈二尺長短的樹身，直對那手執劍盾的武士行去。

只見蕭翎站在一片花叢之後，望著那手執劍盾的武士，呆呆出神，顯然正在思索對敵之策。

孫不邪哈哈一笑，道：「老弟，你向後退退，老叫化先試他們一陣，要是老叫化不行了，你再來接。」

蕭翎道：「好說，好說！老前輩武功高強，定然是旗開得勝，馬到成功。」

說話之間，孫不邪已然行近那手執劍盾的武士身前丈餘之處，默然運氣，力貫雙臂，手橫樹身，凝神而立。

那手執劍盾的武士，已然布成了一座扇形陣勢，還未來得及向前迫攻，卻不料孫不邪竟然當先迎了上來。

這時，手執劍盾的武士身後，高燃的數十支熊熊火把，火光更見強烈，照得數丈方圓內耀如白晝。

蕭翎默查場中形勢，那手執劍盾的武士，似是陣勢還未布成，立時施展傳音之術，對孫不邪道：「趁他們陣式尚未完全布好，快搶先機出手。」

孫不邪依言出手，大喝一聲，揮動手中花樹，一招「直搗黃龍」，向較近一個執盾武士的劍盾上擊去，那手執劍盾武士，似是知他厲害，竟然不肯硬接，身子突然一側，劍盾護身，橫裏移開了兩步。

孫不邪一擊不中，正待收勢再攻，瞥見寒芒閃動，兩個手執劍盾的武士，快速絕倫地由側翼攻了過來。

孫不邪吃了一驚，暗道：單瞧身法，就不輸於武林中第一流的高手。心中念轉，手卻未停，用力一帶，把手中一株花樹，當做鐵棍施用，橫裏掃了過去。

兩個攻上的武士，料不到孫不邪手中那樣笨重的樹身，竟然變招如此之快，右面首當其衝之人，閃避已自不及，劍盾推出硬擋一擊。

只聽砰的一聲大震，那手執劍盾的武士，被震得離地而起，摔出去七、八尺遠。

但那盾上之劍，鋒利異常，孫不邪雖然一擊震飛了那黑衣武士，但手中花樹，卻被盾上利

劍，削刺得碎去兩尺。

燈光下，只見滿天木屑橫飛。

蕭翎心中一動，暗道：這手執劍盾的武士，大概是百花山莊中的精銳了，如若那孫不邪敗了下來，我一人之力只怕也難勝人，何不聯手而出，共拒強敵。

心念轉動，疾躍而起，直向被孫不邪花樹震倒的黑衣武士飛去。

他動作奇快，一躍而至，飛起一腳，踢開那奄奄一息的黑衣武士，伸手搶過一個劍盾。

但盾上之劍，已被孫不邪手中花樹強猛絕倫的一擊，震得彎了。

就在蕭翎飛身去搶劍盾的同時，一個執盾劍士，亦急掠而來，搶救同伴。

蕭翎剛剛抓起劍盾，那黑衣武士已自攻到，劍盾一推，直擊過來。

蕭翎閃身退開五尺，右手執盾，左手劈出一掌，一擋敵勢，人卻縱身向斜裏飛掠八尺，疾向另一個手執劍盾的武士迎去。

原來，這一瞬工夫，已有四個手執劍盾的武士，分由四面，攻向了孫不邪。

這些施用劍盾的武士，武功高強，比起那些黑衣武士，強過甚多，孫不邪手中雖有花樹，但要同時拒擋四面之敵，亦非易事。

但聞一陣金鐵交鳴之聲，蕭翎以盾對盾，硬把那孫不邪身後一個執盾武士，震得向後退了兩步。

孫不邪雙手握著樹身中間，以迅雷不及掩耳的快速手法，揮動樹身，震退了兩翼攻來之敵，同時飛起一腳，踢在正面攻來的劍士身上，一舉間封解開三面攻勢。

但他實已無拒身後攻勢之能，如非蕭翎及時棄敵來援，孫不邪必要傷在那身後一擊之下。

交手幾招，孫不邪已感到遇上了強勁的敵人，再加上那可攻可守的奇怪兵刃，已不是急切間可以勝敵了。

只聽蕭翎的聲音傳了過來，道：「老前輩，咱們對背而立，同拒強敵。」

孫不邪揮動花樹，呼的一招「風捲殘雲」，逼退了正面和左翼之敵，沉聲應道：「當心他們右手中，鐵筒裏的毒針暗器……」

話未落口，對方已然發動，正東方位上那執盾武士，突然一揚右手，一蓬銀芒，疾射而至。

蕭翎揮動手中劍盾，幻起了一片盾影，那打來的毒針，盡爲劍盾擊落。

孫不邪手中的花樹，連番和劍盾觸接之後，已被盾上利劍削得碎去大半，已然難再施用，如要和這號稱十八金剛的黑衣武士續戰下去，非得換一件兵刃不可，最好的兵刃，就是從對方手中奪下一個劍盾，不但可和對方的劍盾對抗，而且也是封擋對方毒針的最好兵器。

心念轉動，立時欺身而上，手中樹身，突然向上一撩，擋開了身側一個劍盾，右手突然伸了出去，疾如電光一般，猛向那人手腕上扣去。

四一　浴血對決

那人眼看孫不邪直向脈穴上抓來，劍盾已經被花樹封了開去，要想封閉已自不及，只好向旁側閃過去。

哪知孫不邪掌勢未到，突然一伸手指，彈了過去。

一股暗勁湧了過去，正中那人手腕，手腕一麻，五指突然失去了力道，劍盾脫手而落。

這彈指神通工夫，乃孫不邪生平的絕技之一。

蕭翎眼觀四面，耳聽八方，眼看孫不邪全力搶那劍盾，立時振起精神，揮動劍盾，爲他拒擋身後兩翼之敵。

但聞一陣陣金鐵交鳴之聲，不絕於耳。

孫不邪一擊中敵人，疾快絕倫地搶過了劍盾。

兵刃到手，精神大振，揮動劍盾左擋右擊，攻勢淩厲無比。

那執盾武士手中雖有毒針，但兩方正陷入混戰之局，生怕傷到了自己人，不敢隨便出手。

這時，蕭翎已和孫不邪背面相立，一面執盾拒擋四面八方的攻擊，一面施展傳音之術，研商著退敵之策。

只聽孫不邪說道：「老弟，這幾人的武功，確實高過那些黑衣武士，再這樣和他們纏鬥下去，如何了局？倒不如合力反擊，先傷他們幾人如何？」

蕭翎亦警覺到，這般纏鬥下去，也難長期支撐，一面又心急父母安危，當下應道：「不錯，在下亦是這般想法，但必須同時出手才好。」

孫不邪道：「老叫化心中有一件十分懷疑的事，不願施下毒手傷人！」

蕭翎奇道：「什麼事？」

孫不邪道：「老叫化覺著這些執盾武士，個個都似有著深厚的功力，如若照常情而論，這些人都該有三十年以上的火候、功力，那決非沈木風短時間，可以調教出如此的高手。」

蕭翎心中暗暗忖道：如若單以這般人的武功而論，那確實不在中州二賈之下，何以竟甘爲沈木風的爪牙。

心中念頭轉動，口裏卻連聲應道：「不錯，在下亦覺得這施用劍盾武士，功力深厚，遠在一般武林人物之上。」

兩人一面用傳音術交談，一面改變了打法，只要應付一下那執盾武士的攻勢，以便保存實力，準備反擊之用。

孫不邪道：「老弟，老叫化已從這些人劍盾招數之上，瞧出頗似少林門下，因此心中顧慮甚多，萬一傷了這些人，結怨少林，豈不是一大憾事。」

蕭翎只覺那些輪攻武士，手中劍盾招數，愈來愈是奇幻，力道也愈來愈是強猛，不禁暗暗

吃驚，說道：「就算他們是少林門人，但此刻卻已爲百花山莊效勞，如是咱們手下留情，不下辣手傷人，在下是無信心，能夠衝出圍攻。」

孫不邪沉吟了一陣，道：「情勢迫人，縱然不幸讓老叫化料對，那也是沒有辦法的事情。」

當先大喝一聲，陡然向前衝去，他手中劍盾的力道，忽的加強，凡是和他劍盾觸接的黑衣武士，立時被震得向後退去。

蕭翎回目一顧，眼看孫不邪發動了反擊，緊隨著發動。

左手劍盾翻轉，阻擋攻勢，右手暗運起修羅指力，乘隙點出。

這修羅指，乃昔年名動武林的柳仙子，獨步江湖的絕技，指力強猛，霸道異常。

蕭翎施出修羅指後，片刻間，已被他連傷四人。

孫不邪目睹蕭翎的神勇，連傷了數人，自己竟然還未打倒一個，不禁有些羞愧，手中劍盾一緊，全力出手。

他內功深厚，力道強猛，這一全力施展，手中劍盾有如巨浪排空，迫得那黑衣人紛紛向後退去。

蕭翎大展神威，運起護身罡氣，以修羅指力傷敵，但見他縱橫於劍盾寒芒之中，片刻中，連傷八人之多。

孫不邪自是不甘示弱，把畢生修爲的內力，貫注於手中劍盾之上，專以硬接硬打，那執盾

武士，只要接他一擊，必然被震得向後退出數步。

這時，執盾武士，已然傷亡大半，餘下之人，不是虎口被震破，鮮血淋漓，就是累得精疲力竭，有心施放手中毒針，但在蕭翎和孫不邪著著迫攻之下，已是心餘力絀。

這當兒，突然響起一陣銅鑼之聲，那高燃的火把，也隨著熄去。

這十八金剛，和蕭翎及孫不邪一番惡戰，已是傷亡纍纍，潰不成軍。

花樹林中，忽然間黑了下來。

餘下未傷的執盾武士，借黑夜的掩護，分由四面八方逃去。

馬文飛一揚手中摺扇，道：「此時不走，更待何時。」

當先向前奔去，與蕭翎等會合一起，急步向外衝去。

蕭翎側目望去，只見孫不邪雙手捧腹而行，不禁心中大驚，低聲問道：「老前輩怎麼了？」

孫不邪放開雙手，淡然說道：「沒有事。」越過群豪，帶頭而行。

大約是百花山莊認爲，派出十八金剛的陣容，定可把群豪攔於花樹林中，卻不料孫不邪和蕭翎豪勇無倫，竟然一舉把號稱百花山莊十八金剛的劍盾武士，一舉擊潰，是以，一路上再無阻攔。

神偷向飛突然加快腳步，行到蕭翎身側，道：「孫老前輩有些不對，要多多留心一些。」

蕭翎點點頭，緊隨在孫不邪的身後，暗中留心著他的舉動。

片刻間，群豪已離開了百花山莊。

出得莊外，群豪都不禁長長吁一口氣，緊張精神，爲之一鬆。

揹負著蕭夫人的玉蘭，突然加快腳步，行至蕭翎身側，急道：「相公快些轉向正北，這是一片死地……」

話還未完，突然一聲長嘯，群豪身前不遠處，忽然挑起了五盞紅燈。

每盞紅燈上，都寫著「迴避」兩個白色大字。

紅燈白字，看得十分清楚。

玉蘭急得一跺腳，長歎一聲，道：「果然排出了五龍大陣。」

群豪聽得那金蘭說出十八金剛的厲害，那果然一點不錯，如非孫不邪和蕭翎兩位，神勇絕世，擊潰十八金剛的劍盾，群豪只怕都毀在十八金剛手中，此刻，看玉蘭緊張神色，和那絕望的口氣，都不禁爲之一呆。

向飛低聲問道：「何謂五龍大陣？」

玉蘭道：「沈木風處心積慮，要東山再起，稱霸武林，是以，在隱息百花山莊之後，就全心全意的準備，在他苦心培育之下，用以搏殺天下英雄的三大主力，除了八大血影化身和十八金剛，還有這五龍大陣了！」

孫不邪緩緩回過頭來，說道：「這五龍大陣，比起那十八金剛如何？」

玉蘭道：「據小婢所知，這五龍大陣，乃是那沈木風引以自豪的一大成就，真實的內情，小婢雖不知道，但那五龍強過十八金剛，是絕無疑問了！」

豪邁無倫，遊戲風塵的孫不邪，突然間輕輕歎息一聲，道：「如若這五龍大陣，當真要強過那十八金剛……」

只聽一陣怪嘯，打斷了孫不邪未完之言。

孫不邪話未完，但弦外之音，無疑是說，五龍大陣如強過十八金剛，今日只怕是難以生離此地了。

蕭翎暗中觀察，孫不邪已受了很重的內傷，只因他功力深厚，勉強克制著，不使傷勢發作。

凝目望去，只見那五盞紅燈下，各站著一個奇形怪人。

司馬乾冷哼一聲，道：「就算再把他們裝飾得更難看些，也不足以嚇人。」

原來，那五龍大陣中，手持紅燈的怪人，形狀十分可怖，全身上下一片紅，紅髮披垂，自頭以下，一片片紅色的鱗甲，雙手奇長，戴著三寸左右的指甲，臉上也被一種紅色的物體罩著，只露出一對閃爍的眼睛。

蕭翎緩緩從玉蘭手中取過長劍，沉聲說道：「諸位請站原地別動，在下去試他一試。」仗劍向前行去。

他的武功高強，早已使人人心生敬服，如是他亦無法克制這五個怪形怪狀的人，結局自然

是凶多吉少。

突見孫不邪一挺胸，道：「老叫化子陪你。」

蕭翎急急說道：「使不得，老前輩……」

他本想說老前輩已受內傷，如何還能臨敵動手，但想到他一世英名，趕忙改口道：「老前輩乃主持大局之人，還望多多保重，在下先試他一陣，也許老前輩可就其間瞧出破敵之策。」

孫不邪輕輕歎息一聲，道：「你要多加小心了。」

蕭翎道：「有勞關懷。」大步向前行去。

他選擇了正中一盞紅燈，提氣運功，緩步向前行去。

自從和那施用劍盾的武士動手之後，對百花山莊中人，蕭翎亦不敢稍存輕視之心，緩步而行，逼近那紅衣怪人五、六尺處，就停了下來，輕揮手中長劍，閃起了兩朵劍花，冷冷說道：「閣下這等奇形怪狀的衣著裝束，難道就能嚇倒人嗎？」

那紅衣人默然不語，只用兩道森寒的目光，瞧著蕭翎。

那紅衣人手中沒有兵刃，雙手都留著很長的指甲，顯然，是以雙手主攻，攻勢定然十分詭異難測，激怒對方先出手，也好量敵施爲。

蕭翎連番施用激將之法，那紅衣人竟是始終不發一言，也不出手搶攻，只是用目光望著蕭翎。

雙方僵持約一盞熱茶工夫，蕭翎已是難再忍耐，雙目凝神，查看那紅衣人四周一眼，不見埋伏，才陡然向前欺近一步，道：「看劍！」

寒光一閃，疾向那紅衣人前胸刺去。

只聽噹的一聲，長劍竟然點中了那紅衣怪人前胸，但就有如點在堅石之上。

原來，那紅衣人早已披了甲衣，那魚鱗般的紅衣，也不知是何物做成，百煉精鋼的長劍，竟也刺它不透。

蕭翎手中長劍，雖未能貫穿紅甲，但他去勢力道，卻是不弱，震得那紅衣怪人，一連向後退了三大步。

蕭翎一收長劍，心中暗道：看來見面不如聞名，那金蘭、玉蘭，把這紅衣五龍誇讚得豪勇絕倫，怎的竟是如此不堪一擊……

心中正自忖思，忽見那紅衣人身子搖了幾搖，一跤跌坐在地上。

這意外的變化，只瞧得蕭翎和場中群豪個個圓睜雙目，望著那跌摔在地上的紅衣人出神。

神偷向飛大步行了過來，走到蕭翎身側，低聲問道：「怎麼回事呢？」

蕭翎道：「不知道，我刺了他一劍正中前胸，他就這般向後退去，跌摔在地上。」

向飛一皺眉頭，道：「這就有些奇怪了，只怕其間別有原因。」

蕭翎道：「我也是覺著有點奇怪，但他明明倒了下去，咱們趁機會衝過去就是。」

向飛道：「不錯，你在前面開道，老偷兒去招呼他們一聲。」

他轉身奔了回去，招呼了眾豪，魚貫而過。

被金蘭和玉蘭稱讚得天下無敵的五龍大陣，竟然是這般的平淡無奇。

那被蕭翎擊倒於地的紅衣人，仍然靜靜地坐在地上，群豪由他身側行過，竟是毫無反應。

司馬乾道：「奇怪呀，那五個紅衣人，裝束怪異，而且站的位置，亦似隱含奇門陣位，何以竟然是那般不堪一擊。」

馬文飛回顧了金蘭一眼，低聲道：「沈木風詭計多端，會不會是故意施用的疑兵之計？」

金蘭搖搖頭，道：「不錯，那五龍大陣詳細內情，小婢雖是不知，但見幾人穿的衣服，頗似沈木風苦心編製的龍甲。」

馬文飛道：「姑娘可知那龍甲是何物製成的嗎？」

金蘭道：「那沈木風在何處揀來可避刀槍的鱗片，小婢不知，但那連結鱗片之物，是蛛絲綜合以特製銀線合成，韌度甚強，普通的鋼刀、利劍，很難傷得了它……」

她回顧了蕭翎一眼，看他亦聽得十分入神，接了下去，道：「沈木風爲了製造五套龍甲，派出莊中高手，擄來了數十位縫製名手，費時三年，才製成五套龍甲，可知他對那五龍大陣，寄望之重了！」

向飛道：「奇怪的是，那些人怎的難擋一擊？」

玉蘭接道：「那人難擋一擊，雖然奇怪，另外四個人都站在原地不動，更是不可思議。」

馬文飛道：「蕭兄，你究竟用的什麼劍招？」

這蕭翎武功高強，已使群豪心折，他在對敵動手之間，對手愈強，他的武功也愈見突出，

非常人能及，和那黑衣武士惡鬥之時，他雖然傷敵最多，但看上去，卻不如那孫不邪威風八面，但在和百花山莊十八金剛動手時，孫不邪又顯然不如蕭翎了。

司馬乾突然失聲叫道：「你也姓蕭嗎？」

蕭翎想他一個陌生之人，出手相助，浴血苦戰，自是不該再隱瞞姓名身分了，道：「兄弟蕭翎。」

馬文飛笑道：「貨真價實的蕭翎！」

久久沉默不語的孫不邪，突然轉過臉來，望著蕭翎，道：「你叫蕭翎？老夫這次出山之後，就聽得你的大名，果然是名不虛傳。」

蕭翎知他所指，乃是那藍玉棠假冒的蕭翎，但又覺得這簡單之事，如想說得清楚，卻又不是幾句話能夠說得明白，一時間，倒是想不出適當的措詞回答。

金算盤商八突然接口說道：「咱們快走一陣……」

司馬乾道：「爲什麼？」

商八道：「沈木風坐息醒來，聽到咱們衝出百花山莊的訊息，決然不會甘心……」

話還未完，遙聞厲嘯之聲傳來，身後蹄聲得得，直奔而來。

顯然是百花山莊中的追兵趕來。

馬文飛抬頭打量四周形勢，低聲說道：「咱們轉向東北。」當先帶路，加快腳步行去。

蕭翎心中暗道：他這般帶頭奔走，想必有所用心，也不多問，一拉商八，道：「咱們兄弟

殿後。」

商八笑道：「好！這百花山莊中人個個手段毒辣，那也不用和他們談什麼江湖規矩了。」

蕭翎不知他言外之意，只好默不作聲。

但聞蹄聲漸近，星光下已隱隱可見那奔馳而來的快馬。

蕭翎伏手撿起兩塊山石，扣在手中。

商八卻探手入懷，摸出了一個玉盒，打開盒蓋，把盒中之物，灑在地上。

蕭翎道：「兄弟，那盒中放的什麼？」

商八道：「雕蟲小技，大哥不要見笑……」突然住口不言。

蕭翎抬頭一看，只見兩匹脫群的快速健馬，已然迫近到三、四丈外，想是商八怕為敵人聽去，不便接說下去。

這時，兩匹健馬已然奔近，突見火光一閃，緊接著傳來了馬嘶之聲。

凝目望去，只見一片綠色火光，黏在馬腿上燃燒起來。

那較後一人，看到同伴身受暗算，想帶轉馬頭而回，已來不及。

但見火光連閃，綠焰閃動，就在馬身上燃燒起來。

兩匹健馬上的人，突然離鞍而起，橫飛二丈多遠，棄馬步行追來。

但聞兩匹健馬哀嘶不絕於耳，跳躍著狂奔而去。

後面急奔而至的快馬，眼看開道之人受傷，立時帶韁繞道而行。

這當兒，那兩個棄馬步行的大漢，已然快要追到。

蕭翎一揚右腕，兩顆石子閃電而出，劃起了一片輕嘯之聲，分向兩人打去。

夜色黑暗閃避不易，兩人又貪功急迫，竟自各中了一擊。

幸好夜色幽暗，蕭翎出手的石子，認穴不準，擊中部位並非要害。

但蕭翎腕力強勁，雖非要位，亦是劇疼難當，奔行之勢，立時緩了下來。

但見那急奔的快馬，繞過兩人，追了上來。

蕭翎目光轉動，打量了四下形勢一眼，低聲向商八說道：「眼下大家都飢餓疲累，實難再戰，看幾人縱馬的來勢，武功不弱，如若能選擇一處狹窄地勢，以咱們兩人，拒擋追兵，那就最好了！」

金算盤探手入懷，摸出金筆，口中連聲應道：「不錯，不錯。」

蕭翎聽他答話之中，隱隱有喘息之聲，心中暗暗歎道：「如若再被百花山莊的武士們圍了起來，這場惡戰下來，只怕要大部傷亡……」

正自歎息間，突聞馬文飛的聲音，傳了過來，道：「兩位不可戀戰。」

蕭翎突然一轉身，攔住商八，口中沉聲喝道：「兄弟先退。」

商八知他武功，也不客氣，返身一躍兩丈多遠。

就這一瞬，那當先一匹快馬，已然衝近。

蕭翎揚手一掌，劈了出去。

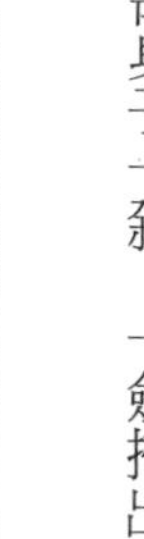

那馬上人雙掌推出，硬接一掌。

蕭翎的掌力強猛，那人接得一掌，立時被震得由馬背上摔了下去。

但見他身子將著實地時，突然一挺而起，又對蕭翎撲了過來。

此人悍不畏死，雖然爲蕭翎掌力震得翻下馬背，但卻毫無避戰之心。

就在那大漢衝近蕭翎的同時，又有兩匹快馬奔來，雙劍齊出，直對蕭翎攻來。

蕭翎不退反進，猛然向前衝了兩步，避開左、右夾擊的雙劍，掌力卻和那赤手大漢接實。

但聞那大漢悶哼一聲，連退五步，一跤跌坐在地上。

這次，他受傷甚重，一時間無法再起。

蕭翎雖然傷了一人，但那急追的快馬，又有四、五人，一齊擁到。

但見刀光閃動，劍氣如虹，兩柄單刀，兩支長劍，同時攻了過來。

蕭翎左掌拍出，震開左面之敵，右手疾伸而出，抓住了一支刺過來的長劍，用力一拖，生生把那人由馬上給拖了下來，蕭翎借勢飛起一腳，把那人給踢了一個跟頭。

他武功雖然高強，但連番惡戰之後，亦不禁有著疲勞之感，只顧奪取兵刃，卻忽略了背面，但感背上一疼，中了一劍。

蕭翎本有罡氣護身，傷他不易，一則因久戰之後，體力不支，二則只顧拒敵，忘了運罡氣護身，這一劍傷得不輕。

蕭翎身子一斜，一劍掃出。

只聽叮叮噹噹之聲，震開四、五支攻來的刀劍。

蕭翎顧不得背上劍傷，急需運氣止血，長劍疾伸，勾起一片劍花，慘淒聲中，刺傷一人。

他開始以快速劍招求勝，出手盡都是奇幻難測的招術。

但聞呼叫呻吟之聲，不絕於耳，片刻工夫，蕭翎已連傷五人，破圍而出。

他擔心父母安危，無心戀戰下去，一提氣，放騰向前奔去。

只見大道轉彎處，橫立著一排手執兵刃的武林同道，正和百花山莊中的追兵，展開著一場激烈的惡戰。

蕭翎目光一掠，認出那是八手神龍端木正，帶著青衣少女，以及跛俠常大海，帶著兩個弟子。

這五人一排，橫生阻攔住了追兵。

在兩人身後，還站著一位提火龍棒，全身紅衣，黑鬍垂胸的三陽神彈陸魁章。

馬文飛早已在陣旁相候，眼看蕭翎奔了過來，急急說道：「快請過來，先吃點食用之物，再休息一下。」

蕭翎舉步向前奔衝，端木正突然向旁一閃，蕭翎借勢衝了過去。

馬文飛忽然瞧見了蕭翎身上鮮血直滴，驚道：「你受了傷？」

蕭翎突然兩腿一軟，趕忙垂劍，撐住身子，緩緩坐了下去。

原來，馬文飛一提起受傷的事，蕭翎立時想到了還未運氣止血，這一陣奔走不停，只怕已

是失血不少。

心中念頭及此，頓感身體不支。

這時，群豪都正坐著休息，進些食用之物，希望及早能使體力恢復，好有再戰之能，是以蕭翎受傷的事，很快地傳了開去。

金蘭首先趕了過來，急急問道：「傷得很重嗎？」

蕭翎搖搖頭，道：「不防事。」

金蘭道：「相公一人，繫我等安危，豈可不珍重身體，傷在何處？快些讓我包紮起來。」

蕭翎緩緩轉過臉去，道：「有勞了。」

這時，休息的群豪，全都聞驚趕了過來。

蕭翎大覺不安地說道：「此刻寸陰如金，咱們隨時可能和百花山莊的高手決戰，在下傷勢輕微，不用諸位費心……」

突然發覺不見了孫不邪，不禁一呆。

蕭翎目光轉到馬文飛的臉上，道：「諸位可曾見到那孫不邪老前輩嗎？」

群豪聽得怔了一怔，相顧愕然。

原來，群豪飢餓交迫，苦戰疲累之下，自顧不暇，竟不知孫不邪何時不見。

司馬乾道：「那老叫化子，武功高強，決然不會遭到不測，諸位不要爲他擔心。」

蕭翎輕輕歎息一聲，道：「他受了很重的內傷。」

但聞一聲慘叫傳來，一個三旬左右的大漢，右手提劍，全身浴血，急急奔了過來。

商八突然躍飛而起，右手一揮，點了那人左肩兩處要穴。

蕭翎目光一轉，認出那人正是跛俠常大海的弟子，只見他一條左臂，由肘間被人截斷，雖然商八點了他肩上兩處穴道止血，鮮血仍然不停地滲了出來。

只見他以劍支地，支撐著身軀，說道：「家師命在下轉告諸位，快快動身，百花山莊中後繼援手，已然趕到，家師和端木老前輩，雖然奮力抗拒，但來敵甚眾，只怕難以久撐，諸位趕快動身……」話未及說完，人已不支，一跤跌摔在地上。

司馬乾突然一振手中金輪，說道：「哪一位和兄弟去助他攔阻強敵後援？」

群豪大都是武林中第一流的高手，進過食用之物，又經這一陣休息之後，精神大見好轉。

向飛道：「老偷兒奉陪。」

兩人聯袂躍起，趕往助戰而去。

馬文飛抬頭打量了四周形勢一眼，道：「前面五里處，在下布有第二道阻敵埋伏，咱們只要能再行五里，就可和第二道埋伏會合了！」

商八道：「百花山莊後援不停擁至，那八手神龍端木正和跛俠常大海等，雖有那司馬乾和向飛相助，只怕也難支撐多久。」

馬文飛道：「這個在下已經有了安排，但不知蕭兄的傷勢，可否走得。」

金蘭道：「不要緊，如是他傷得不能行動，我揹著他走……」

蕭翎一躍而起，道：「不敢有勞，這點皮肉之傷，算不得什麼。」

啇八、金蘭一左一右的，緊隨在蕭翎身後而行。

五里路程，轉眼即到。

果見兩道山谷夾峙的大道上，站著一個虯髯繞頰的大漢。

蕭翎識得那人，正是步天星。

馬文飛搶前一步，拱手說道：「步兄，準備好了嗎？」

步天星道：「已佈置就緒，馬兄和諸位轉過山腳休息，那裏早已爲諸位備好了食用之物，和代步健馬。」

蕭翎心中暗道：原來他們已佈置得如此周密，不知是何人策劃……

忖思之間，人已隨著群豪穿過兩山夾峙的數丈峽谷。

過了峽谷，景物忽然一變。

只見一片廣闊的青草地上，馬嘶人語，果然有著十幾匹鞍鐙俱全的健馬。

馬文飛低聲說道：「蕭兄和群豪留此小息，兄弟去招呼第一道阻敵同道退下。」

蕭翎道：「這一陣休息，兄弟已覺出體能盡復，願和馬兄同往一行。」

馬文飛道：「可是蕭兄傷勢……」

蕭翎道：「不妨事了。」

馬文飛不便再行攔阻，只好說道：「蕭兄同去瞧瞧則可，但卻最好不要出手。」

啇八站起身子，道：「在下保護大哥同往。」

蕭翎本想攔阻，但他一臉誠懇之情，只好不再言語。

一行三人，奔行那峽谷口處，形勢早已大變。

只見那峽道口處，多出四、五個手執兵刃的高手。

蕭翎目光一掠群豪，就記憶所及，還可認出大半。

最左一人身著孝衣的英俊少年，手中執著一把二尺不到的長劍，正是南派太極門，以迴風十八劍，馳名武林的過世掌門人石俊山之子，石奉先。

緊傍石奉先旁側一人，五旬左右，執劍肅立著，乃是南派太極門下的鄧坤。

依序而下的是一位青衣執劍老人，蕭翎隱隱記得是形意門下的董公誠。

最左一人，緊靠步天星，身高八尺，臉色赤紅，腰盤軟索亮銀錘，手持強弓，袋插長箭，正是那個神箭鎮乾坤唐元奇。

除了攔在道口的五人之外，兩側山壁岩石之後，人影閃動，另有埋伏。

只聽馬文飛道：「唐兄，可以放起信號，招呼他們撤回來了。」

唐元奇應了一聲，取箭搭弓，呼的一聲，長箭離弦，直射高空。

四二　千鈞一髮

只聽啪的一聲爆響，那射入高空的長箭，突然間爆出一片白煙。

馬文飛沉聲說道：「百花山莊之人，最是講究群戰，諸位不用客氣，儘管施下毒手，傷他們一個是一個了。」

步天星點頭道：「知道了，馬兄請入山後休息，此地的事，不敢再勞費心。」舉手在頭頂之上，打了一個圓圈。

擋在路中的群豪，突然齊齊移動身軀，分別藏入了兩側山壁巖後草叢之中。

蕭翎、商八緊隨在馬文飛身後，在步天星帶領之下，直奔右面山壁間的一座大巖之後。

那大巖前後左右，都是草叢，掩蔽隱秘，居高臨下，視界廣闊。

幾人也不過是剛剛藏好身子，就瞥見四匹快馬，魚貫而來。

馬文飛低聲說道：「他們已經繞過咱們第一道阻攔埋伏……」

步天星接道：「那就先傷他們幾個，給他們點顏色瞧瞧！」

他提高聲音，接道：「唐兄，那馬上之人，都是百花山莊的武士，唐兄手下不用留情。」

蕭翎默查情勢，那步天星似是這些人中主持大局的領導人物……

忖思間，突聞弓箭響動，最先一騎快馬上的武士，突然慘叫一聲，由馬上直摔下來！

蕭翎直看得暗暗讚道：唐元奇神箭之名，果不虛傳，這等遙遠的距離，實非一般弩箭能及，但唐元奇強弓長箭，卻能一箭中的。

但聞弓弦之聲，不絕於耳，數支長箭，破空而去。

那奔行而來的馬上之人，已似有了警覺，立時散佈開去，再向前奔來。

雖是他們及時應變，仍是晚了一步，又有一個大漢，被長箭射中翻下馬來。

餘下的兩騎快馬，並沒有爲同伴的墜馬受傷，受到了嚇阻，仍然是縱馬直奔過來。

步天星低聲對馬文飛道：「馬兄請在此地觀戰，兄弟要出手阻敵了。」縱身而下，一躍丈餘，直向那入口處奔了過去。

這時，在草叢兩側，岩石之後埋伏的群豪，相繼現身攔在路中。

只見那南派太極門的掌門人石奉先，當先出手，短劍一揮，逕向右邊一人攻去，他出手奇快，劍芒一閃而至。

馬上人是一位全身青衣的大漢，只見他一帶馬頭，避開了石奉先的一擊，人卻藉機拔出了背後的雁翎刀。

石奉先一招落空，第二劍連續攻出。

那青衣大漢，武功竟是不弱，手中一把雁翎刀，施得呼呼生風，和石奉先打在一起。

石奉先連攻數劍，仍是保持了一個不分勝敗之局，不禁心中大急，揮動手中劍勢，節節退去。

只聽鄧坤低聲說道：「咱們南派太極門的武功，講究的以靜制動，掌門人如若心躁氣浮，那可是犯了咱們這一門武功之忌。」

石奉先果然沉下氣來，心氣一平，劍勢更見凌厲。

那青衣大漢幾次想下馬拒敵，但均爲石奉先的劍勢所迫，逼得無暇躍下馬背。

就在石奉先出手的同時，形意門中董公誠，也隨著出手，攻向那另一個大漢，這董公誠身經百戰，對敵經驗豐富，出手攻勢，柔中蘊剛，正是形意門的武功特色。

激戰十回合，兩個青衣大漢，已呈不支，石奉先首先得手，一劍刺中健馬。

那青衣大漢揮手一刀「力屏南天」，封住門戶，一躍而下。

石奉先哪還容他脫開身子，逼進一步，揮劍逼住刀勢，左掌一揚一拍。

這一掌擊出的恰到好處，那大漢躍下馬背，身子還未落著實地，石奉先掌勢已到，砰的一聲，正中那大漢左後背。

但聞那大漢悶哼一聲，身不由己地向前栽去。

石奉先一劍刺出，由前胸直貫後背，緊接飛起一腳，踼開了大漢的屍體。

這當兒，董公誠也施出形意門中的絕招「重浪疊波」，長劍幻起重重寒芒，生生把那大漢劈成兩半。

而就在兩人劍斃敵手之時，來路上又飛一般地躍來六、七條人影，在那人影之後，緊追著

數十個黑衣武士。

前面奔逃之人，不斷地發出暗器，阻攔那追趕的黑衣武士。

唐元奇握弓搭箭，連射三箭，傷了緊追群豪的三個黑衣武士。

就這一陣功夫，群豪已然奔近了山口通道。

蕭翎隱在石後，凝神望去，只見那常大海、端木正，都成了血人，三陽神彈陸魁章，右手提著火龍棒，左臂上也是血透衣袖，看樣子傷勢不輕。

八手神龍端木正，仍然強自回身打出暗器，阻擋追兵。

那面目冷肅的青衣女，此刻也形態大變，長髮散垂，滿身是血。

另外一個二十歲左右的仗劍少年，腿上似受重傷，奔行起來有如跳躍一般。

司馬乾和向飛斷後拒敵，且戰且走，保護幾人。

單看這些與役之人，無不重傷的情形，不難想到惡戰的劇烈。

步天星閃開去路，放過了常大海與端木正等，大喝一聲，橫身攔住了追兵。

四個緊迫而來的百花山莊武士，眼看群豪又是一道埋伏，心中亦是有點震駭，一齊停了下來。

步天星抬頭看去，只見那些黑衣武士愈來愈多，片刻間已集了數十人，遙見塵土飛揚，仍有著不少的快馬，奔了過來。

這時，唐元奇已收起弓箭，解下了腰中的軟索亮銀錘，蓄勢待敵。

石奉先、董公誠、鄧坤等五人，一排橫立，把一座丈餘寬窄的入口，堵得十分嚴緊。

那些黑衣武士已然聚集了四、五十人，各亮兵刃，奇怪的卻是不肯立刻出手進攻，似是在等候著什麼一般。

只見常大海和端木正，穿越過群豪防守線後，行不過兩丈左右，突然齊齊倒栽地上！

原來這兩人浴血苦戰，身上數處重創，早已支撐不住，全憑著數十年修爲的一口元氣，強行支撐，追兵受阻，賴以支持重傷之軀的精神力量，隨著一鬆，再也支撐不住，摔倒在地上。

商八正待起身去把兩人抱到隱蔽之地，忽見道旁草叢中，躍起兩個勁裝大漢，抱起兩人，轉入山後。

這時，那山口處形勢，又有了變化，百花山莊追到的黑衣武士，布成了一座方陣，但卻仍列陣不攻，似是在等待著什麼人。

蕭翎回顧了馬文飛一眼，道：「馬兄，敵眾我寡，不宜硬拚，要想個退敵之計才好。」

馬文飛低聲歎道：「除了丐幫和少林寺弟子眾多，或可和這百花山莊抗拒之外，只怕武林中其他門派，都無能和百花山莊中的眾多人手抗拒。」

言下之意，對這阻敵之戰，似已無制勝信心。

蕭翎回想百花山莊中那半日夜的激戰，實是凶險異常，激烈絕倫，如非那孫不邪出手，眾豪只怕早已傷亡於百花山莊之中了，這一戰實難怪與戰之人，個個寒心。

當下輕輕歎息一聲，道：「如是馬兄能設法和各大門派聯合一起……」

馬文飛搖頭接道：「九大門派，淵源流長，門戶之見甚深，兄弟在江湖上行動，不過數年，九大門派中，決不會把兄弟放在眼中。」

說話之間，忽見兩條人影，由山後大道上轉了過來。

蕭翎目光銳利，看來人疾服勁裝，身佩長劍，正是武當門下的展葉青。

走在展葉青右側一個短鬚繞頰，環目方臉，神態威猛的大漢，正是那終南二俠中的老二鄧一雷。

馬文飛目光一轉，低聲說道：「蕭兄，瞧到那短鬚繞頰的大漢了嗎？」

蕭翎道：「那人就是鼎鼎大名的終南二俠之一的鄧一雷。」

馬文飛道：「那和鄧一雷走在一起的年輕人，又是何許人物？」

蕭翎道：「武當無爲道長最小的一位師弟，展葉青。」

馬文飛道：「原來是展大俠，兄弟倒是久聞其名了。」

蕭翎道：「這兩人到此，可能爲咱們助拳而來。」

馬文飛道：「不論他們是否爲助拳而來，兄弟得下去迎接他們一下。」

蕭翎道：「理當如此。」

馬文飛站起身子，大步迎了下去，抱拳一禮，道：「鄧二俠，別來無恙，還識得在下馬文飛嗎？」

鄧一雷欠身還了一禮，道：「馬兄深入百花山莊之事，目下傳揚於江湖之上，這份豪壯的

膽氣，實叫在下佩服得很。」

目光一轉，望著展葉青道：「這位乃是武當掌門人無為道長的師弟，展葉青……」

馬文飛抱拳作禮，接道：「在下久聞展兄大名，今日有幸一晤。」

展葉青欠身道：「久聞馬兄大名，領導豫、鄂、湘、贛四省武林同道，才能過人，兄弟是心慕已久了。」

馬文飛道：「好說，好說。」

但聞身後傳來一聲長嘯，打斷了馬文飛未完之言。

轉目望去，只見那雲集在山口處的黑衣武士，個個肅然而立，分別立在兩側。

三匹健馬，緩緩由中間走了過來，直逼到步天星身前。

馬文飛看清楚來人之後，不禁失聲叫道：「沈木風。」

鄧一雷急急接道：「我等助拳，應該先擋其鋒銳才是。」說完話，大步向前奔了過去。

展葉青低聲說道：「馬兄進入百花山莊的豪舉，已然震動了武林，我那師兄和少林門下幾位大師，即將趕到助拳，馬兄不要挫低了豪壯之氣。」

說罷，也不待馬文飛回答，緊隨鄧一雷身後而去。

馬文飛鎮定了一下心神，暗道：既然武當、少林，都是衝著我前來助戰，我豈可置之不理。心念一轉，大步向前行去。

這時，展葉青、鄧一雷已然加入了步天星等一列，群豪拔出兵刃，擋在路中。

馬文飛急步趕入群豪隊中，抬頭望去，只見沈木風那高大微駝的身子，端坐在一匹全身雪白的健馬之上，雙目中神光冷峻，掃掠了群豪一眼，說道：「那老叫化子孫不邪哪裏去了？」

馬文飛冷笑一聲，道：「孫老前輩嗎？已然有事他往，沈莊主有什麼話，對在下說也是一樣。」

目光掃向沈木風的身後，只見一黑一白兩個老人，竟是關東長白山黑、白二老。

但聞沈木風冷笑一聲，道：「你不是我的敵手，我要找那老叫化子算帳。」

步天星突然一揮手中的兵刃，道：「不論你沈木風要找哪一個，也別想從此通過。」

沈木風輕蔑的一笑，道：「就憑諸位之力，想來攔我沈某人的去路嗎？」

鄧一雷怒聲喝道：「沈木風，不用太過賣狂，你武功雖然高強，但卻無人畏懼。」

沈木風望了鄧一雷一眼，道：「鄧二俠好長的命啊！」

不待鄧一雷回口，目光再投注到馬文飛的身上，道：「沈某人聽說百花山莊這場大戰，全出於你馬文飛的策劃，不知這傳言是否當真？」

馬文飛道：「是真又當如何？」

沈木風淡然一笑，道：「雖然傳言如是，但我沈某人卻是有些不信……」

他朗朗長笑一聲，道：「在你們這些人中，確有一個武功高強的人物，不但諸位難以及他，就是那孫不邪也要遜他三分，我沈某人親自趕來，就是想會他一會！」

步天星等都不知百花山莊那驚心動魄的惡戰經過，但聽說那名蓋江湖，丐幫中退隱長老孫

不邪，竟然出山參與百花山莊中戰事，已是驚奇萬分，還有人武功竟然強過那孫不邪，實使人有些難以置信。

馬文飛凝目沉思了一陣，道：「沈大莊主可猜出那人是誰了嗎？」

但聞沈木風冷冷接道：「在下雖然不知那人的姓名，但卻料想他是改裝易容，混入了我百花山莊的。」

馬文飛冷笑一聲，道：「我不信你沈大莊主是真的不知。」

沈木風道：「知與不知，似都無關緊要，眼下緊要的一件事，是要他出來見見我沈某人。」

馬文飛道：「沈莊主既是知而不言，我瞧也不用見他了。」

沈木風目光一掠橫列的群豪，笑道：「諸位可是當真想和我沈木風動手嗎？」

展葉青突然插口接道：「如果沈大莊主硬是不聽勸阻，咱們只好得罪了！」

沈木風目光銳利，一看展葉青道：「令師兄無爲道長沒有來嗎？」

展葉青聽得暗暗佩服道：這人的目光、心機，果非常人能及，只不過和我見過一面，竟然能牢記我的出身……

心念轉動之間，突聞一聲佛號傳來。

轉眼望去，只見一個佩劍道長，帶著兩個身披月白袈裟的和尚，大步行了過來。

那道人仙風道骨，飄飄出塵，正是那展葉青的二師兄雲陽子。

緊隨雲陽子身後二僧，卻是一個老態龍鍾，一個四旬壯年。

那四旬壯年，肩著一根鐵禪杖，龍行虎步而來，那老態龍鍾的和尙，卻是微閉雙目，雙手合十，隨在雲陽子等身後。

二僧一道，極快地行到群豪列隊阻敵之處。

那老僧微動一下雙目，沉聲喝道：「沈大莊主，還能識得二十年前的故舊嗎？」

沈木風望了那老僧一眼，臉色突然一變，道：「你還沒有死嗎？」

老僧淡淡一笑，道：「倒叫你沈木風莊主失望了。」

沈木風冷笑一聲，道：「雖然事隔二十年，但我沈某人自忖，此刻仍有殺你之能。」

那老僧道：「老衲於二十年前，在你手中逃了性命，二十年後，如若是仍然死在你的手中，那也算是命該如此了。」

沈木風回顧身旁黑、白二老一眼，低言數語。

他施展的傳音入密之術，群豪只見那黑、白二老不住地點頭，卻是無法聽得沈木風說些什麼。

馬文飛默查情勢，暗道：武當、少林兩派既已捲入了這場是非之中，想來其他諸大門派，都已漸生覺悟，如是九大門派，能夠合力同心，全力對付沈木風，百花山莊中雖然人才濟濟，也是不足畏懼了。

心念轉動之間，突聽得兩聲尖銳的哨聲，緊接著響起了兩聲銅鑼，直傳過來。

青天白日之下，聽那哨音、鑼聲，亦有著一種淒涼陰森之感。

緊依蕭翎身側的金算盤商八，低聲說道：「一向夜間行動的神風幫，怎的竟然大白天的出動。」轉臉望去，只見四個赤膊大漢，抬著一座高大猙獰的神像，行了過來。

在那猙獰的神像之前，四個黑衣大漢，各自執著一面巨大的銅鑼，邊敲邊行。

那鑼聲沉悶悠長，使人聽起來有一種淒傷不安的感覺。

蕭翎目光一掠那高大猙獰的神像之後，緊隨著一群高矮不同，服色各異的人物，不禁心中一動，暗道：神風幫主，一向喜夜間行動，白晝之間，縱有所爲，也都是派遣屬下弟子出手，似這等親自出馬，自是非同小可，而且這次行動，也和過去有些不同，莫非有爲而來嗎？

但覺腦際間靈光閃動，心中若有所悟，低聲對商八說道：「你下去通知馬總瓢把子一聲，奉勸群豪讓開去路，先要神風幫和沈木風引起一場衝突，再作計較。」

商八應了一聲，繞行而下，奔到馬文飛的身側，低聲說道：「在下奉大哥之命而來，請馬兄設法勸阻群豪，最好別和那神風幫中人，造成衝突。」

馬文飛略一沉吟，道：「有勞走告，兄弟知道了。」

商八言罷，閃入岩石草叢之中，重又繞回蕭翎身側。

這兩人談話聲音甚低，而且商八已隱去本來面目，雲陽子等，只道是馬文飛的屬下，都未注意。

這時，那四個赤膊大漢，抬著那猙獰神像，直行過來，已逼近群豪兩丈之內。

神風幫中人，雖然目睹群豪手中兵刃閃光，列陣拒敵，雙方陣勢已成，大戰一觸即發，但卻是視若無睹，仍然是大步行了過來。

馬文飛沉聲說道：「閃開去路。」

情勢急迫，已無暇和群豪相商，只好逕自作主，喝令群豪讓道。

雲陽子帶著兩位和尚，當先向旁側讓開。

展葉青、鄧一雷等，紛紛讓道。

神風幫中人謝也不謝一聲，昂首挺胸而過。

四個執鑼大漢，走在最前面，直對沈木風行了過去。

沈木風肅然而立，兩目神凝，望著那高大猙獰的神像，和那直逼向身側而來的執鑼大漢，卻是渾如不見。

這神風幫崛起江湖，素有凶名，但始終無人見過那幫主的形貌，即使沈木風在神風幫中派有眼線，但那人也無法仔細的說明幫中情形。

似乎是神風幫中，每一層級，都有每一層級的神秘。

四個執鑼大漢，已行近到沈木風的身前，沈木風仍然是肅立不動。

只要四個執鑼大漢，再向前行進一步，必然要撞上沈木風，引起衝突。

但那四個執鑼大漢，卻突然停了下來。

但聞鑼聲起落，有節奏地響了起來，數十聲後，才停息下來。

一縷奇怪尖銳的聲音，由那高大神像中傳了出來。

四個執鑼開道的大漢，突然向後退去。

原來，那鑼聲竟是和那高大神像中的哨聲互通聲息。

群豪雖然無法聽出那哨聲代表的什麼，但卻知道那是指示幾個大漢行動的方法。

沈木風神色冷肅，仍然站在路中不動，凝目望著那高大的神像。

那神像中傳出的哨聲，陡然間靜止下來，荒涼的原野中，回復了一片寂靜。

這時，鄧一雷、展葉青等，亦都存心要看神風幫主，究竟有些什麼神通，他們帶著群豪向後退開了五尺，這在江湖上的習慣而言，那是說明了，不插手雙方的事。

只聽那高大猙獰的神像中，傳出來一個柔美動人的嬌甜聲音，道：「你可是沈木風嗎？」

說話的措詞，雖不客氣，但因那聲音太過動人，聽上去並無咄咄逼人的感覺。

沈木風暗中一提真氣，冷笑一聲，道：「正是區區在下，不知幫主有何見教？」

他智謀過人，一聽那柔美動人的聲音，立時覺出不對。

那至柔至美的聲音中，似是含有著一種勾人魂魄的力量。

沈木風一聞得那嬌美的聲音之後，立時提氣戒備。

但聞那高大的神像中，又傳出那柔美的聲音，道：「本座久聞你沈大莊主之名，今日有幸一會。」

沈木風心中暗道：分明是一個年輕少女，躲在那一座猙獰高大的神像之中，統率屬下，不

知神像的體殼，是何物造成，如是一般的木刻之物，只要我一掌劈去，立時可把那神秘詭奇，傳誦於江湖之上的神風幫，一下子揭揚於武林之中。

但聞那高大神像中，又傳出那柔美的聲音，道：「沈木風，你在想的什麼壞主意？」

沈木風正待答話，那柔美的聲音又搶先接道：「沈木風，此刻咱們有兩條路走，可由你任選一條。」

沈木風道：「願聞其詳。」

神風幫主道：「咱們可以同心協力，先把橫攔道上的群豪，一網打盡，可以留用的，予以收用，不能收用的，就廢了他們的武功。」

沈木風生性多疑，暗暗奇道：這神風幫主和我素昧平生，神風幫和百花山莊，平常亦無往來，這神風幫主何以會在初度見面之下，竟然提出了合力拒敵之策……

但覺其間疑竇重重，一時間難作決定，以那沈木風的智慧，也是無法確定那神風幫主的用心何在？

只聽那神風幫主接道：「第二條路，那就是咱們今日先來一場決戰……」

沈木風接道：「這就奇怪了，貴幫和敝莊，素無往來，無恨無怨，似這般非友即敵，豈不太過極端了嗎？」

那神像又傳出來柔美的聲音，道：「沈木風，你可知道，兩雄不並立，據本座近來觀察所得，咱們爲人行事，頗多類似之處，其道相同，自應互相爲謀，這其間自是非友即敵了！」

這兩人談話之間，全部用的傳音之術，別人只見那沈木風嘴唇啓動，卻聽不出說些什麼？饒是那沈木風機智過人，竟也被那神風幫主鬧得莫名所以，只覺其人一派天真，毫無心機，但以那神風幫主在江湖上的神秘聲譽而論，這神風幫主，實不應像這般一個毫無心機的人物。

但這沈木風終是一位大奸大惡的奸雄人物，略一沉吟，終於被他想出一個計謀出來，說道：「貴幫既有和敝莊聯手同盟之心，在下極表歡迎，不過，彼此素不相識，這般突如其來，未免有些太過突然，我沈木風素來不做冒險的事，如是幫主有和在下結盟之心，就該以真面目和在下相見才是。」

神風幫主道：「好！既是如此，閣下就請讓開去路，今夜三更，咱們在歸州城十五里處，呂祖廟中相見。」

沈木風道：「就此一言爲定。」當先退到路側，舉手一揮，隨來的黑衣武士，紛紛向兩側避開，讓出了一條路來。

但聞鑼聲響起，四個赤膊大漢，抬起那高大猙獰的神像，在數十個隨行大漢護衛之下，疾行而去。

展葉青等群豪，眼看雙方劍拔弩張，大有動手的樣子，卻不料忽然間情勢大變，沈木風竟然讓開了去路，神風幫主從容而去。

馬文飛低聲對雲陽子道：「咱們這場心機白費了。」

雲陽子道：「咱們旨在阻攔沈木風，雖然未能使雙方自相殘殺，但咱們未和神風幫衝突，實力絲毫未損。」

馬文飛抬頭望去，只見沈木風身後列隊而立的黑衣武士，大約有四、五十人左右，以己方此刻實力，那是足以對付得了，唯一困難的事，是無人能和沈木風頡頏。

心念一轉，低聲對雲陽子道：「據在下估計，眼下強敵，只要能有一、兩位高人，便可和那沈木風對抗，其餘之人，那就不用畏懼了！」

雲陽子略一沉吟，道：「沈木風武功確實高強，如是單打獨鬥，的確沒有一個可和他對敵之人！」

馬文飛道：「道長之意，可是要用車輪戰法嗎？」

雲陽子道：「眼下也唯有此策，貧道準備和這兩位大師，合力拒擋那沈木風。」

馬文飛道：「那很好，只要能擋住沈木風，其他的人，就不難對付了。」

這時，沈木風身後那些黑衣武士，已然分列成數排，兵刃出鞘，一派肅殺之氣，看樣子，只要沈木風一聲令下，那些黑衣武士，立時可以分由幾個方位攻向群豪。

蕭翎隱身在山腰一塊大巖之後，俯瞰下面對壘形勢，就地理而論，群豪已足一戰，山道狹隘，草叢岩石後，又早伏暗樁，沈木風人數雖佔優勢，但卻無法由四面八方搶攻，只要有人能夠拒擋住沈木風，今日一戰，將使百花山莊大受挫折。

心念轉動，豪氣頓生，恨不得躍下巖去，獨和沈木風搏鬥一陣。

金算盤商八，一直留心著蕭翎的舉動，看他劍眉聳動，表露一副躍躍欲試之色，立時低聲說道：「今後江湖上風濤正急，正義之舟，全賴大哥把舵，你傷勢甚重，千萬不可輕身涉險。」

蕭翎凝目沉思了片刻，道：「兄弟，不是小兄出言狂妄，看今夜參與的群豪中，只怕難有沈木風的敵手，請設法轉達小兄之意，告誡群豪，不可稱一時意氣雄心，和那沈木風單打獨鬥，如有三、兩個高手合力和他搏鬥，還可支撐一陣，如是逞一時意氣，只怕要有遭劫之人。」

商八道：「小弟立時去轉達大哥之命。」言罷，繞入草叢而下。

在這道埋伏之中，原由那步天星統領全軍，但此刻情勢變化，陡然間，加入了很多高手。在這班人中，除了那老僧極少在江湖上出現，識者不多之外，如論身望之隆，以雲陽子和那鄧一雷齊名武林，但因雲陽子出身武當大派，受人敬重又非鄧一雷所能比擬了。

只見步天星大步行了過來，拱手對雲陽子道：「道長。」

雲陽子正舉手答禮，步天星又搶著道：「道長譽滿江湖，人人敬重，今日之戰，又非江湖一般名利、意氣之爭，還望道長賜允，主持大局。」

馬文飛接道：「步兄說得不錯，道兄能出主今日之戰，那是最好不過。」

雲陽子還待推辭，鄧一雷已然不耐地說道：「你這牛鼻子真是拉著不走，打著倒退，人家這麼抬舉你，你還端的什麼臭架子。」

這鄧一雷和武當派交情深厚，別說對雲陽子了，就是在那素來嚴肅的無爲道長面前，他也是照樣胡言亂語。

雲陽子也不生氣，微微一笑，道：「既是如此，貧道就恭敬不如從命了。」

步天星一抱拳，道：「在下恭候大命。」

雲陽子道：「有勞稍候。」

言罷，緩步行近沈木風，道：「沈大莊主，想不到咱們今日竟又在此地重逢。」

沈木風見群豪公推雲陽子道長爲首，乃冷冷地答道：「武當山和百花山莊近在咫尺，就是今日不見，異日仍然有見面之緣。」

雲陽子道：「大莊主說得不錯，咱們武當派有如你沈大莊主眼中之釘，必欲去之而後快了。」

沈木風冷哼一聲，不理會雲陽子質問之言。

雲陽子目光一掠沈木風身後的黑、白二老，和那些黑衣武士，道：「今日既然相遇，那是難免一場惡鬥了。」

沈木風道：「就憑你雲陽子嗎？」

雲陽子道：「貧道自知非敵，但卻極願應戰，奉陪你沈大莊主幾招。」

沈木風暗自盤算，忖道：看樣子他們是早有準備，如若那老叫化和那位不知姓名的高人，亦同在此地，動手之後，突然現身相助，那時，想要退走，亦非易事了……

心中念頭轉動，口中卻冷冰冰地說道：「你可是要找沈某人，決定互相動手之法嗎？」

雲陽子道：「悉聽尊便，只要沈大莊主劃出道子，貧道等遵從行事就是。」

沈木風突然縱聲大笑，聲如傷禽怒嘯，震得人耳中嗡嗡作響。

群豪只聽得暗暗心驚：此人內功，果然是深厚驚人。

笑聲頓住，突然舉手一招，一塊鵝卵大小的山石，突然飛了起來，落入沈木風的手中。

只聽沈木風冷笑一聲，道：「接著！」握在右手的鵝卵石，突然向雲陽子投了過來。

雲陽子伸手接過山石，不禁一皺眉頭。

原來那山石有如一個燙手的山芋，滾熱逼人。

在群豪眾目睽睽之下，雲陽子自是不便把手中山石，投擲地下，只好運功和那熱力抗拒。

哪知一加力，手中山石，竟然碎若細粒，灑落一地。

沈木風哈哈一笑，道：「懂得我沈某之意嗎？」

頓了一頓，舉手一揮，道：「今日之戰，不用打了。」一轉身，躍上馬背，縱騎而去。

黑、白二老，和那些黑衣武士，紛紛追在身後，但見塵土蔽天而起，數十匹快馬，去如飄風。

這一次，大出群豪意料之外，都不禁爲之一呆。

只見那奔行快馬中，突然一個黑衣武士，跌了下來，翻了兩個滾，隱入了道旁草叢之中。

數十匹快馬，去勢依舊，無一人回顧一下那摔下馬的黑衣人。

雲陽子等雖都瞧到，但也未放在心上，只覺百花山莊中人，個個生性冷酷，對一個同伴的生死，竟然是這般的漠不關心。

但見煙塵遠去，數十匹快馬，逐漸地消失不見。

雲陽子望著那快馬消失的去向，長長吁了一口長氣，道：「沈木風的爲人行事，永遠是叫人猜測不出……」

只聽展葉青叫道：「奇怪呀！這人並未受傷。」

群豪齊齊抬頭望去，只見那跌入草叢的黑衣人，竟然由草叢中爬了起來，而且對群豪行了過來。

馬文飛道：「沈木風詭計多端，這人不知要搞什麼鬼，不可中了他的詭計，諸位請留在此地，在下過去瞧瞧！」

展葉青道：「兄弟奉陪馬兄一行。」

兩人聯袂而起，直對那黑衣人迎了過去。

不足二里的距離，片刻間已然接近，距那黑衣人還有兩丈遠近，馬文飛已停下腳步，冷冷喝道：「停下！」

那黑衣人依言停了下來，一拱手，道：「哪一位是馬文飛馬總瓢把子？」

馬文飛呆了一呆，道：「在下便是，朋友有何見教？」

那黑衣人探手入懷，摸出一封素簡，道：「在下受人所托，有封密函，請馬總瓢把子代

轉。」雙手捧函，大步行了過來。

馬文飛冷冷說道：「函件請放在地上，朋友退出一丈。」

那黑衣人依言放下手中素簡，緩緩後退一丈。

只見那素簡之上寫道：敬煩馬文飛總瓢把子，轉上蕭翎親啓。

字跡娟秀，似若女子手筆。

馬文飛仔細瞧那素簡，不似塗有毒物，伸手撿了起來，道：「這封信是何人所寫？」

那黑衣大漢道：「在下送上這封素函的代價是還我自由，別的一概不知，簡內函箋上，寫得明白，收函人一看即知，在下就此別過。」言罷，轉身向正南奔去，和沈木風等人去路方向並不相同。

展葉青大步行了過來，道：「這素函可是寫給你馬兄的嗎？」

馬文飛已把素簡藏入懷中，道：「不是，寫給另外一個朋友。」

展葉青看他呑呑吐吐，似是不願說一般，自是不便再追問下去。

兩人一齊走了回來，雲陽子低聲問道：「那留下的黑衣武士，是怎麼一回事呢？」

展葉青接著道：「沒有事，那人只是送來一份私人函件。」

他特別說出私人二字，也就是不願雲陽子等再多追問。

果然，全場中人，無人再問。

馬文飛生恐因此引起誤會，很想解釋，但又覺此事很難解說明白，除非說出了蕭翎的身

分。但他未得到蕭翎同意之前，實又不便自作主張，只好悶在心中不言。

一時間，場中沉寂下來。

良久之後，雲陽子才輕輕歎息一聲，道：「馬兄深入百花山莊一事，已傳揚於江湖之上，武林同道對馬兄這份豪壯之氣，都已生了很深的敬慕之心。」

馬文飛笑道：「其實兄弟是敬陪末座……」連連歎息一聲，接道：「我們這一次能夠生離那百花山莊，除了那丐幫中長老孫不邪外，還得另一位高人相助。」

雲陽子道：「什麼人？」

馬文飛道：「兄弟一向不喜歡謊言，那人就在此地，只是未得到他同意之前，兄弟實不敢擅自作主說出他的姓名……」

他摸一摸懷中的封簡，說道：「這封信也是那人的，兄弟不便作主。」

展葉青目光炯炯，掃了全場一眼，道：「這等神秘嗎？」

馬文飛笑道：「在下所知，那人隱去本來面目，實非故作神秘，而是確有苦衷。」

展葉青微微一笑，道：「既是如此，馬兄也不用替咱們引見了。」

這幾句說得聲音甚高，欲擒故縱，想用言語激那人自行出面。

哪知蕭翎隱在山腰巨石之後，根本沒有聽到他們說的什麼，自然不會挺身而出了。

這時，酒僧、飯丐、司馬乾等，都由兩面草叢中站起來。

展葉青目光投到司馬乾的身上，欲言又止。

馬文飛急急接口道：「兄弟給兩位引見，這位是東海神卜司馬乾……」轉向展葉青，又道：「這位是武當門下展葉青展大俠。」

展葉青一抱拳，道：「司馬兄。」

這司馬乾為人孤傲自負，挾絕技西來中原，原想先做出一、兩件驚天動地的大事，一舉之間，揚名於中原武林道上，哪知事與願違，竟是未如所願，百花山莊一戰，目睹那蕭翎的神勇，和孫不邪的八面威風，狂傲之氣，頓然消滅，眼看那展葉青一表人材，卓爾不群，立時抱拳還了一禮，道：「不敢當。」

展葉青笑道：「中原武林，恩怨糾纏，想來不如東海清靜。」

司馬乾長歎一聲，道：「中原武林，人才俠士，武勇、謀略，尤過傳言甚多。」

忽聽飯丐沈鐵鍋說道：「強敵已退，咱們也該找個地方好好吃它一頓了。」

酒僧半戒接道：「不錯啊！我和尚的酒癮，早已發作了。」

這兩人一搭一檔，不論何時何地，都是一副玩世不恭的神情。

展葉青望了酒僧、飯丐一眼，回顧馬文飛道：「這兩位可是大名鼎鼎的酒僧、飯丐嗎？」

馬文飛道：「不錯，可要兄弟替三位引見一下？」

酒僧半戒冷冷接道：「不用了。」

展葉青回過臉去，望著酒僧說道：「大師……」

酒僧道：「別這麼抬舉我，我和尚受不了這個，酒和尚，就是酒和尚，大師、大師的，我

和尚可是擔當不起。」

展葉青一時間，倒無法鬧清楚他心中之意，只好默然不語。

飯丐突然哈哈一笑，道：「酒和尚，你敢開罪人家展大俠，你和尚是活得不耐煩了，在下可是不願奉陪，我要先走一步。」言罷，也不待馬文飛答話，轉身大步而去。

酒僧半戒高聲叫道：「老要飯的，等等我。」

回頭對展葉青一揮手，道：「你如真的想交我這個酒肉朋友，最好是想法子帶點好酒，酒和尚見了酒，自然會藉故攀交。」

展葉青笑道：「多承指教，在下當牢記心頭。」

酒僧半戒轉身迅疾奔飛而去。

兩位遊戲風塵的大俠，轉眼走得蹤影不見。

雲陽子突然合掌當胸，說道：「那沈木風既然率眾退走，諒他不會再來，少林寺方丈，和敝派掌門，爲那沈木風重出江湖一事，已經聯名發出俠義柬，請諸位到武當山聚會，共議除此武林巨凶之策。想那沈木風耳敏眼靈，此事決難瞞過，貧道事務繁忙，要先行告辭了。」

說完話，對群豪欠身一禮，帶著展葉青、鄧一雷等轉身而去。

這時，蕭翎也和商八等離開那山腰大巖，行下山來。

商八緊隨蕭翎身後，低聲說道：「大哥此刻已是群豪心目中的英雄人物，如若藉機一呼，必有很多人願意追隨大哥，以大哥的才智而言，不難在九大門派和百花山莊之外，另樹一支武

林主脈。」

蕭翎輕輕歎息一聲，接道：「小兄雖是初入江湖，但就半年中觀察所得，武林中所以紛擾不清，大都爲名、利二字所困，尤以名字害人最深，人人都想稱尊武林，這紛亂，自是永無休止之日了。」

裔八但覺臉上一熱，笑道：「小弟卻爲利字所困，雖然取財有道，從未用強豪奪，但用些心機，逼人自動交出珍品異寶，總非正人君子該爲……」

他長長吁一口氣，接道：「自和大哥結識以後，兄弟亦曾和杜九談過此事，從今之後，要洗去心中貪財之念，全力相助大哥，做出一番事業。」

說話之間，已然行近群豪。

馬文飛探手入懷，取出一封素箇，遞了過去，說道：「這裏有封密函，蕭兄請拿去看。」

蕭翎接過素箇，只見封皮之上，字跡娟秀，分明是女子手筆，不禁心中大奇，問道：「這封函件是何人所寫？」

馬文飛道：「兄弟未曾瞧過。」

蕭翎一皺眉頭，拆開封箇，只見上面寫道：「昨宵神智忽清，聽家父談君事，君雖易容改裝，混入百花山莊，但卻無法瞞得過家父雙目，家父不肯洩露君之身分，志在用君身上之血，救妾之命……」

蕭翎只瞧得打了一個寒顫，暗道：看將起來，那毒手藥王他不借去我身上之血，救活他女兒之命，這一生一世，也不甘心了！

輕輕歎息一聲，接著向下看去。

「家父爲妾，用盡苦心，但用別人之血，救妾之命，妾所不取，奈家父愛女心切，必欲得君之血。薄命弱女，困於病魔，終日以藥物繼命，難得有片刻清醒之時，今宵竟大異往昔，一直神智清明，輾轉床笫，竟難入睡，悄然起而作書……

「妾和君素昧平生，但妾身卻有了君之血液，弱女殘軀，有如油盡之燈，生命之火，隨時可熄，感懷家父苦心，不禁黯然淚下，憶君無辜受此牽累，更使心神難安，籌思助君一臂，聊表歉疚之心……

「據妾所知，沈木風苦心培育而成的奇兵悍將中，以五龍大陣，最爲厲害。所謂五龍，實是五個各擅武功的奇人，被沈木風收服之後，帶回百花山莊，費了數年的苦心，而成五龍大陣，其間得家父助力甚多，是以，妾身得以了然內情……

「妾身籌思助君一臂，莫過夜鎖五龍，因而略施小謀，使五龍失去戰力，妾雖有愧於君，但亦不便施下辣手，使沈莊主數年苦心，毀於一旦，三思之後，始得兩全之策，使五龍消失戰力十日，十日之後，重行復原，此爲妾報君之恩……」

書寫至此，陡然斷去，下面亦未署名，此函雖未盡意，但已說得明明白白，一目瞭然。

蕭翎看完書信，才知沈木風排出的五龍大陣，何以不堪一擊，原來是早已經人暗中動了手腳，緩緩折箋入簡，放入懷中。

馬文飛等雖然很想知道信中之意，但見蕭翎不言，也就不便追問。

只聽一陣衣袂飄風之聲，金蘭急急奔到蕭翎身側，低聲說道：「老夫人身體甚是衰弱，咱們不能再趕路了，必須及早找個地方，好好休息一些時日。」

蕭翎臉色一變，急急問道：「此刻情勢如何？」

金蘭道：「此刻很安靜……」

蕭翎略一沉吟，回頭對馬文飛道：「家母的身體虛弱，難再耐奔勞之苦，兄弟勢必要在附近找一處人家休息幾日，馬兄和諸位，都有要事在身，請自便吧！」

馬文飛聽出情勢嚴重，默默沉思良久，道：「既是如此，在下也不便多言，但望蕭兄能夠多留下幾位武功高強的人，萬一發生事故，亦好有個照應。」

蕭翎道：「人數太多反易洩露行蹤，馬兄的盛情，兄弟心領了。」

馬文飛一抱拳，道：「蕭兄請帶人先走一步，兄弟暫時留此斷後，也免得那沈木風的眼線追蹤。」

蕭翎道：「那就有勞馬兄了，今日之情，日後兄弟定當報答。」

辭別了馬文飛，繞到後山，帶了中州二賈，和金蘭、玉蘭，繞向山中行去。

神偷向飛突然說道：「諸位慢走，兄弟年紀老邁，不能把一點壓箱本領，帶入棺材之中。」

蕭翎回過頭來說道：「向兄有何指教？」

向飛目光一掠金蘭、玉蘭，笑道：「老偷兒瞧這兩個女娃兒，很伶俐聰明，想傳她們兩手偷竊小技，但不知人家大姑娘是否喜歡老偷兒這些玩藝兒？」

蕭翎笑道：「向兄有此用心，我想她們是求之不得。」

這些日子在江湖之上行走，已使他深覺雖雞鳴狗盜之技，亦大有用，神偷向飛的盜竊手法，天下無雙，心中對他並無輕視之心。

金蘭、玉蘭齊聲道：「老前輩有此用心，我等是感激不盡。」

向飛哈哈一笑，道：「好！既是如此，那老偷兒就跟你們走了。」

東海神卜司馬乾對蕭翎一拱手，道：「兄弟亦想跟幾位結伴同行，不知是否見容？」

蕭翎道：「司馬兄肯與同行，兄弟等歡迎至極。」

金蘭突然快步行至馬文飛身側，低聲說道：「百花山莊中出身的女婢，個個都不會存有奢望之心，能得見容收留，已是感激不盡，但望馬總瓢把子，善待我那鳳竹妹妹。」

馬文飛微微一笑，道：「姑娘但請放心，在下自當盡全力好好照顧她。」

這時，司馬乾已經趕到蕭翎身側，低聲道：「蕭兄請看那位馬兄神色如何？」

蕭翎凝目打量了馬文飛兩眼，道：「兄弟瞧不出什麼。」

司馬乾道：「在百花山莊之時，兄弟曾經預言他有血光之災，目下他臉上晦氣之重，尤過在百花山莊之時，而且他晦氣直透華蓋，近日之中，必有大變，快則三日之內，長不會超過十日。」

蕭翎心中雖不太相信他的卜算之術，但見他說得如此認真，當下說道：「司馬兄既有把握，也該通知他一聲才是。」

司馬乾輕輕歎息一聲，道：「那馬文飛英雄性格，兄弟的話，只怕他未必肯聽，但蕭兄如若能鄭重其事的勸說他幾句，他也許能夠遵行。」

蕭翎略一沉吟，道：「好吧！」大步走近馬文飛，正容說道：「馬兄，兄弟有幾句不當之言，說出之後，還望馬兄原宥！」

馬文飛道：「蕭兄有何見教，只管請說。」

蕭翎道：「馬兄印堂晦暗，氣色不佳，十日之內，還望多加小心。」

馬文飛笑道：「可是那東海神卜司馬乾，告訴你的嗎？」

蕭翎說話之時，留神瞧了兩眼，只見他眉宇之間，果然隱隱透出一片陰晦之色，當下接道：「是在下自己瞧出。」

馬文飛略一沉吟，道：「好吧！我小心一些就是，有勞掛懷。」

蕭翎道：「家母身病復元之後，兄弟就把他們送到一處安全所在，再設法去找馬兄。」

馬文飛道：「少林、武當兩派掌門人，聯名傳出俠義柬，召集的英雄大會，還望蕭兄能夠參加！」

蕭翎道：「此時還難決定，屆時再作主意……」雙手抱拳，接道：「兄弟先走一步了！」轉身大步行去。

四三　捨身救母

杜九揹著蕭大人，玉蘭揹著蕭夫人，商八和向飛開道，蕭翎和司馬乾斷後，一行人，繞入了一處山谷之中。

行約三十里，到了一處四無人跡的山谷之中。

向飛停下身子，拱手對蕭翎說道：「沈木風經營百花山莊十餘年，方圓百里之內，恐怕都有百花山莊的眼線……」

蕭翎接道：「向兄之意，咱們可是要在這山谷之中，找一個存身之處嗎？」

向飛道：「不錯，只有在這等大澤幽谷之中，或可避開沈木風的眼線。」

蕭翎道：「深山幽谷中，雖然隱秘，只怕採購藥物不便。」

向飛笑道：「這個不用蕭兄發愁，採購藥物的事，老偷兒擔當就是。」

商八笑道：「向兄不但是妙手空空之技，獨步天下，易容之術，也是人所難及！諒那百花山莊的眼線，無法認得出他。」

這時，玉蘭、杜九，已然選擇了一片柔軟的草地，放下了蕭氏夫婦，解活兩人被點制的穴道。

蕭翎用泉水洗去了臉上藥物，恢復了本來面目，守在雙親身側。

過了片刻，蕭大人長長吁一口氣，醒了過來。

蕭翎急急拜伏地上，道：「不孝兒蕭翎，叩見爹爹。」

蕭大人雙目盯注蕭翎，瞧了良久，輕輕歎息一聲，道：「你當真是翎兒嗎？你變得太多了，昔年你體弱多病，如今卻是這般健壯……」

微微一笑，接道：「仔細瞧過，面貌、輪廓依稀還辨得出。」

蕭翎垂下淚來，說道：「孩兒不孝，連累爹娘受苦，實叫孩兒心下難安。」

蕭大人目光流動，掃掠了身側的江湖豪俠，恢復了昔日的和藹笑容，道：「宦海凶險，尤過江湖，爹爹身經了無數風浪，這點驚駭苦難，算得什麼？」

只聽玉蘭低聲道：「相公快來，老夫人有些不對。」

蕭翎臉色陡然大變，一長腰，飛躍而起，呼的一聲，掠過向飛、司馬乾，直落到母親身側。

屈下一膝，扶住母親，急得大聲叫道：「娘啊！娘啊……」

他心中焦急如焚，淚水如泉，奪眶而出。

商八輕輕一扯司馬乾，低聲說道；「你會算命卜卦，但不知是否有醫病之能？」

司馬乾道：「兄弟不敢自吹自擂，醫道方面，通而不精。」

商八道：「你先去勸住蕭大哥之後，咱們再商量醫病的事。」

司馬乾點點頭，舉步行到蕭翎身前，說道：「蕭兄切不可亂了章法，兄弟觀老夫人之相，福緣甚是深厚，決不會有何凶險，但請放心。」

蕭翎回顧了司馬乾一眼，道：「司馬兄說得不錯。」

隨手放下母親，站起身子，拭去臉上淚痕，接道：「家母一直是暈迷不醒，哪位熟悉此地形勢，有勞去請位大夫來。」

蕭大人緩步行了過來，瞧了老妻一眼，長長歎息一聲，道：「翎兒，不用慌。」

蕭翎躬身說道：「爹爹有何教訓？」

蕭大人道：「自你去後，你母親日夜懷念，積憂成疾，為父的雖然從中解勸，但一直無法使她回復昔年的歡笑……」

蕭翎道：「孩兒不孝，拖累母親擔憂，罪該萬死。」

蕭大人微微一笑，道：「是以，當那百花山莊中人，找上丹桂村時，為父的雖然瞧出破綻，覺出他們行徑可疑，但你母親卻是信以為真，展露自你去後的初度笑容，為父不忍揭穿內情，只好照他們吩咐上道。唉！我們在百花山莊中，雖然未吃什麼苦頭，但那囚居幽室，昏暗不見天日的生活，卻也是難過得很……」

蕭翎道：「孩兒不能承歡膝下，反累爹娘，想來實叫孩兒惶愧欲死了！」

蕭大人道：「你母親連急帶氣，再加上思兒之心，在那囚居幽室之中，已經染病，再經一番驚駭，暈了過去，吾兒也不用驚慌，只等她醒來之後，見你之面，認出吾兒，先去了心中的憂苦，病勢就算好了一半。」

蕭翎道：「爹爹說得是。」

玉蘭突然站起身來，欠身對蕭翎說道：「歸州城中，有一位名醫，妾婢意欲易容，混入城內去把他請來……」

只見山腰間，一叢青草之中響起一聲大笑，道：「不用了，天下名醫，敢說無人能及老夫，這區區病勢，老夫自信有著妙手回春之能，一針可使她當場醒轉。」

群豪抬頭望去，只見數丈外的大巖上，站著一個乾枯瘦小的黑衣人，正是那毒手藥王！

群豪都爲蕭夫人的暈迷擔憂，耳目失去了靈敏，均不知毒手藥王幾時到了此地！

商八冷笑一聲，道：「你既然來了，就別想再回去啦。」說話之間，一施眼色，和杜九聯袂而起，搶到左側，擋住退路。

毒手藥王哈哈一笑，道：「老夫如若害怕有來無去，也不會追蹤你們到此。」說話聲中，飄身而下。

蕭翎急行兩步，擋在父親前面，冷冷說道：「今日你若妄生惡念，必叫你死無葬身之地。」

毒手藥王雙目深注在蕭翎臉上，道：「你就是那假扮的馬成，在百花山莊中，老夫已識破你的身分了……」微微一頓，接道：「當時老夫不肯洩露你的身分，並非存什麼慈悲心腸，而是想留下你的性命，借你之血，救我女兒之命！」

向飛突然接口說道：「蕭兄，咱們行蹤已然爲他發現，唯一的辦法，就是殺之滅口，不用和他多作口舌之爭了！」

蕭翎一揮手，道：「向兄且慢出手！」

目光轉注到毒手藥王臉上，道：「你憑什麼要取我蕭翎身上之血，救你女兒之命？」

毒手藥王道：「老夫醫術，天下無出其右，武功也不後人，哪一樣都夠取你身上之血的條件。」

目光轉動，掃掠了躺在草叢中的蕭夫人一眼，掉轉話題，道：「令堂病勢不輕，如不早些療治，只怕救治不易……」

蕭翎道：「你可是想治好我母親病勢，挾恩迫我蕭翎，施血救你女兒？」

毒手藥王笑道：「要是能夠如此，老夫何樂不爲。」

司馬乾接道：「蕭夫人這點病勢，還不用有勞大駕。」取出懷中金輪，擋在蕭夫人的身前。

毒手藥王環顧了四周群豪一眼，道：「你可是當真想和我賭上一陣嗎？」

蕭翎心中暗道：這人心狠手辣，對百花山莊幫助甚大，如能藉此機會，把他剷除，也算爲武林做了一件大大的好事，雖然有些對不住他的女兒，那也是沒有法子的事了……

念轉志決，淡淡說道：「不論你劃出什麼道子，在下都願奉陪。」

毒手藥王道：「老夫爲人，最不喜受限制，如若你一定想和我比試一陣，咱們最好是不受

江湖上諸般規矩束縛，暗器、用毒，無所不包，不計手段，勝者爲高。」

蕭翎道：「很好，你能先作說明，足見閣下還有點英雄氣度。」

神偷向飛突然接口說道：「還有一件事，藥王忘記說出來了！」

毒手藥王道：「什麼事？」

向飛道：「群打群攻，以眾勝寡。」

毒手藥王哈哈一笑，道：「老夫既不受武林規戒束縛，你們自然也不用受限制了。」

司馬乾一揚手中金輪，道：「好！在下先來領教。」

忽聽玉蘭尖聲叫道：「老夫人！」蹲下去抱起了蕭夫人。

蕭翎轉目望去，只見母親手足顫動，一臉汗水，緊閉著雙目，似是正在忍受無比的痛苦，不禁肝膽碎裂，眼淚奪眶而出。

毒手藥王哈哈大笑，道：「手足抽動，中風之徵，如再延誤時刻，縱遇當世名醫，救了她的生命，也將全身癱瘓，落得個殘廢之身。」

幾句話，字字如刀似劍，刺入蕭翎的心中。

他舉手拭去了頰上淚痕，緩緩說道：「老前輩可有療治之能嗎？」

毒手藥王道：「藥到病除，妙手回春。」

蕭翎抱拳一揖，道：「那就有勞老前輩大施妙手了！」

毒手藥王笑道：「治病的事，簡單得很，只是老夫這代價過高，只怕你付它不起！」

金算盤商八突然接口說道：「只要你開出價來，姓商的照價奉付，決不拖欠。」

毒手藥王冷冷說道：「財富在我毒手藥王眼中，視若草芥糞土不如……」目光凝注到蕭翎身上，道：「我要他身上之血，救我女兒之命。」

群豪齊齊一呆，不知如何接口。

一直站在旁側靜觀變化的蕭大人，突然接口說道：「翎兒，你母親已近半百，行將就木，死亦不算夭壽，吾兒正值有爲之年，身擔大任，豈可輕生，不用救她了。」

蕭翎突然一撩衣襟，跪到父親面前，道：「爹爹請恕孩兒有違嚴命，慈母育兒，恩澤是何等廣大，孩兒萬死亦不足上報母恩萬一，豈可不救……」

毒手藥王微微一笑，道：「這是你自己承諾之言，並非是老夫相逼。」目光轉注到毒手藥王臉上，道：「我答應施救你女兒之命。」

蕭翎冷冷說道：「我蕭翎一口既允，決無反悔。」

毒手藥王道：「老夫信得過你。」

舉步直向蕭夫人停身之處行去，口中冷冷地喝道：「閃開去！」

原來，向飛和司馬乾並肩而立，擋在蕭夫人的身前，準備聯手擋他，但此刻形勢大變，只好依言閃避開去。

毒手藥王走到蕭夫人的身側，約略一看蕭夫人的臉色，縱聲笑道：「讓你們見識一下，當今第一神醫的手段如何……」

探手從懷中取出一枚銀針，冷冷說道：「老夫這一針落下，立時可讓她神智清醒。」

蕭翎沉聲接道：「毒手藥王，你如敢暗施手腳，對我母親下毒，你可知我對你如何？」

毒手藥王道：「諒你也無能傷得老夫。」

蕭翎緩緩伸出手去，低聲對金蘭說道：「寶劍借我一用。」

金蘭應聲拔出長劍，恭恭敬敬遞了過去。

蕭翎星目中神光如電，凝注毒手藥王的臉上，緩緩說道：「毒手藥王，你可願見識一下我蕭翎的劍術嗎？」

毒手藥王手中舉著銀針，道：「老夫以絕世的針灸療病之術，承受你一記劍招。」

這時，場中的氣氛，緊張無比，所有人的目光，都投注在蕭翎的手上，但每人的臉色，卻是一片哀傷悲痛之情。

蕭翎目光轉注到三丈以外懸崖邊的一株矮松之上，說道：「好！你要瞧仔細了。」暗中運氣，全身真力，全都凝聚在右臂之上。

只見他緩緩舉起手中長劍，陡然一振手腕，長劍脫手而出。

長劍出手，幻起了一片輪轉的銀虹，劍氣瀰漫，帶起了一片輕嘯之聲，直飛四、五丈高。

但見那輪轉的劍勢，在空中連打了兩個旋身，突然疾向那矮松射去。

一圈銀虹，繞樹飛轉，寒芒過處，枝葉紛飛。

待銀虹收斂，長劍現形，那懸崖間矮松，只餘下一個光禿禿的樹幹。

群豪都為這馭劍一擊，瞧得目瞪口呆，半晌之後，才響起了輕微的歎息和讚美。

毒手藥王點點頭，道：「就老夫記憶之中，五十年來，有此奇技的武林高手，只有四人，三人被困於那禁宮之中，一人下落不明……」

語聲微微一頓，突然提高了聲音，道：「你和那莊山貝如何稱呼？」

蕭翎聽他一出口便叫出莊山貝的名字，顯是對這馭劍之術，亦有心得，不禁一呆，口中卻冷冷地答道：「師徒之稱。」

毒手藥王歎道：「你這點年紀，有此成就，有背武學常規，如若老夫的料斷不錯，除了你得莊山貝等名師傳授之外，必然另有奇遇。」

蕭翎吃了一驚，暗道：這人果然厲害，難道我誤食那千年石菌的事，他也能瞧得出來。口中卻答非所問地接道：「憑此一劍，取你女兒之命如何？」

毒手藥王沉吟一陣，道：「那是綽綽有餘了。但卻未必能夠傷得老夫。」語音甫落，手中銀針已然疾落，刺入了蕭夫人前胸之上。

此人的針灸之術，果然是神奇無比，銀針中穴，蕭夫人立時長長吁出一口氣來。

蕭翎低聲讚道：「你的醫術，果有獨到之處，不愧有藥王之譽。」

毒手藥王微微一笑，道：「在老夫手中，決無不治之症。」

蕭翎心中暗道：好大的口氣。

但見毒手藥王銀針疾起疾落，片刻之間，連刺了蕭夫人一十二個穴道，收了銀針，探手由

懷中摸出一個玉瓶，一抖手，投向蕭翎。

蕭翎接過玉瓶，道：「什麼丹藥？如何服用？」

毒手藥王接道：「那瓶中五粒丹丸，不但有補氣益神之效，且可延年益壽，每日服用一粒，五粒服完，令堂當回復二十年前的青春活力，你要珍惜了。」

蕭翎一抱拳，道：「多承賜贈靈丹。」

毒手藥王道：「為證實老夫所言不虛，五日後，老夫再帶小女來此。」

他目光流露出無限的渴望神情，凝注著蕭翎，臉上是一片慈愛和焦灼混合的神情。

蕭翎長長吁一口氣，說道：「大丈夫一諾千金，藥王但請放心，五日內家母果真如藥王所言，在下定當束手施血，相救令嬡之命。」

毒手藥王道：「好！老夫信你之言。」轉身一掠兩丈，疾奔而去。

商八目注那毒手藥王的背影消失不見，突然抱拳對蕭翎一禮，道：「大哥，可是當真要施血救那毒手藥王之女嗎？」

蕭翎淡然一笑，道：「我既然答應了他，如何能夠騙人！」

杜九急道：「目下大哥一身繫天下安危，豈可這般輕賤自己。」

神偷向飛接道：「老偷兒向主信諾，一言出口，決不反悔，不過，蕭兄目下的處境不同，就是毀去承諾，也一樣受天下英雄敬重。」

蕭翎一揮手，道：「諸位的盛情，在下心領，咱們別談這件事了。」

冷面鐵筆杜九，爲人雖然表面冷漠，但內心之中，卻是充滿著熱情，蕭翎施血的事，他急得有如熱鍋上的螞蟻，滿臉愁容地走到蕭翎身側，道：「大哥可否聽小弟說幾句話。」

蕭翎臉色一片嚴肅地說道：「如是不關我施血的事，小兄是洗耳恭聽。」

杜九輕輕咳了一聲，道：「這麼說來，小弟也不用說了。」

商八高聲說道：「杜兄弟不用再說了，大哥心念已決，咱們勸也無益。」

向飛抬頭望望天色，道：「毒手藥王想用蕭兄身上之血，想來決不會洩露咱們藏身之秘，那沈木風眼線再廣，暗樁再多，也想不到咱們藏身這幽谷之中，只要咱們小心一些，住上三、五日，當不致洩露行蹤……」

輕輕咳了一聲，接道：「不過此地欠缺食用之物，咱們江湖粗人，打些野獸飛禽，烤來食用，那是家常便飯，但蕭老前輩和夫人，卻是食用不慣，老偷兒想去偷些食用之物回來，不知哪一位肯和老偷兒同去一行。」

金算盤商八笑道：「我商八能訛會騙，只是偷竊的手法，大不如人，倒想和向兄一行，也好見識見識，如何一個偷法。」

這兩個怕蕭翎攔阻，故意一搭一唱，先把去意說明，然後聯袂而去。

繞過了一個山角後，商八對向飛說道：「老偷兒，這件事你做得叫在下大不贊同。」

向飛道：「什麼事啊！」

商八道：「那毒手藥王五日之後，將帶他女兒到此，所以咱們就應該早早離開此地，讓那毒手藥王，撲一個空，時日拖得久了，也許大哥會改變心意。」

向飛道：「老偷兒不贊成你的法子，我有一個比你強些的辦法。」

商八道：「領教，領教。」

向飛道：「你想想，即使躲過這五天之期，來日正長，在那毒手藥王有心追蹤之下，豈不是躲不勝躲，老偷兒的辦法，叫釜底抽薪，永絕後患。」

商八道：「別賣關子，快些說啊！」

向飛道：「咱們設法找到馬文飛，要他派遣幾個高手來，埋伏於要道，待那毒手藥王赴約來時，群起而攻，一舉把他女兒殺死，其人作惡多端，算計了他，也不用愧疚於心。」

商八道：「為救我那大哥之命，商某人就算做一點愧心事，也不要緊，只是，此事若被我那蕭大哥知曉了，定然大發雷霆，說不定鬧一個割袍斷義，劃地絕交。」

向飛道：「就是不能讓他知道，你們中州二賈也不用出手，有老偷兒和那司馬乾，聯合馬文飛派來的高手，也就夠了。」

商八歎息一聲，道：「如是再想不出辦法，那也只好如此了。」

兩人邊談邊行，到了一所山村。

向飛讓商八在村外等候，獨自進入山村。

片刻工夫，帶著數隻雞、鴨，兩袋麵粉，和鍋碗等應用之物，走了出來。

商八搖搖頭，笑道：「這都是偷的嗎？」

向飛道：「老偷兒雖不肖，也不至偷這些人家，這等東西是老偷兒用十兩銀子買來的！」

商八道：「太貴，太貴，這票生意你賠了。」

向飛微微一笑，道：「做生意，老偷兒是甘拜下風，反正我身上的金銀，都是偷竊而來，多用點，也不在乎……」語聲微微一頓，接道：「咱們該回去了。」

商八道：「你不是要去找馬文飛嗎？」

向飛道：「急也不在一時，五日之約，時間充裕得很，如果你一人回去，定然會引起你那蕭大哥的疑心，明天由老偷兒一個人去找那馬文飛就是。」

兩人帶著雞、鴨、鍋碗等應用之物，趕回幽谷，已然是暮色蒼茫時分。

金蘭、玉蘭，早已爲那蕭夫人打掃了一座山洞，採來很多柔軟的乾草，鋪在地上。

毒手藥王的針灸之術，和留下的靈丹，果然是奇效卓著，蕭夫人服下一粒，精神已大見好轉，神智也清醒過來，認出了蕭翎是自己日夜思念的愛子，病情更是減輕了許多。

蕭大人卻是靜靜地坐在一側，茫然出神，想著父子見面，不過數日，又將一別永訣，當真是相見不如不見了。

他雖是胸襟廣大之人，但父子天性，亦不禁暗自傷悲。

蕭翎亦有著親恩未報身先死的傷感，想到五日之後，捨血而死，白髮人送黑髮人，慈母之心，定將片片碎去，此刻的時光，更有著寸金難買寸陰的感覺，孺慕之情，形露於神色之間。

金蘭大展巧手，就向飛取來之物中，做出一頓可口的晚餐。

蕭夫人只吃得讚不絕口，連連誇獎金蘭能幹。

吃過晚飯，夜色已深，山洞中燃起一支火燭。

蕭夫人精神大好，燭火下，和二婢、愛子聊天。

她望著承歡身側的二女，忽然想起了岳小釵，不禁黯然問道：「翎兒，你那岳姊姊哪裏去了？」

蕭翎道：「五年前難中一別，迄今未見過面，不過孩兒已探得她的消息，過幾天母親身體大好，孩兒就去找她……」言未盡意，突然住口，想到今生已無法再和那丰儀絕世，秀冠人寰，情義深重的岳姊姊重逢相見，頓覺心如刀刺，黯然垂下頭去。

蕭夫人道：「唉！小釵那孩子，實在是討人喜愛，守在我身前之日，還不覺得如何，自她去後，卻是想念的與日俱增……」

她回顧分坐在身側的二婢一眼，接道：「這兩位姑娘也這般討人喜歡，日後……」

蕭翎擔心母親喜悅之下，口不擇言，急急接道：「母親病勢還未痊癒，不宜多言，還望好好養息，孩兒也要去休息了。」站起身子，緩步而出。

出了山洞，蕭翎抬頭望望天色，已是二更時分，長長吁一口氣，信步向前行去。

他心中愁苦萬千，只覺得很多大事，都還未曾辦完就要死去，如是比武較技，轟轟烈烈的

戰死，也還罷了，但是卻爲一個彼此毫無情誼的女子，奉獻出全身的鮮血……

他心有所思，茫然而行，不覺間走出二里之遙。

只聽一個熟悉的聲音說道：「這辦法不行，還是向兄的主意最好。」

那聲音帶著冷冰冰的味道，正是杜九的口音。

蕭翎心中一動，停下腳步，凝神聽去。

山風呼嘯，吹打著松葉荒草，掩去蕭翎的步履之聲，杜九等竟是不知蕭翎到來。

但聞向飛的聲音接道：「商兄，究竟怎麼做，你說一句話。」

整日裏嘻嘻哈哈的商八，突然長長歎息一聲，道：「我商某人，一向主意最多，但這件事，卻已鬧亂了我的方寸，想我那蕭大哥爲人正直，一諾千金，咱們縱然跪在地上哀求於他，只怕也難使他回心轉意……」

他長長歎息一聲，接道：「看將起來，只有用你老偷兒的法子了。」

向飛道：「好，既然如此，老偷兒這就動身去找那馬文飛去。」

杜九道：「如果明天蕭大哥不見你老偷兒，問將起來，咱們要如何回答？」

向飛笑道：「他不會問，如是不見的是你商老大和杜老二，他自然要追根問底，查個明白，但我老偷兒，他決不會多管。」

杜九道：「萬一他問了起來呢？」

向飛道：「你們說不知去了何處就是。」

商八道：「好！就這麼辦，咱們在此恭候佳音。」

向飛道：「你們也該回去了，免得引起他懷疑之心。」

蕭翎急急抽身，躲入草叢之中。

凝目望去，只見三條人影，聯袂由草叢飛躍而出。

中州二賈轉入山谷，神偷向飛，卻獨自向谷外飛奔而去。

蕭翎心中雖未完全瞭然，三人計議些什麼，但想和五日後自己施血之事，定然有著關連，那是不會錯的，心中大為感動，暗道：想不到一向愛財如命的中州二賈，和以偷竊之技揚名武林的向飛，竟都是性情中的朋友，王侯大吏，又有幾人能這般盡義全交，肝膽相照，禮求諸野，古人是誠不欺我了。

但轉又想到大丈夫生死一諾，豈可言而無信，必須設法阻止他們才對。

念轉志決，緩步走回谷中。

次日天亮，群豪齊聚，果然不見了神偷向飛。

蕭翎忍下未問中州二賈，兩人也裝作不知，倒是那司馬乾大覺奇怪，忍不住問道：「那位向兄哪裏去了？」

商八輕輕咳了一聲，道：「老偷兒天生賊骨，三天不偷人家東西，雙手發癢，不知又去偷哪一家土豪劣紳去了。」

蕭翎暗道：我如非昨夜聽得他們計議，定也會被他這幾句話騙了過去。

流光匆匆，轉眼過了四天。次日，即是蕭翎和毒手藥王相約施血之日。

蕭翎一宵難眠，心亂如麻，天不亮就叫起中州二賈，道：「兩位兄弟可記得今天是什麼日子嗎？」

商八道：「自然記得了，今日是大哥和那毒手藥王相約，施血救他女兒之日。」

蕭翎一夜惶亂的心情，此刻反而平靜了下來，淡淡一笑，道：「你們記性很好。」

杜九道：「那毒手藥王也許是一句隨口之說，說不定不會來了。」

商八道：「如是他今日不來，那就是自背信約，大哥日後自是不用再守此承諾了。」

杜九道：「照那毒手藥王爲人，定然一早趕來，過午不到，咱們也不用等他了。」

原來，中州二賈和那向飛相約，如是第四天三更以前，還不回來，那就是已約到了足夠的高手助陣，不用中州二賈再出手了，向飛昨夜未歸，自然是約到了足夠的人手。

蕭翎一語不發，聽兩人你一言我一語地說了半晌，隨即淡淡接了一句，道：「咱們也該去迎接他一段路才是……」

杜九一下子跳了起來，道：「什麼?咱們去迎接他一程?」

蕭翎神色平靜地說道：「不錯，咱們該去迎接他們父女一程，也許他們在道途之中，遇上了仇人攔劫。」

啇八怔了一怔之後，搖頭說道：「不用了吧！如是他們父女當真的遇上了仇人攔劫，那也是天意如此，和咱們有何關連！」

蕭翎道：「如若真與咱們無關，那也罷了，怕的是和咱們扯上關係！」

啇八、杜九，相互望了一眼，道：「什麼關係？」

蕭翎道：「如是那向飛約了高手，在要道之上，阻攔那毒手藥王父女，豈不是就和咱們扯上關係了嗎？」

中州二賈，只聽得臉色大變，呆呆地站在那裏說不出一句話來。

蕭翎微微一笑，道：「兩位兄弟對我，一向是敬重有加，不肯稍有違抗，今日乃小兄死亡之日，兩位反不肯聽從小兄之言了。」

中州二賈齊齊流下淚來，抱拳說道：「但憑大哥吩咐，兄弟等水裏水裏去，火裏火中行，如有二心，天誅地滅。」

蕭翎一撩衣襟，跪在地上，道：「兩位兄弟以武林十分尊崇的身分，折節下交，認我蕭翎爲兄，其時兩位誠形於外，在下不得不允，論年歲、資望，蕭翎哪裏能及得兩位……」

中州二賈忙拜伏地上，道：「大哥快請起，有話好說，再要這般，那是迫小弟等持刀自刎，以明心跡了！」

蕭翎心知兩人說得出，就做得到，於是急急站了起來，言道：「兩位兄弟的盛情，小兄實是感激不盡，但我既然答應了那毒手藥王，決無更改餘地，古云：親恩深似海，兒命保母身，

又有何可議之處，小兄死後，尚望兩位兄弟，好好照顧小兄父母，小兄就瞑目九泉了。」

商八突然縱聲大笑起來，聲作龍吟，直沖霄漢，歷久不絕。

蕭翎怔了一怔，道：「你笑什麼？」

商八道：「大哥如是真的捨身而死，我和杜九，勢必要和那毒手藥王拚個生死不可，他有借物傳毒之能，小弟等自料勝機渺茫，那是說大哥死後，我和杜九即將追隨於泉下！」

杜九接道：「只怕老夫人得知此訊之後，亦將是痛不欲生，大哥一番施血救母的孝心，只怕也是白費心機了。」

他句句字字，充滿著情意，但語氣卻仍是一般冷冰冰的味道。

蕭翎一皺眉頭，道：「兩位兄弟這等用心，實難叫小兄同意。」

商八突然泛現一臉堅決之色，道：「好！咱們答應大哥，你施血之後，小弟等先設法安置好兩位老人家，再找那毒手藥王拚命也是一樣。」

蕭翎心知再勸無益，歎息一聲，道：「小兄並非是生機全絕，也許我還能活得下去。」

杜九道：「一個人放去了身上之血，還能活得下去，實叫兄弟難信。」

蕭翎道：「毒手藥王的醫道通神，善調靈藥，小兄放血之後，如若他肯予用藥療治，定有復元之期。」

杜九道：「他救與不救，全在於他，旁人無法勉強，最好的辦法，就是不要捨血……」

蕭翎星目神光一聚，逼視在杜九臉上，他只有輕輕咳了一聲，把未完之言又給嚥了回去。

三人相對默然良久，天色已經大亮，蕭翎緩緩站起身子，道：「咱們該去接那毒手藥王了吧！」

中州二賈相互望了一眼，不再多言，隨在蕭翎身後行去。

走出幽谷，蕭翎望著那綿連的山勢，不禁一怔，暗道：地勢如此遼闊，不知向飛埋伏於何處，攔劫那毒手藥王，如是他們假冒我蕭某之名，把毒手藥王父女，引到一處人跡罕至的山谷之中動手，那可是難以找得到了。

中州二賈看蕭翎停步不行，凝目沉思，知他是爲找不出埋伏的地方煩惱，心中突然泛升起一線希望，暗道：但願那神偷向飛能把毒手藥王父女，引到一處隱秘所在動手。

忖思之間，忽聽蕭翎叫道：「兩位兄弟，咱們再緊趕一程。」

中州二賈只好施出輕功追趕。

三人都是武林中一流身手，這一放腿而行，快逾奔馬。

急行了將近兩個時辰，到了那馬文飛埋伏人手阻攔沈木風的所在。

原來，蕭翎突然想到此地方乃必經要道，地勢又極險惡，自己雖然不知那毒手藥王到來的時刻以及路線，想那向飛等亦不清楚。

如若定要截住那毒手藥王，此地最是可靠了，故而匆匆趕來。

但見山色依舊，狹道口處，空蕩蕩的不見一個人影。

目光下，只見出口處，一灘鮮血，閃閃生光。

蕭翎伏身查看，發覺地上的鮮血，為時不久，至多也不過半個時辰左右，不禁臉色一變，回顧了中州二賈一眼，道：「你們計議攔劫之地，可是在此嗎？」

商八躬身說道：「主意是那向飛所出，他已四日未歸，他們要在何處動手攔劫那毒手藥王，小弟等實是不知。」

蕭翎察顏觀色，知他所言不虛，也不再多問，伏下身子，希望能從那鮮血之上，探查出他們的去向何處。

杜九望了商八一眼，施展傳音之術，道：「想不到那老偷兒辦事，竟是如此乾淨俐落，如若他真的宰了那毒手藥王，日後咱們得好好謝他一下才是。」

商八搖搖頭，也施展傳音之術，答道：「毒手藥王狡猾無比，武功絕倫，只怕不是這般簡單就能夠算計得了他。」

杜九道：「以他一人之力，還帶著一個奄奄一息的女兒，武功再強，也難是群豪聯攻之敵。」

商八道：「也正因如此，他必將是小心翼翼，不肯稍存大意。」

只聽蕭翎說道：「兩位兄弟請緊隨我來。」

當先向正南奔去。

四四　視死如歸

原來蕭翎仔細瞧過那鮮血之後，果然發覺血跡點點，似是那受傷之人受傷後，奔向正南。但因那血滴過小，經過日曬塵掩，不留心很難看得出來。

商八、杜九，放腿隨在蕭翎身後，直向西南奔去。

杜九一面奔行，一面說道：「如果是被大哥循此血跡，找著那毒手藥王的下落，杜老二非得和老偷兒劃地絕交不可。」

商八道：「果真如此，也是不能怪他，以那向飛為人的細心，必是事情太過匆急，無暇掩去痕跡。」

蕭翎雖知兩人竊竊私議，必是談論毒手藥王的事，但自知難以問出個所以然來，也就恍如不聞，行不過數丈，已登岸壁，草叢橫生，哪裏還能瞧出一點痕跡，蕭翎只能衡度山勢，判斷去路。

一口氣，行了七、八里路，但見山勢連綿，狹谷縱橫，哪裏有毒手藥王的影子。

這時，蕭翎已停下腳步，站在一處山頂上，四下流顧。

商八輕輕咳了一聲，道：「大哥，千峰連綿，萬壑縱橫，毫無線索可循，如何一個找法？

我瞧還是不用再找了。」

蕭翎回顧商八一眼，輕輕歎息一聲，道：「好！咱們回去。」

回程迅快，不足兩個時辰，已到了幾人停身的幽谷所在。

只見蕭夫人在金蘭、玉蘭陪護下，正在觀賞著四周山色，沿谷輕步，神情歡愉。

蕭翎輕步走近母親，深深一個長揖，道：「母親身體好些嗎？」

蕭夫人雙目中閃動著慈愛的光輝，凝注在蕭翎的臉上，笑道：「根本就沒有什麼大病，只是念你過切，唉！如今瞧到了你，哪還有什麼病呢？」

慈母之愛，聲聲如刀如劍，直刺入蕭翎的心中，只聽得蕭翎心神震顫，脊背上冷汗直淋，不禁垂下頭去，說道：「兒不孝，遠離膝下，勞母親為兒擔憂。」

心中卻是暗暗忖道：如若慈母知道我為她之病，答允施血救人的事，豈不要痛斷肝腸……

蕭夫人突然一皺眉頭，道：「翎兒，你到哪裏去了，我一早起來就見不到你？」

蕭翎道：「孩兒去看幾位朋友，商量兩件事情……」

蕭夫人輕輕歎息一聲，接道：「吾兒原非江湖中人，何不擺脫這江湖生活，免得叫娘終日為你提心吊膽。」

蕭翎道：「母親說得是……」

只聽一個沉重的聲音接道：「不成，此一時也，彼一時也，翎兒目下已成了武林中首腦人

物之一，如何能夠輕言擺脫？」

啇八轉臉望去，只見那說話的正是蕭大人，正自舉步行來。

蕭大人目光凝注在蕭翎臉上，瞧了一陣，回轉頭來，低聲對蕭夫人道：「他幼小時原生具不治之症，如非江湖高人，施藥傳藝，那也活不過二十歲，他為江湖高人所救，自是該為江湖正義效命，如是不幸死了，就算病死也是一樣。」

蕭夫人臉色微變，道：「哪有做父親的，咒罵兒子早些死去之理。」說完，手扶玉蘭秀肩，舉步而去。

蕭大人望著蕭夫人姍姍而去的背影，歎道：「孩子，那毒手藥王來了，你隨為父的來吧！」轉過身子，舉步行去。

他臉上是一片肅穆之容，舉步落足之間，有如負重千斤。

蕭翎倒是尙能保持鎭靜，舉步隨在蕭大人身後而行。

行約十丈，到了一叢荒草茂密之處。

但見草叢吹動，緩緩走出來毒手藥王，道：「那神偷向飛，率領八位高手，埋伏道旁，攔截於我，此事你知是不知？」

蕭翎道：「在下得悉之後，曾經兼程趕往迎接藥王……」

毒手藥王冷冷接道：「就憑那老偷兒，能夠截住我毒手藥王，老夫豈不是白闖了數十年的江湖。」

商八道：「藥王活了這一把年紀，也不嫌太長命嗎？」

毒手藥王望了商八一眼，不理商八，繼續接道：「那老偷兒被老夫略施小謀，引往別處，正好和百花山莊中派出搜索你行蹤的高手相遇，至於他們一場拚鬥的生死如何，那是各憑造化了，老夫看在你的面上，不對他用毒，已算是手下留情了！」

冷面鐵筆杜九突然冷冷接道：「咱們蕭大哥答應了施血救你女兒，自是不會改變，只是，我家大哥雖然答應，但還有不肯答應之人！」

毒手藥王道：「什麼人？」

杜九回手指著自己的鼻尖，道：「區區在下杜九。」

毒手藥王冷笑一聲，道：「你要怎樣？」

杜九道：「事情簡單得很，如是你想取我們大哥身上之血，先得收拾了我們中州二賈……」

蕭翎一揮手，接道：「杜兄弟，兩位兄弟聽我說……」

商八道：「小弟等洗耳恭聽，大哥只管吩咐就是。」

蕭翎道：「小兄施血救人，未必就非死不可……」

毒手藥王接道：「如是諸位肯和老夫合作，老夫自可設法保住你性命。」

商八長歎一聲，望著杜九說道：「杜兄弟，事已至此，咱們也不用讓大哥太過爲難了，只

要毒手藥王答應能保得大哥之命，咱們就答應和他合作。」

杜九道：「放血之後，蕭大哥那絕世武功，是否尙可保得？」

毒手藥王道：「這個，老夫亦難斷言，那要看他的造化了。」

蕭大人突然接口說道：「就此一言爲定，也不用再商討了。」

商八欠身說道：「不知藥王要咱們如何一個合作之法？」

毒手藥王道：「如要留得蕭翎之命，放血就不能太急，咱們尋找一個僻靜之處，兩位替我護法，我要用七日時光，一面放他身上之血，一面用藥物補他元氣。」

商八道：「好吧！就依藥王之見。」

蕭翎抬頭望望天色，道：「不知藥王要幾時動手？」

毒手藥王道：「老夫之意，自然是愈快愈好，此刻，江湖上風雲變幻，莫可預測，拖延時刻，只怕對你和老夫，都無益處。」

蕭翎道：「今晚動手如何?容在下去拜別慈母。」

蕭大人接道：「不用了，你母親此刻正惶惶難安，你去拜別，徒增她的悲傷之感。」

蕭翎一撩衣襟，拜伏地上，道：「那就請爹爹在母親面前，婉言關說。」

蕭大人接道：「爲父的自有說詞，不用你再多費心了。」

蕭翎對父親大拜三拜，起身望著毒手藥王說道：「咱們上路吧！」

毒手藥王道：「老夫帶路。」轉身當先行去。

蕭翎、商八、杜九魚貫隨在身後，向前行去。

翻越過兩座山峰，已經晚霞滿天，到了黃昏時分。

毒手藥王伸手指著對面懸崖山壁間，一塊突出的大石，道：「在那大石之後，有一個可容四、五人的小洞，小女已在那裏等候了。」

藥王帶路，借矮松、突石的助力，攀上山壁間，那突出的大岩石之後。

果然，在那大岩石之後，有一個天然的石洞。

蕭翎凝目望去，只見石洞一角處，鋪了很多乾草，一個秀目緊閉的少女，身上蓋著紅綾被子，似已熟睡過去。

毒手藥王輕輕歎息了一聲，道：「小女天姿國色，儀容絕世，才慧尤在老夫之上，只是病困於『二豎』，被折磨的瘦骨嶙峋，不成人形了……」

杜九冷冷接道：「在下看來，也許令嬡早已經氣絕死去了。」

毒手藥王怒道：「老夫醫道，無人能及，雖不能挽起小女沉痾，使她大病痊癒，但延續她的生命，並非難事，我已使她多活十年以上……」

他突然一整臉色，莊嚴地說道：「十年往事，不談也罷，老夫即刻就要動手，兩位也該下去替我們把風了。」

商八回顧了杜九一眼，道：「好！在人矮簷下，怎能不低頭，不過，我要把話說清楚，放

之痛。」

血之後，如果我們蕭大哥還活在世上，那就罷了，如是有什麼三長兩短，藥王也要嘗嘗那失女

毒手藥王道：「你們如若還要在此囉嗦不停，老夫就取消了留他性命之約。」

這一句話，竟有著強大無比的效力，中州二賈果然轉身向外行去。

毒手藥王目光投注到蕭翎的臉上，道：「可要老夫點你穴道？」

蕭翎一閉雙目，道：「藥王只管出手。」

毒手藥王右手伸出，點了蕭翎三處穴道，說道：「你如想留下性命，必得和老夫合作。」

蕭翎星目啓動，望了毒手藥王一眼，道：「藥王有何吩咐，只管請說。」

毒手藥王道：「老夫知你武功高強，縱然點了你的穴道，只怕也無法完全防止你內力阻梗行血，你必得和老夫合作，讓行血自然流出，老夫才能適時控制，不致造成慘局。」

蕭翎淡然一笑，道：「如若我蕭翎是貪生畏死之徒，也不會這般束手就縛了。」

毒手藥王抱起蕭翎，行近山洞一角，和女兒並放一起。

蕭翎暗暗歎息道：我蕭翎受恩師、義父，和柳仙子數年培養之恩，原想能把三位老前輩的武功，發揚光大，在江湖上創出一番事業，卻不料落得這麼一個下場……

但覺身上數處要穴一麻，又被毒手藥王點住。

只聽毒手藥王喝道：「老夫要放血了。」

蕭翎此時，啞穴也被點住，除了心神還能清醒之外，已是口不能言，身不能動了。

但覺左臂上衣袖，被人撤去，緊接著一陣劇痛，脈管上被物刺入。

只聽毒手藥王充滿著慈愛的聲音說道：「婉兒，忍受點痛苦，今後我兒即將和別的孩子一般，歡笑在爲父的眼下，爲父的要把我絕世醫術、武功，全部都傳授給你，我要在五年之內，把你培養成一個舉世無敵的巾幗英雄。」

蕭翎心中暗道：短短五年時光，要把一個全然不會武功的女子，培養成舉世無敵的巾幗英雄，那是未免言過其實了……

但聞毒手藥王接道：「婉兒，爲父的被武林同道，視爲正邪之間的人物，不過是因爲父的行爲，爲人喜怒難測而已，不論人家看法如何，爲了我兒，再殺幾人，那又有何妨，我要用絕世醫術，使你能得一甲子的功力……」

只聽一聲幽幽的歎息，打斷了毒手藥王未完之言。

緊接著，一個柔弱無力的聲音說道：「爹爹啊！你又在害人了？你既知道我已經沒有希望，爲什麼還要取人之血呢？」

毒手藥王道：「孩子，這血不同常人之血，這次換好之後，我兒即可恢復了健康。」

那柔細的聲音道：「爲什麼呢？」

毒手藥王長長吁一口氣，道：「婉兒，因爲他身上之血，不但極合吾兒體質，最重要的是，他食用過一種常人無法吃得之物，不畏你身上壞血感染，爲父的雖無法肯定的說出，他食用過什麼奇物，但想來不外是仙芝和千年何首烏之類的奇品。」

蕭翎心中暗道：我誤食千年石菌，助長了我的功力成就，但卻也要了我的性命，可見天下之事，有益必有害了。

但聞一聲急速的嬌喘之聲，道：「爹爹啊，你說的這人，可是那蕭翎嗎？」

毒手藥王笑道：「不錯啊！想我毒手藥王的女兒，究竟是比別人聰明，一猜就中，他就躺在你的身側……」

話未說完，忽聽一聲尖銳的聲音叫道：「快放開他。」

只聽到一陣衣袂之聲，起自身側。

蕭翎雖頭難轉動，目光難見，但從那聽得聲音之上判斷，似是一個人掙扎坐起。

但覺臂上一鬆，刺入脈管之物，突然似被人拔了起來。

耳際間響起了毒手藥王的歎息之聲，道：「婉兒，爲父的揹著你走遍了大江南北，好不容易才找到一個可療你絕症之人，難道你就不肯體念年邁老父的這一番苦心嗎？」

但聞那柔細的聲音接道：「爹爹惜我、愛我之心，爲女兒的豈會不知，但也正因爲，我多活一日，爹爹多苦一日，還不如讓我死去的好。」

毒手藥王道：「只要換過蕭翎之血，我兒就可康復如常人，不再爲病魔所擾。」

那柔細的聲音道：「蕭翎呢？他救了女兒性命，自己卻要落得全身鮮血枯乾而死，是嗎？」

多病少女突然間挺身坐了起來，道：「爹爹醫術絕世，難道就想不出別的療治女兒之法，定要取他人身上之血，才能救得女兒嗎？」

她緩緩伸出枯瘦蒼白的右手，緩緩取開蕭翎身上的輸血皮管，接道：「爹爹，女兒死了，你就心痛無比，別人的母親難道就不疼她的兒子嗎？」

毒手藥王冷酷自負，醫術、智謀，無不過人，唯獨對這位柔弱多病的女兒，卻是毫無辦法，長歎了一聲，道：「孩子，你先躺下，有話慢慢的說。」

蕭翎目光微轉，只見一個長髮披垂的少女，眼窩深陷，瘦得只剩下一把皮包骨頭，但仍然無法掩住那秀美的輪廓。

只見她舉起手來，拂一下披在臉上的秀髮，柔聲說道：「爹爹啊！解開他的穴道，我要和他說幾句話。」

毒手藥王無可奈何，舉起手來，先拍活了蕭翎的啞穴，道：「蕭翎，小女生具絕症，終日裏纏綿病榻，不解人間的險惡，心地一片純良，你應對她小心一些，不能傷害到她。」

蕭翎淡然一笑，未理毒手藥王。

那長髮少女移動了一下身軀，一對大眼睛，凝注在蕭翎臉上，道：「你是蕭翎？我寫給你的一封信，你可曾收到嗎？」

蕭翎道：「已收到了，多謝姑娘盛情相助，請恕在下幾處要穴被點，不能起身拜謝，還望姑娘多多原諒。」

長髮少女歎道：「我自幼體弱多病，除了爹娘之外，一生很少結識他人，你該是我極少的

熟人之一了……」

輕輕歎息一聲，那長髮少女黯然接道：「我說這些話，你也許感到奇怪，其實，你如是我，也是一樣，一個終年纏綿在病榻上的人，十幾年來很少有清醒的日子，能夠認識一個人，那該是多麼可貴的事情啊……」

她嬌喘了兩聲，接道：「我爹爹經常在我清醒時，提起你的名字，他說只要我換得你身上之血，我就可以恢復生命活力，和別的女孩子一般的快樂生活，因此，你的名字，早已深植在我的心中和腦際了。」

蕭翎道：「原來如此。」

只聽毒手藥王說道：「婉兒，你已經很累了，休息一會兒再說吧！」

父親的慈愛關懷，流露無遺。

那長髮少女突然微微一笑，露出一排整齊細白的牙齒，說道：「爹爹啊！在女兒記憶之中，我此刻該是清醒時，精神最好的一次，我說了很多的話是嗎？」

毒手藥王道：「是的，孩子，你從沒有一口氣說過這樣多的話。」

長髮少女道：「可是我一點也不覺得疲倦。」

毒手藥王口齒啓動，欲言又止。

他很少看到女兒的笑容，此刻眼見她臉上的歡愉之情，竟是不忍阻攔於她。

那長髮少女伸出手去，按在蕭翎的額角之上，道：「蕭翎，你可知道，放完你身上的血，

救了我這無用的性命之後，你即將永埋地下……」

蕭翎輕輕歎息一聲，暗道：她纏綿病榻十幾年，應該是有強烈的求生之心才是，但此刻聽來，卻是全不把生死之事，放在心上一般。

但聞那長髮少女接道：「你和我們非親非故，為什麼要施血救我之命呢？」

蕭翎正待出口答話，毒手藥王已搶先說道：「這位蕭公子，乃大仁大義的俠士，看到我兒如此才慧，如此丰儀，常年困於病魔，實在太可惜了，才甘願捨血相救吾兒之命。」

長髮少女道：「爹爹啊！你愛我之心，深摯無比，但你為我所作所為，卻又不是女兒喜悅的事。人家明明是被你逼迫，情非得已才施血救我之命，為什麼爹爹硬說是他自願救我的呢？」

毒手藥王道：「這個……這個……」目光轉注到蕭翎的臉上。

蕭翎忽然覺得，這纏綿病榻十幾年的少女，也實在可憐得很，自己如激怒毒手藥王，傷害了她的女兒，決難保得活命，既是橫豎難免一死，何不索性施血救她一命。

心念一轉，緩緩說道：「姑娘，你爹爹說得不錯，我是甘願施血相救。」

長髮少女幽幽一聲長歎，道：「這樣，我就更不能領受了。」

毒手藥王瞪大了眼睛，道：「為什麼？」

長髮少女蒼白的臉上，神色一片肅然，道：「你放他身上血，我已夜鎖五龍報答了他，如今，我們已不欠他什麼。此刻，你如再用他之血，救我之命，叫女兒再如何報答他呢？」

毒手藥王凄然說道：「孩子，你已經到了無法再拖下去的境地，再拖下去，爲父也無能爲力，難道你真的忍心，讓爲父受到碎心斷腸的打擊嗎？」

長髮少女深陷的眼眶中，滾落下兩行淚水，道：「爹爹，你如用他之血，救活了女兒，讓我一輩子良心負疚，豈不是叫女兒生不如死了？」

毒手藥王道：「爲父的擔保蕭翎施血之後，仍是完好無恙。」

長髮少女道：「爹爹，算了吧！你帶我到母親墳前去，結上一間茅廬，也許那山川靈氣，能使我病勢逐漸好轉。」

任他毒手藥王醫道絕世，武功高強，但卻無法應付自己的寶貝女兒，只聽他長長歎息一聲，似是再也想不出說服女兒的方法。

臥龍生武俠經典珍藏版 23

金劍雕翎（三）

作者：臥龍生
發行人：陳曉林
出版所：風雲時代出版股份有限公司
地址：10576台北市民生東路五段178號7樓之3
電話：(02) 2756-0949　　傳真：(02) 2765-3799
執行主編：劉宇青
美術設計：許惠芳
行銷企劃：林安莉
業務總監：張瑋鳳
出版日期：臥龍生60週年珍藏版 2023年1月
版權授權：春秋出版社呂秦書
ISBN ：978-986-5589-88-2
風雲書網：http://www.eastbooks.com.tw
官方部落格：http://eastbooks.pixnet.net/blog
Facebook：http://www.facebook.com/h7560949
E-mail：h7560949@ms15.hinet.net
劃撥帳號：12043291
戶名：風雲時代出版股份有限公司

風雲發行所：33373桃園市龜山區公西村2鄰復興街304巷96號
電話：(03) 318-1378　　傳真：(03) 318-1378
法律顧問：永然法律事務所 李永然律師
北辰著作權事務所 蕭雄淋律師

行政院新聞局局版台業字第3595號 營利事業統一編號22759935

定價：320元　

國家圖書館出版品預行編目資料

金劍雕翎／臥龍生 著. -- 臺北市：風雲時代出版股份有限公司，2021.06- 冊；公分（臥龍生武俠經典珍藏版）
ISBN：978-986-5589-86-8（第1冊：平裝）
ISBN：978-986-5589-87-5（第2冊：平裝）
ISBN：978-986-5589-88-2（第3冊：平裝）
ISBN：978-986-5589-89-9（第4冊：平裝）

863.57　　110007334